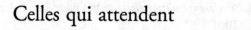

Celles qui attendent

DU MÊME AUTEUR

Mauve, avec Titouan Lamazou, Flammarion, 2010

Le Vieil Homme sur la barque, nouvelles, coll. Livres d'heures, Naïve, 2010

Inassouvies, nos vies, Flammarion, 2008

Kétala, Flammarion, 2006 ; J'ai lu, 2007

Le Ventre de l'Atlantique, Anne Carrière, 2003 ; Le Livre de poche, 2005

Ports de folie, nouvelle, dans la revue *Brèves* n° 66, 2002

Les Loups de l'Atlantique, nouvelle, dans le recueil collectif *Nouvelles Voix d'Afrique*, éd. Hœbecke, 2002

La Préférence nationale et autres nouvelles, Présence africaine, 2001

Fatou Diome

Celles qui attendent

Roman

Flammarion

© Flammarion, 2010
ISBN : 978-2-0812-4563-1

À ma grand-mère
Un jour, tu m'as dit :
« N'oublie pas de lever les yeux
Pendant l'attente,
Nos yeux se croisent,
Sur le même soleil,
Sur la même lune. »
Depuis, je te sens toujours
près de moi.
Alors, n'oublie pas,
Ton sourire est le plus beau cap
de ma navigation.

Prologue

Arame, Bougna, Coumba, Daba, mères et épouses de clandestins, portaient jusqu'au fond des pupilles des rêves gelés, des fleurs d'espoir flétries et l'angoisse permanente d'un deuil hypothétique ; mais quand le rossignol chante, nul ne se doute du poids de son cœur. Longtemps, leur dignité rendit leur fardeau invisible. Tous les suppliciés ne hurlent pas.

Silence ! En pays guelwaar, on sait se taire avec l'obstination d'un chasseur à l'affût, et si la mutité n'est pas gage de courage, elle en donne au moins l'apparence. L'orgueil est parfois une tenue d'apparat, l'on ne fera jamais les traînes assez longues, tant les égratignures à couvrir sont nombreuses. Dentelle ! Qu'on nous jette de la dentelle là où la peau ne compte que des trous, l'illusion sera parfaite. Il y a tant de couchers de soleil qu'on apprécie, moins pour leur beauté que parce qu'ils nous sauvent de l'acuité du regard inquisiteur. Rideaux ! Que les rideaux soient opaques n'est jamais un fait du hasard. Les furoncles s'accommodent mieux de l'ombre.

Mères et épouses d'aventuriers, Arame et Bougna ne cachaient rien, elles couvaient tout, comme le flamant

9

rose son œuf. Certes, les chimères persistaient à danser derrière leurs paupières, mais une mine maussade trahissait par moments la sourde frayeur qui les habitait. Comment auraient-elles pu décrire cela, sans sombrer dans l'abîme du désespoir ? À qui confier cela quand de nombreuses demoiselles prennent la demande en mariage d'un émigrant pour une bénédiction et que la plupart des mères désirent ardemment voir leurs propres fils partir vers l'Europe ?

Silence ! On ne parle pas quand on sème des songes et lorsqu'on récolte de l'or, on le crie rarement sur les toits. Silence ! Certaines peines valent de l'or, dit-on, lorsque leur cause est jugée noble. Or, dans ce territoire du Sine-Saloum, tout est noblesse, mille légendes ne sauraient partir du vide. Le sable est encore chaud, là où Bour Sine Coumba Ndoffène Diouf installait son illustre trône. Le sable du Sénégal est encore rouge du sang des princes guelwaars qui se laissaient exécuter en silence, opposant ainsi leur dernière fierté à ceux de leurs ennemis qui avaient l'exceptionnelle chance de ne pas périr sous leur glaive. Silence ! Dans le Sine-Saloum, les princes savaient se faire obéir d'un regard ou d'un geste discret et on pardonnait mille caprices aux princesses : elles pouvaient, selon leur humeur, ennoblir une servante exemplaire, décapiter un sujet pour une révérence tardive, embastiller un prince étranger par amour et engager le royaume dans de ruineuses noces, mais aucune d'elles n'avait droit aux jérémiades. Car si la parole faisait loi, son abus était l'apanage des faibles. Alors, aujourd'hui, même si la République, loquace, s'époumone à tort et à travers, les héritières de Coumba Ndoffène Diouf se souviennent toujours de la meilleure des armures : le silence !

Quand dire ne sert plus à rien, le silence est une ouate offerte à l'esprit. Pause ! On peut prier en silence et le Diable ne répétera jamais ce qu'il n'a pas entendu. Perdre un enfant, toutes les femmes peuvent se l'imaginer, même celles qui n'ont jamais enfanté. Mais comment dépeindre la peine d'une mère qui attend son enfant, sans jamais être certaine de le revoir ? Les veuves, on les plaint, on les cajole, on les entoure de compassion. Mais comment s'avouer veuve éplorée, quand on n'a enterré personne ? Les mères et épouses de clandestins ne se confiaient pas, pas facilement, pas à n'importe qui. Elles étaient silencieuses, comme des sources taries ; il fallait creuser, longtemps creuser, ou attendre qu'un motif improbable fende leur carapace et fasse jaillir la parole. Alors, échappées d'elles-mêmes, elles parlaient, ruminaient, discouraient et ne s'arrêtaient plus, car leur inquiétude était infinie et plus impétueuse qu'une crue d'hivernage. Arame, Bougna, Coumba, Daba, des mères et des épouses de clandestins, comme tant d'autres ; toutes différentes, mais toutes prises dans le même filet de l'existence, à se débattre de toutes leurs forces. Chacune était la sentinelle vouée et dévouée à la sauvegarde des siens, le pilier qui tenait la demeure sur les galeries creusées par l'absence. Outre leur rôle d'épouse et de mère, elles devaient souvent combler les défaillances du père de famille, remplacer le fils prodigue et incarner toute l'espérance des leurs. De toute façon, c'est toujours à la maman que les enfants réclament à manger. Féminisme ou pas, nourrir reste une astreinte imposée aux femmes. Ainsi, dans certains endroits du globe, là où les hommes ont renoncé à la chasse et gagnent à peine leur vie, la gamelle des petits est souvent remplie de sacrifices maternels.

Arame et Bougna, deux mères qui ne comptaient plus leurs printemps, ne démentaient pas cette logique. Chevillées à l'âtre, leurs démarches différaient, mais chacune entendait assumer pleinement son rôle. Et là où beaucoup auraient perçu un véritable servage, elles ne voyaient qu'une mission : maintenir la vie qu'elles avaient donnée. Coumba et Daba, quant à elles, humaient leurs premières roses : jeunes et belles, elles rêvaient d'un destin autre que celui de leurs aînées du village. Assoiffées d'amour, d'avenir et de modernité, elles s'étaient lancées, sans réserve, sur une piste du bonheur devenue peu à peu leur chemin de croix.

I

Arame et Bougna étaient de la même classe d'âge, elles se connaissaient depuis toujours, comme presque tout le monde sur la petite île. Mais c'est après leur mariage qu'elles devinrent amies, lorsqu'elles se retrouvèrent voisines de quartier. Ce n'était pas dit et ce n'était écrit nulle part non plus, mais elles semblaient respecter un code leur interdisant tout isolement. Peut-être avaient-elles flairé qu'un vis-à-vis avec sa propre ombre pouvait s'avérer aussi redoutable qu'un tête-à-tête avec un loup-garou.

Elles se retrouvaient pour aller aux champs ou aux puits. C'était également ensemble qu'elles poussaient leur barque sur les flots, serpentaient le long des bras de mer et allaient couper ce bois de palétuvier qu'elles jugeaient de meilleure qualité pour la cuisine. Un foulard autour de la taille, elles pataugeaient dans la boue, se faufilaient entre les branches, les coups de coupe-coupe rythmaient leur souffle, jusqu'à ce que les fagots remplissent la barque à ras bord. Alors, elles bravaient les courants de la marée haute et ramaient jusqu'au village, heureuses du résultat de leur rude journée. De ce corps à corps avec la nature, elles ne revenaient jamais sans plaie, car la nature ne donne jamais sans prendre quelque chose en échange : les morceaux de bois enfouis dans la vase leur lacéraient les pieds, les branches lézardaient leurs bras. Mais ce bois, c'était leur gaz, leur pétrole, leur seul combustible. Il leur fallait donc renouveler cette pénible besogne et tant pis si, chaque fois, leur chair meurtrie prenait des semaines à s'en remettre. Comme leurs mères et leurs grands-mères avant elles, elles alimentaient la flamme de la vie et offraient à l'île le spectacle qu'elle avait toujours connu : un combat, où il n'y avait rien d'autre à gagner que le simple fait de rester debout. Il fallait lutter, elles luttaient, vaillamment. Portées par la douceur de l'amour et la persévérance qu'exige le devoir, Arame et Bougna travaillaient sans relâche et veillaient sur leur grande famille comme si de rien n'était.

Rien ne les distinguait pendant les cérémonies villa-geoises. Elles se faisaient aussi belles qu'elles le pou-vaient et participaient aux réjouissances collectives, car aucune d'elles ne souhaitait être la fausse note de la symphonie sociale. Elles avaient des raisons pour ne pas chanter, pour esquiver la danse et même écono-miser leurs sourires. Mais elles chantaient, dansaient et riaient exagérément, comme rient ceux qui se retiennent de pleurer. Leur blues, immense, elles le tai-saient, comme on cache un méchant furoncle, par pudeur. Mais en dépit de leur discrétion, les fuites étaient inévitables ; or, sur une île, qui souffle dans une oreille ventile toutes les autres. Lorsque les deux amies quittaient une assemblée, on n'entendait pas que le froissement de leurs boubous amidonnés : leur histoire alimentait toutes les discussions et passionnait les adeptes de la chronique sociale.

Dans ce fief de la polygamie, Arame jouissait d'un rare statut : elle était épouse unique. Malgré un tel privilège, aucune femme de l'île au courant des arcanes de sa biographie ne lui enviait son sort.

Arame n'avait eu que deux fils, mais elle n'en était pas moins écrasée par le poids de la famille : son aîné, qui était pêcheur, avait péri trentenaire dans une tempête, lui laissant une nombreuse descendance sur les bras. Encore jeunes, les deux veuves du pêcheur, après la période rituelle de réclusion, étaient parties refaire leur vie ailleurs, abandonnant leur progéniture à leur belle-mère. Les gardiens de la tradition avaient tout tenté pour appliquer le lévirat, mais Lamine, frère puîné du défunt, refusa de s'y plier. Et même si elle redoutait la dispersion de ses brus, la pauvre Arame aimait trop son second fils pour lui imposer pareil sacrifice. Non seulement Lamine était plus jeune que ses belles-sœurs, mais son bref passage à l'école française lui avait ouvert les yeux sur un autre mode de vie qui le séduisait davantage. La polygamie, il n'en voulait pas ; chauffer la couche d'une épouse qu'on n'a pas choisie lui semblait encore plus insupportable. Et sa mère ne le comprenait que trop, elle qui, à quarante-neuf ans, maudissait encore ses propres parents, en mitonnant des soupes au potiron pour Koromâk, le grabataire qui lui servait d'époux. Plus Arame se souvenait, plus elle soutenait son fils. Elle avait à peine atteint sa dix-huitième année, lorsque, sans la consulter, on accorda sa main à Koromâk, un monsieur du même âge que son père. Depuis, supporter ce mariage fut son héroïsme du quotidien. Maintenant que Koro-mâk, vieux et malade, était devenu son fardeau, elle découvrait un autre supplice : l'obligation de prendre soin d'un être qu'elle avait toujours détesté. Non seulement elle s'y astreignait, mais elle feignait même la compassion, par respect pour les deux fils qu'elle lui avait donnés. Dire qu'aucun d'eux n'était plus là pour l'apaiser ! Cette pensée, qu'elle refoulait autant qu'elle le pouvait, remontait et s'imposait à elle, à l'improviste. Alors, les yeux en flottaison, elle s'isolait un moment et invoquait, par réflexe, un dieu auquel elle ne croyait plus. Les soucis étaient nombreux à malmener son cœur, mais l'ange Gabriel n'était jamais venu proposer un agneau pour la sauver. Aussi, dès qu'elle retrouvait un peu de calme, elle minimisait sa douleur et, avec la résolution d'un général japonais, faisait face aux difficultés du jour. Vivre, elle n'en pouvait plus, mais l'impossibilité d'abandonner ceux qui vivaient grâce à elle la tenait en alerte permanente et requérait toutes ses forces. La survie des autres, c'était son sacerdoce.

La survie, justement. Partout elle demande un effort, mais il est des contrées où l'on côtoie tellement la mort que la survie elle-même semble un pied de nez fait à la vie. Ici, le nécessaire vital s'acquiert au prix d'une âpre lutte qui comporte tous les rounds de la condition humaine. Sur ce coin de la planète, où les maigres productions journalières sont destinées à une consommation immédiate, la sérénité du lendemain n'est jamais garantie. Le pêcheur compte sur sa future prise et l'agriculteur attend tout de ses semailles. Les seuls investissements disponibles pour tous sont le courage et les litres de sueur. Chacun sait ce qui lui manque et se doute bien que son sort est loin d'être exceptionnel. Alors, au lieu de râler devant plus souffreteux que soi, on mord le mouchoir, on garde la foi et on trime du matin au soir. Pour beaucoup, vivre se résume à essayer de vivre.

Les mères et épouses de clandestins traversaient les aubes comme on descend dans l'arène. Dans une région où l'espoir des familles dépend encore des bras disponibles, celles dont les fils étaient partis faire fortune ne pouvaient compter que sur elles-mêmes. Beaucoup de gaillards, restés au village, rechignaient à leur prêter main-forte : ils n'allaient quand même pas boucher les trous laissés par ceux qu'ils enviaient ! Les mères et épouses de clandestins se tuaient à la tâche, gagnaient des miettes et trouvaient d'innombrables astuces pour sustenter leur marmaille. Leur vœu le plus cher était de ne jamais déranger personne avec une quelconque demande mais, parfois, l'estomac de leurs petits exigeait plus que le courage d'une mère. Épouvantées par le fond vide de leur marmite, elles sortaient, puis revenaient les bras chargés de victuailles et les épaules basses, écrasées d'affront. Bien que cette réalité leur fût commune, chacune essayait de cacher aux autres ses périodes de vaches maigres. On peut souffrir de la gale, mais de là à se gratter l'aine en public, il y a une marge à ne pas franchir. Arame déployait sa propre stratégie, mais, parfois, les plis de son visage la trahissaient, car on y lisait : jour de carence, jour de désarroi, jour de crédit, jour de honte.

Ce jour-là, pour la énième fois au cours du même mois, Arame allait rallonger la liste de ses dettes chez le boutiquier du quartier. La cloche de l'école primaire avait déjà sonné la fin de la récréation. Les enfants avaient réintégré leur classe et la prochaine cloche les jetterait dans les ruelles du village avec une furieuse envie de s'empiffrer car, pour eux, midi ne signifie rien d'autre que manger. Les enfants ne perçoivent guère la durée du processus qui met les repas à portée de leur gourmandise. L'enfance, c'est le privilège de se nourrir sans se demander d'où ça vient. On doit manger, il faut qu'il y ait à manger, c'est tout. Et les mères portent le poids de cet impératif. « Plus tard, mes enfants veilleront sur mes vieux jours », spéculent-elles, alors que la précarité de leur existence les condamne presque toutes à une mort précoce. Mais ça, elles n'y pensent pas, ne veulent pas y penser, sinon elles n'auraient plus la force de porter leur croix.

Beaucoup de cuisines fumaient, lorsque Arame saisit sa calebasse et se faufila entre les cocotiers, sans les voir : ses jambes la portaient mécaniquement vers son but. Au bout de quelques minutes, elle ralentit le pas. Sous l'ombre généreuse d'un fromager, des hommes, assis sur des nattes devant une boutique, jouaient aux cartes avec le commerçant. Un peu à l'écart, une femme rafistolait un drap ; une autre coiffait sa fille, mais toutes deux gardaient un œil vigilant sur la ruche des tout-petits qui s'agitaient à côté. Après avoir chaleureusement salué tout le monde, Arame franchit le seuil de l'épicerie, dans l'espoir d'être promptement rejointe par le boutiquier. Elle voulait l'entretenir discrètement de l'objet de sa visite. Mais le gars était coutumier du manège : d'ordinaire, les acheteurs ne se gênaient pas pour énoncer publiquement leurs souhaits, seuls les débiteurs le devançaient et s'introduisaient dans son local avec cette mine de conspirateur. Comme il tardait à venir, Arame se fit violence, revint sur ses pas et déclina ses doléances d'une voix timide, mais audible par tous.

— Abdou, je voudrais juste deux kilos de riz, les petits vont bientôt rentrer de l'école et je n'ai rien laissé à la maison. Je te réglerai ça bientôt, s'il plaît à Dieu.

Le commerçant était un homme très pieux, mais avec des clientes telles que cette femme, il en arrivait parfois à douter de la puissance divine. « S'il plaît à Dieu, s'il plaît à Dieu… » Il faut croire que rien de ce qui concernait cette bonne femme ne plaisait à Dieu, car depuis tout ce temps qu'elle l'invoquait, elle n'avait jamais pu régler la totalité de son ardoise. À peine avait-elle commencé à payer, qu'elle reprenait encore plus que ce qu'elle devait. En dépit du chapelet enroulé autour de son poignet, Abdou n'était pas d'humeur charitable ce jour-là ; mais le nom de Dieu mêlé à la demande et toutes ces oreilles qui avaient entendu la sollicitation malmenèrent sa conscience. Il se souleva avec la lourdeur d'un éléphant, traîna les pieds, passa devant Arame, sans lever les yeux sur elle, se posta derrière son comptoir et pesa le riz avec une implacable précision : deux kilos, sans un grain de trop. Il avait deux sortes de riz ; un d'excellente qualité, long, parfumé, et un autre, brisé, moins cher, mais plein de petites pierres noires qu'il fallait trier ou risquer l'ulcère. Abdou n'avait pas hésité entre les deux et Arame n'avait pas eu l'outrecuidance de choisir, elle savait quelle catégorie correspondait à sa situation. Au moment où Abdou vidait le plateau de sa balance dans la calebasse, Arame ajouta d'une voix mielleuse :

— Et un savon de Marseille, pour laver le linge, mes petits-enfants n'ont plus rien à se mettre. S'il plaît à…

— Oui, oui, je sais, *s'il plaît à Dieu*! Mais quand est-ce que ça va enfin plaire à Dieu ? Tu devrais d'abord payer tout ce que tu me dois avant de reprendre autre chose. Si personne ne paie, où voulez-vous que je trouve l'argent pour renouveler le stock de cette boutique ?

— Abdou, Dieu est grand, la vie n'est pas facile…

— Certes, elle n'est pas facile, mais elle est difficile pour tout le monde ici. Tiens, voici le savon, mais la prochaine fois, reviens avec mon argent.

— Merci, merci, s'il plaît à Dieu, tu n'attendras pas longtemps. Je t'assure que je viendrai te régler dès que possible. Merci.

« Dès que possible ! » Cela ne rassura point le commerçant. Il savait bien que, dans ce village, cette expression annonce un délai indéterminé ; et même lorsque, las d'attendre, il réclamait enfin son dû, les paiements étaient souvent impossibles. Les sommes qu'on lui versait étaient si dérisoires qu'elles l'irritaient plus qu'elles ne le consolaient. Tous venaient le supplier, un jour ou l'autre, mais parfois c'était lui qui avait l'impression d'être un mendiant, à force de leur courir après.

Arame, cramponnée à sa calebasse, était repassée devant les joueurs de cartes, le sourire timide et les jambes fébriles. À son « au revoir » nasal, tous avaient répondu. L'écho de ce chœur d'hommes fut pourtant d'une faiblesse telle qu'on y percevait un profond malaise. L'affront est une flamme contagieuse, par empathie nous brûlons de la douleur d'autrui. Mais

l'empathie n'était pas seule à casser leur voix. Une iden-
tification sournoise avait plié leur nuque et réduit les
octaves de leur fierté, car beaucoup d'entre eux s'étaient
déjà trouvés dans le rôle d'Arame et, à moins d'un
miracle, ils risquaient fort de s'y revoir un jour. Cette
probabilité infligeait à leur orgueil une blessure qui les
étouffait. Se faire humble au passage de la dame, c'était
certes lui témoigner du respect, mais cela exprimait
davantage encore une muette solidarité de condition.
Après les alliances séculaires, la pauvreté représentait le
lien souterrain, le pont invisible sur lequel la sollicitude
courait d'une âme à l'autre. « Je ne peux rien pour toi,
mais je connais ta peine et je la partage », semblaient
dire les regards tournés vers Arame. Puis le silence
s'abattit derrière elle, comme un drap qu'on voudrait
jeter sur les laideurs de la vie mais qui ne couvre rien,
un mauvais pansement qui râpe la peau et met les
plaies à vif. Les mots absents laissent toujours des trous
dans la peau. Encore une fois, Arame était rentrée avec
ses blessures.

II

— On se refait une partie ? lança, jovial, un jeune homme qui battait distraitement les cartes, quand Abdou reparut sous le fromager devant sa boutique.

Sans lui accorder la moindre attention, le commerçant se réinstalla lentement sur sa natte, avec un soupir qui fit comprendre à tous que le jeu était terminé. Quelques regards s'échangèrent. Wagane, le plus vieux de l'assistance, se mit à se lisser la barbe ; lui au moins avait cette bouée de sauvetage. On n'entendait plus que le bruissement du vent dans le feuillage des arbres et quelques caquètements de poules. Apnée ! Il faut beaucoup de souffle pour supporter tous ces instants qui asphyxient. La convenance, parfois une chape de plomb. On étouffe, on gigote, on rengaine sa volonté dans la retenue, pour respecter certaines lois inscrites nulle part. Logique de prééminence sous le fromager, une règle semblait évidente : quand le maître de céans se tait, tous deviennent muets ! Il fallait qu'Abdou réagisse, qu'il dise n'importe quoi, même un seul mot, mais il fallait qu'il le dise, pour faire fondre le silence qui avait figé tout le monde dans un moule de cire.

Au bout d'un moment, il se racla la gorge et remercia bruyamment son seigneur :

— *Allah*... !

— *Akbar* ! acheva Wagane, qui lissait toujours sa barbe, ravi de libérer enfin ses poumons. Dieu est grand, Abdou, ajouta-t-il, et lui seul te rendra tous les bienfaits que tu nous procures. Ce village te sera éternellement reconnaissant.

Le vieux monsieur parlait comme on cajole. Plus que quiconque, il redoutait l'ire du boutiquier auquel il devait tant, puisque chacune de ses trois épouses venait régulièrement, les poches vides, se ravitailler en son nom. Surtout sa deuxième épouse, Bougna, qui avait mille griefs contre lui et remplaçait les claques qu'elle rêvait de lui mettre par des crédits. « Tu vas encore en baver, mon salaud ! » pensait-elle chaque fois ; mais Abdou, qui ne savait rien de cette vengeance sournoise, tenait toutes les requêtes de la dame pour urgentes et la servait par égard pour son mari. Pourtant, avec le temps, Abdou avait acquis une triste conviction : s'il voulait sauver son affaire, il n'avait pas le choix, il devait se mettre à dos certains de ses amis. Aussi, les rares fois où il se retrouvait seul derrière son comptoir, il s'entraînait à jeter des négations acerbes à la figure d'un visiteur imaginaire, avec le sérieux d'un comédien répétant une tragédie grecque :

— Non ! La boutique ne fait pas de crédit ! On achète ou on dégage ! C'est simple, non ?

C'était simple en apparence : ces mots, il les pensait, s'en gargarisait, les goûtait, les formulait, les reformulait avec l'application de qui prépare une plaidoirie, mais lorsqu'il se trouvait en situation de les sortir, tout devenait si complexe qu'il ne lui restait plus qu'à servir ses clients désargentés sans desserrer les dents. Après quoi, il restait à méditer sur son sort.

Cette boutique, Abdou y tenait comme un vieux soldat à sa médaille obsolète. Il avait été un vaillant jeune homme, reconnu par tous pour sa force de labeur. Fils de pêcheur, la mer avait été sa seule école, selon la volonté d'un père qui ne connaissait et ne respectait aucun autre mode de vie. Nourri de céréales et de poissons frais, Abdou avait un physique d'athlète et le courage qui fit de lui le digne remplaçant de son père à la tête de la flottille familiale. Il n'avait que deux pirogues et quelques matelots, presque tous de son âge, mais cela lui avait garanti une vie sans trop de soucis pendant de nombreuses années. À l'époque, la mer était poissonneuse, la pêche artisanale florissante et ceux qui affrontaient les vagues, s'ils n'étaient pas riches, ignoraient tout de la vraie pauvreté. On dit qu'aux pauvres il reste les cadeaux de la nature. Or l'Atlantique était si généreux que les insulaires se sentaient bénis des dieux. Les pêcheurs n'étaient pas affairistes. Certes, ils se faisaient un peu d'argent en ravitaillant ceux du continent mais, même lorsque la prise était maigre, ils gardaient le bonheur paisible de ceux qui savent leur famille bien nourrie. C'était la vie de campagne, une vie de bord de mer, une vie de labeur, une vie modeste de petites gens, mais une vie heureuse, puisque les mères bordaient leurs petits rassasiés, sans avoir à s'inquiéter du lendemain.

Cette sérénité s'était troublée, puis avait fini par voler en éclats, quand les chalutiers occidentaux se mirent à piller les ressources halieutiques locales. Les sardines que les enfants grillaient en chantant se retrouvèrent dans des boîtes de conserves vendues dans les supermarchés des pays riches. Abdou, le capitaine, avait pressenti le problème : ses prises se réduisaient, ses finances s'effondraient. Sur toute la côte sénégalaise, les pêcheurs rentraient avec des pirogues de moins en moins remplies. Les daurades et les espadons, qu'attendaient leurs épouses, étaient ratissés par les bateaux européens pour des papilles plus nanties. Et pendant que les populations du Nord se gavaient, la disette s'installait au Sud. Si certains de ses pairs persévéraient, Abdou, lui, avait compris que le mal irait croissant. Réduit, la plupart du temps, à brûler son essence en vain, à s'endetter pour remplir des jerricanes de plus en plus nombreux, il décida, contre l'avis de certains de ses matelots, de mettre un terme au pari quotidien. Il vendit tout son matériel, régla ses dettes et, avec le reste de son pécule, installa sa petite épicerie. Il n'était pas naïf et n'escomptait nullement faire fortune. Quadragénaire, polygame, marié à deux épouses et père d'une dizaine d'enfants, il désirait simplement assurer le pain des siens. Son rêve n'allait pas plus loin que ses obligations : une épicerie lui permettrait d'avoir des vivres à disposition et les ventes, sans être mirobolantes, rapporteraient de quoi améliorer l'ordinaire et faire face aux imprévus. En élaborant son projet, il imaginait bien que son miel attirerait forcément des mouches, mais il ne se doutait pas que la détresse des autres s'abattrait si violemment sur son petit commerce. N'ayant pas fait d'études comptables, il gérait son négoce au flair et se débrouillait avec les lois coutumières : des accords tacites avaient fait de lui le créancier de tous, car en vertu de la

26

tradition locale et de la généalogie à ramifications multiples, tous attendaient de lui une attitude solidaire. Mais, si cette solidarité lui conférait l'enviable statut d'un homme incontournable et unanimement respecté, elle était devenue, avec la conjoncture, le danger qui menaçait la pérennité de son gagne-pain. Les mille mercis qu'on lui servait à longueur de journée ne remplissaient pas son camion de riz et son grossiste exigeait un versement avant toute nouvelle livraison. « Si je coule, vous coulez ! » lui criait le Dakarois, chez qui il s'approvisionnait. Lorsque sa marchandise s'amenuisait et que ses tiroirs restaient désespérément vides, Abdou se souvenait de cette phrase et ne pouvait s'empêcher de la placer, les rares fois où il osait chapitrer certains mauvais payeurs.

— Non, non ! Pas de crédit aujourd'hui ! Avec quoi vais-je renouveler mon stock, hein ? Bientôt, je ne pourrai plus ramener un grain de riz dans ce village ! Je vous le jure, si je coule, vous coulez aussi !

S'il lui arrivait de passer ces jours-là, Arame remarquait très vite le regard courroucé du commerçant et savait à quoi s'en tenir. Elle abrégeait les salutations, achetait une broutille et s'éclipsait en attendant que le vent tourne. Sur cette île de pêcheurs aguerris, on composait avec l'humeur du boutiquier comme on négocie les courants marins.

La partie de cartes n'avait pas repris. Néanmoins, sous le fromager, le malaise s'était finalement dissipé, emporté par quelques discussions insignifiantes, dont nul ne se souviendrait, mais qui avaient l'immense avantage de décrisper les mâchoires. Abdou et sa cour devisaient, quand une nuée de sauterelles affamées, envolée de l'école primaire, se répandit dans les rues du village. Il était midi.

Midi. Seul moment, peut-être, où les mères de l'île, face à la répartition cornélienne de leur modeste déjeuner, souffrent du nombre insensé de leurs accouchements. Si peu de riz, pour tant d'enfants ! Si Jésus ne revient pas multiplier le pain, son église sera pleine, mais de morts. Le linceul est moins cher qu'un sac de riz. Gageons que Mahomet, de son côté, agrandira son paradis pour accueillir tout ce petit monde, puisque ici on console les mères éplorées en leur assurant que tout enfant mort devient un ange et monte immédiatement au paradis où il se fait l'intercesseur de ses parents le moment venu. Qui oserait en douter, sous peine d'être sacrifié au Diable ? Quand la foi pose son doigt péremptoire sur le curseur de la pensée, les bonnes âmes disent simplement *Amen*. Alors *Amen* ! On s'imbibait des prêches fleuves de l'imam. *Amen !* Il sermonnait, promettait, ordonnait. *Amen !* Il fallait augmenter le peuple de Dieu, mort ou vif. *Amen !* On enterrait souvent, on baptisait tout le temps. *Amen !* On s'arrachait les cheveux pour la dépense quotidienne. *Amen !* Les nombreuses génuflexions journalières ne remplissaient toujours pas les sacs de céréales, mais on priait encore. *Amen !* Selon l'imam, chacun devait accepter son sort. *Amen !* Mais des époux, traumatisés par leurs bourses vides, fuyaient parfois leur domicile aux aurores. *Amen !* Et les épouses, écœurées et impuissantes, pensaient : « À mort, le lâcheur ! » Mais ça, l'imam ne devait pas l'entendre, sinon il leur décernerait un passeport pour la septième fournaise de l'enfer. Car les femmes, discourait-il, pouvaient obéir ou pas à leurs parents, mais si elles voulaient sauver leur âme, elles devaient vénérer leur mari en toutes circonstances. Quand les époux désertaient, les laissant affronter seules les affres de la marmaille, elles les maudissaient en silence. *Amen !*

Il était midi. Certains des visiteurs d'Abdou se décidèrent à rentrer chez eux. Mais d'autres avaient rangé leur gêne sous la natte et attendaient tranquillement le repas de leur hôte. On entendit un bruit d'ustensiles de cuisine dans la maison. Une écumoire raclait énergiquement une marmite, car une miette serait une perte. Quelques minutes après, l'épouse qui assurait son tour de cuisine apporta un grand bol fumant sous le fromager. Elle fut suivie par deux de ses filles ; l'une posa une petite bassine d'eau et une serviette, l'autre distribua des cuillères à ceux qui en voulaient. Une fois encore, Abdou invita ses acolytes. Il était satisfait de la quantité de la nourriture, mais, en son for intérieur, il se demandait si ses femmes et ses enfants, qui mangeaient près de la cuisine, en avaient autant. Il était déjà arrivé que l'une ou l'autre de ses épouses, agacée par le nombre croissant de ses pique-assiette, manifestât son exaspération :

— Tu devrais fermer la boutique à midi. Je suis toujours obligée de réduire notre déjeuner et celui des enfants pour augmenter le vôtre. Ces gens vont affamer les petits. D'ailleurs, pourquoi ne rentrent-ils pas déjeuner chez eux ?

Pourtant, elle savait bien qu'il y aura toujours des moucherons pour voyager sur le dos du lion ! Depuis qu'il avait ouvert sa boutique, Abdou déjeunait rarement seul avec sa famille. En dehors du vendredi, jour de la grande prière, il n'arrivait jamais à fermer à midi. Ses visiteurs l'en empêchaient, en multipliant exprès les parties de cartes. Cela l'irritait quelque peu, mais à la fin de chaque repas, quand ces écornifleurs oubliaient de le remercier, lui n'oubliait jamais de rendre grâce à son Seigneur. Car, au fond, il lui était reconnaissant de ne pas appartenir à la catégorie de ceux qui lorgnaient chez les autres et s'asseyaient sur leur dignité pour un repas gratuit. Même s'il lui était pénible de subir en permanence ce partage imposé, il se consolait, convaincu que l'inconfort de détenir l'objet convoité est somme toute moins pénible que la frustration de le désirer. Père de famille responsable, il était évidemment sensible aux remarques de ses épouses. Mais il adoptait chaque fois une attitude de patriarche pondéré et faisait appel au bon sens de son interlocutrice. Placide, il l'interrogeait à son tour :

— Une oasis se demande-t-elle pourquoi les dromadaires rôdent autour d'elle ? Remercions le Seigneur.

Et cela suffisait pour contenir la colère de la mère louve, qui s'en allait aussitôt concocter un repas d'appoint pour ses petits. De toute façon, qu'elle râlât ou qu'elle chantât, elle savait bien que, dans son terroir, son échine devait porter plus que son propre destin. Ses gémissements formels s'apparentaient à des caprices amoureux, de tendres miaulements destinés à attirer sur elle, pendant un court instant, l'attention de son polygame d'époux. En dépit de son air imperturbable, Abdou ne restait pas de marbre. Sa femme décodait

son petit sourire en coin et son regard qui sous-enten-
dait : « Ma femme n'est pas égoïste, c'est une mère
aimante qui veut protéger mes enfants » ; et cela valait,
pour la dame, le plus beau des compliments.

III

III

Arame n'espérait, quant à elle, aucun compliment, en s'en retournant chez elle avec sa calebasse de riz et son savon roulé dans un vieux journal. Elle savait qu'elle trouverait son grabataire en train de geindre dans sa chambre, car il était déjà tard et son déjeuner n'était pas servi.

Cet homme, bien qu'il eût perdu tous ses moyens, ne cédait rien de ses privilèges. Bien au contraire, tout ce qui amputait ses capacités semblait empirer son caractère à proportion. Despote finissant, aucune insanité ne lui paraissait imprononçable et faire avaler ses injustices aux autres était devenu sa seule manière de jauger son autorité. Lesté d'un passé peu reluisant et n'ayant plus aucun avenir, Koromâk agissait comme s'il voulait donner aux autres la mort qui lui bouchait l'horizon. Sa pensée ne dépassait plus les limites de ses besoins primaires. Invectiver, ordonner, exiger, c'était sa façon d'extérioriser le cuisant manque d'un amour qu'il n'osait plus demander à personne. Dans sa demeure, où le devoir avait asséché toute source de tendresse, il ressentait un cruel besoin d'affection et rien de ce qu'on faisait pour lui ne parvenait à l'apaiser.

Et parce qu'il ne pouvait pleurer ou se rouler par terre, comme un enfant mécontent, il avait fait de l'ingratitude le signe ultime de son désespoir. Koromâk ne se souciait nullement de l'origine de sa nourriture quotidienne, mais un repas tardif déclenchait chez lui la hargne d'un chien de guerre. Et si les voisins le voyaient de moins en moins, tous étaient habitués au timbre de sa voix assassine.

Avec le temps, Arame avait appris à préserver ses nerfs en faisant l'opossum. Le silence, c'était le bouclier qu'elle opposait aux flèches empoisonnées de son assaillant. D'ailleurs, un certain cynisme tenait son esprit hors de l'eau : elle souriait parfois, en se disant que le pauvre bougre pouvait gesticuler et vitupérer, du moment qu'il restait entravé par son arthrose, qui lui interdisait tout déplacement sans assistance, tout allait bien pour elle. Quelques années plus tôt, chacune de ses colères la laissait couverte d'ecchymoses. Maintenant, elle n'avait plus besoin de prendre ses jambes à son cou ou de se couvrir le visage pour se protéger. Petit bout de femme charpentée de volonté, elle était le menhir inébranlable contre lequel venait se briser la haine du vieil homme. Les jours où elle était d'humeur moqueuse, quand les insultes fusaient, elle leur opposait une mélodie que sa voix de rossignol portait à la cime des cocotiers. Cette feinte désinvolture anéantissait l'irascible qui, au comble de l'impuissance, s'emmurait dans la bouderie pour un jour ou deux, après avoir promis la pire loge de l'enfer à l'impudente. Perversité individuelle ou paradoxe de l'âme humaine ? Plus Koromâk dépendait de son épouse, plus il l'exécrait.

L'entourage louait la patience d'Arame, elle n'en avait que faire. Elle était là, parce qu'elle ne pouvait agir autrement. Elle ne cherchait plus à lutter contre son mauvais destin. Tenir, ne jamais s'écrouler, c'était son unique souhait. Elle ne demandait plus rien au ciel, même pas la mort de son tortionnaire. Rêver d'une telle délivrance l'écrasait de culpabilité, quand elle avait déjà assez de poids sur les épaules. Supporter, son expérience l'avait persuadée que sa colonne vertébrale ne devait servir qu'à cela. Comment aurait-elle pu imaginer autre chose ? Supporter, sans supputer d'issue, elle ne connaissait que cela. Alors, elle courait, titubait, trébuchait, tombait, se relevait et poursuivait son chemin, sans jamais se débarrasser de son fardeau. Il y a tant d'Hercule hors de l'arène. Tous ces gens qui savent qu'ils ne seront jamais honorés pour les prouesses qu'ils accomplissent au quotidien et qui ne réclament rien, Arame était de ceux-là.

Lorsqu'elle poussa son portail, la ruche de ses petits-enfants bourdonnait près de la cuisine. Ils se chamaillaient, se disputaient leurs rares jouets, à défaut d'attraper la gamelle pleine qui dansait sur les mirages. Ils devinaient, de l'autre côté du mur, les voisins en train de déjeuner. Un appétissant fumet leur chatouillait les narines et c'était trop pour leurs sens en éveil. La faim qui les grignotait de l'intérieur avait eu raison de leur patience. Pour une poupée de chiffon, on baffait la sœur ; pour un ballon dégonflé, on cognait le frère ; pour un regard de travers, les coups partaient. On s'écharpait, on s'éreintait, on se cramponnait l'un à l'autre, parce qu'on ne savait par quel bout prendre une vie qui n'offrait que la faim. Et boum ! Si la vie avait une gueule, elle serait salement cabossée. Et boum ! Les coups se trompent si souvent de destinataire. Et boum ! Boum !

— Hey, ça suffit ! lança Arame, mettant ainsi un terme au pugilat.

Dès qu'elle fut à leur hauteur, chacun posa sur elle des yeux inquiets où flottaient des points d'interrogation.

— Oui, je sais, dit-elle, le déjeuner est en retard. Mais comme vous le voyez, je rentre des courses. S'il plaît à Dieu, vous allez manger avant de retourner à l'école, je ferai vite, si vous me laissez cuisiner en paix.

Le poisson et les légumes, qu'elle avait nettoyés avant de se rendre à la boutique, égouttaient dans un petit panier en osier posé sur une étagère de fortune. Elle avait mis un couvercle sur le panier, mais le ballet de mouches la dégoûta tellement qu'elle replongea le tout dans un seau d'eau.

Les petits se tenaient maintenant tranquilles, ils savaient qu'elle tiendrait sa promesse : comme d'habitude, sa recette serait simple, un grand feu accélérerait la cuisson et ils engloutiraient leur repas en soufflant sur chaque bouchée. Parfois, c'est en route qu'ils entendaient la cloche qui les rappelait à leur devoir. Ils engageaient alors un sprint et traversaient la cour de l'école en se retenant de rendre leur déjeuner. Ces jours-là, la nourriture, encore chaude, leur pesait sur l'estomac et les phrases décidées de l'instituteur, qui martelait une langue à complications multiples, s'abattaient sur leurs tempes telles des claques. Ils ne le disaient pas, n'avaient pas encore les mots pour cela, mais un déjeuner tardif leur provoquait un abominable stress : nausée et vertige au menu du premier cours de l'après-midi.

Leurs résultats scolaires suivaient la courbe de leur quiétude, en dents de scie. Ils n'étaient pas bêtes, mais la fréquente tension qui les traversait de la tête aux pieds laissait peu de place aux leçons de l'instituteur. Sous le manguier devant la cuisine, ils ne se souvenaient que de leur faim, évaluant le temps qui les séparait de leur gamelle en fonction des différentes tâches qu'effectuait leur grand-mère. Arame, tout à son urgence, fendait son bois de palétuviers, quand elle entendit le claquement du portail, aussitôt suivi d'une voix tonitruante.

— Bonjour Arame ! Dieu merci, tu es là ! Comment vas-tu ? Comment vont les enfants ?

Arame reconnut immédiatement la voix de Bougna, sa voisine et amie ; elle l'aimait bien, mais elle aurait préféré ne pas la voir ce jour-là. Elle avait déjà assez de soucis comme ça ! Or, avec ce « Dieu merci, tu es là », elle se doutait bien que Bougna venait lui demander un service.

— Les enfants vont bien, merci. Et toi ?

— Moi, ça va. *Alhamdoulilahi* ! Mais si tu pouvais me dépanner, ça irait beaucoup mieux. Coumba a déjà cherché plusieurs bassines d'eau au puits, elle doit me laver le linge aujourd'hui. Malheureusement, je n'ai plus de savon et, Dieu m'est témoin, je n'ai pas un sou en poche. Je me suis dit que si tu pouvais me faire crédit d'un savon ou de son prix, je pourrais te rembourser dès que j'aurai vendu mes fruits de mer.

— Ma chère Bougna, je suis désolée, mais je crois que nous avons été tondues par le même coiffeur : je n'ai pas un centime et le savon que tu vois là, je viens de le prendre à crédit chez Abdou.

— Ah, quelle pitié ! se plaignit Bougna. Eh bien, tondues par le même coiffeur, nous voilà chez le même perruquier ! J'irai donc voir Abdou. Mon mari n'aura qu'à payer, après tout on va laver son linge aussi. Tu sais, ma coépouse, notre troisième, cette jeune radine, elle nous a servi un déjeuner infect, bien que je l'aie vue plumer un coq. Cette pimbêche dit qu'elle va préparer un ragoût pour le dîner de Wagane. J'imagine que cet injuste lui a donné de quoi financer tout ça. Tu peux me croire, je ne vais pas me gêner pour lui faire cracher le prix d'un savon.

Arame sourit et lui jeta un regard entendu, s'abstenant de tout commentaire. Elle était trop occupée pour s'intéresser au bavardage et à la vie matrimoniale de Bougna, un feuilleton dont elle connaissait tous les rebondissements. Convaincue que le moindre mot de sa part encouragerait les confidences et prolongerait la discussion, elle s'activa dans tous les sens pour signifier à sa visiteuse l'urgence qui était la sienne.

— Bon, ma chère Arame, je m'en vais, Coumba doit m'attendre, prétexta Bougna pour s'éclipser ; une façon de balayer sa gêne et de fuir le silence de son amie.

— Au revoir, Bougna. Désolée, je ne te raccompagne pas, mon déjeuner est tellement en retard et les petits doivent repartir à l'école. Transmets mes salutations à toute la famille. Si la petite Coumba a besoin de charbon pour le repassage, elle peut passer demain, j'en ai un peu de côté.

Même si Bougna l'agaçait souvent, Arame n'avait jamais le courage de lui fermer sa porte. Dans leur environnement, des relations fiables et durables représentaient le plus rentable des investissements. Il y avait toujours des moments assez difficiles pour vous pousser à frapper à la porte d'autrui et mieux valait que ce soit une porte amicale. Parfois, en proie aux humeurs, on congédiait, mais on congédiait toujours avec ménagement. La susceptibilité, on la surveillait, on prenait mille précautions afin de ne pas l'égratigner. Vexer une voisine, à qui on a déjà rendu tant de services, c'était saborder son placement. Le tact résidait dans la façon de faire comprendre à l'autre qu'elle n'était pas spécialement bienvenue à l'instant précis, mais qu'on l'accueillerait toujours avec joie dans une autre occasion.

Après le départ de Bougna, un calme triste envahit la maison. Ses préparatifs terminés, Arame ne s'agitait plus, elle s'était enfin assise sur son vieux banc et suait à grosses gouttes. Une cuillère en bois à la main, elle nourrissait généreusement son feu et surveillait la cuisson de son repas. Sa marmite mijotait, encerclée par de grandes flammes. De temps en temps, elle jetait un œil sous l'arbre devant la cuisine : certains enfants s'étaient endormis sur la grande natte et les autres bâillaient, stoïques. Les jouets qu'ils se disputaient tantôt ne les intéressaient plus. Un soleil sans clémence fanait leurs lèvres et les faisait cligner des yeux. De la salive, ils n'en avaient presque plus. Même aller se servir à boire était au-dessus de leurs forces. Le canari était niché dans un coin de la chambre de leur grand-mère et aucun d'eux ne tenait à rentrer dans la ligne de mire du monstre, tapi dans le lit, qui n'attendait qu'une cible pour déverser sa bile. Selon la coutume du village, il est permis aux petits-enfants de plaisanter avec leurs grands-parents, de les railler même, pour leur manifester un tendre attachement. Mais Koromâk ne l'entendait pas de cette oreille. D'humeur amère, toute plaisanterie lui semblait déplacée et ses vertes remontrances avaient fini par refroidir les plus taquins de ses petits-enfants. Ce grand-père-là, ils le subissaient plus qu'ils ne l'aimaient, le redoutaient plus qu'ils ne le respectaient et se soumettaient à lui plus qu'ils ne lui obéissaient. Il était là, pesant de tout son sérieux, comme un baril de poudre qu'un rien pouvait enflammer. Et les enfants l'évitaient, avec une lucidité d'adulte. Devant lui, ils perdaient leur air candide, la peur les affublait d'un masque d'austérité qui les étouffait. Ce n'était que loin de lui qu'ils respiraient et retrouvaient leurs sourires innocents. Et lorsqu'il sollicitait l'un d'entre eux pour un petit service, le malheureux s'exécutait en vitesse, pour s'éloigner de lui au plus vite.

— Le déjeuner est prêt !

Dès qu'Arame avait lancé cette phrase, le petit monde sous le manguier s'agita. Même les dormeurs se levèrent, sans qu'on eût besoin d'insister pour les réveiller.

— Dépêchez-vous, j'arrive, dit Arame en passant devant eux.

Elle gravit les marches du perron et disparut derrière un rideau, chargée du déjeuner de son mari. Koromâk mangeait toujours seul, dans le salon ou dans sa chambre.

Quand Arame ressortit, au bout de quelques minutes, avec une cruche d'eau fraîche tirée du canari, les enfants avaient déjà réuni le nécessaire : une bassine d'eau pour se laver les mains, quelques petits bancs vite installés autour d'une natte. Arame entra dans la cuisine et revint avec un bol de riz au poisson, qu'elle plaça au milieu de la natte. Avant même qu'elle ne leur eût souhaité bon appétit, certains en étaient à leur deuxième bouchée.

— Hey, doucement ! Ce n'est pas la peine de vous empiffrer ainsi.

Le repas se poursuivit plus calmement, mais la détermination de chacun restait sans faille. On empoignait une feuille de chou, à peine pliée, on l'enfournait. On arrachait la moitié d'une darne de poisson, les autres en auraient-ils autant ? ce n'était le souci de personne, sauf de la grand-mère qui, remarquant le manège, intimait :

— Moins, allez, tu en prends beaucoup trop, et les autres alors ? Ils n'en veulent pas, eux ?

Alors l'indélicat, un peu honteux, affectait de réduire sa portion et continuait sans se démonter. S'il ne se hâtait pas, il risquait de rater le reste. Car les autres n'écoutaient que leur ventre. Encore une bouchée, une pelletée de riz qu'on roule en boule et hop, la voilà qui gonfle les joues puis disparaît. Gloup ! La chaleur du repas alliée à leur avidité les poussait à avaler presque sans mâcher. La grand-mère avait beau les sermonner, rien n'y faisait. Cette attitude d'affamés était si ancrée en eux qu'elle était devenue leur comportement naturel. De toute façon, mille hypothèses les séparaient d'une éventuelle table mondaine où on attendrait d'eux de belles manières. Gougnafiers pareillement, ils gagnaient en sérénité à bâfrer entre eux.

— Hey, doucement ! Ce n'est pas la peine de vous étouffer ainsi, il y en a assez pour tout le monde.

Cette phrase, la grand-mère s'en étourdissait pour ne pas admettre que ses petits-enfants en redemandaient encore. Le grand bol était déjà vide et les enfants rognaient, léchaient goulûment les carcasses de poisson.

— Hey, vous entendez l'appel du muezzin ? Allez, dépêchez-vous, sinon vous serez en retard à l'école.

À peine rincés et essuyés, ils détalèrent. Avec un peu de chance, ils seraient à l'heure.

Lorsque la cohorte passa devant elle, Arame soupira, soulagée : encore un déjeuner arraché à la fortune. La nuée de mouches qui virevoltait sur les résidus de repas ne lui permit pas de s'abandonner à ses pensées. Elle se leva, débarrassa, balaya sous l'arbre et s'en alla laver sa vaisselle devant la cuisine. Lorsque tout fut propre et bien rangé, elle se rendit dans sa chambre, rapporta un coussin et s'allongea sur une natte. Même si le vent soufflait tiède, l'ombre de l'arbre lui semblait plus propice au repos. À cette heure de la journée, la taule ondulée transformait les chambres en fournaises. Et la chaleur n'était pas seule à pousser Arame dehors, la présence de Koromâk dans la pièce lui paraissant encore plus suffocante que la canicule. Jeune mariée, elle aimait à se retirer dans sa chambre, après avoir accompli ses tâches ménagères ; c'était sa manière de signifier son rejet à son époux. Mais depuis que ce dernier s'était mis à garder le lit, l'arbre était devenu son refuge préféré.

C'était là qu'elle retrouvait l'autre Arame, celle qu'elle cachait à tout le monde, la mélancolique tapie en elle qu'elle traînait comme un sac de sable, sans jamais pouvoir la déposer. Quand les cris des enfants s'étaient éloignés, pendant ces quelques heures où, assommé par le soleil, le village accroupi sur les dunes sombrait dans une sieste réparatrice, elle prenait le temps de méditer. Ses journées, sa vie, tout ce qui lui serrait la gorge s'emparait de son esprit. Et parce qu'elle avait souvent mal au ventre, elle se levait, se préparait une tasse de bissap pour faciliter la digestion. Pourtant, elle savait que ce qui la faisait souffrir n'avait rien à voir avec des problèmes gastriques. Tant de manques, tant de douleurs foraient sans arrêt leurs galeries en elle ! Les carences à combattre étaient multiples, même si elle pensait en premier lieu à la gamelle des petits. La nourriture de cet essaim qu'on lui avait laissé tournait à l'obsession.

« Assez pour tout le monde », songea-t-elle, puis elle sourit de dépit. Assez pour tout le monde, elle en rêvait pour ses sept petits-enfants, mais c'était loin d'être le cas. Ses deux kilos de riz, elle comptait dessus pour deux jours, pas davantage. Elle n'en avait utilisé que la moitié pour préparer le déjeuner et le dîner, le même plat divisé en deux. Le soir venant, elle ferait un beau feu, réunirait les petits et ferait chauffer le magma laissé dans la marmite. Elle avait ses astuces pour assurer deux repas à toute la maisonnée avec un seul kilo de riz : elle mettait autant de légumes et de poisson qu'elle le pouvait, les faisait cuire dans un gros bouillon puis, elle les sortait. Dans ce jus, elle plongeait son riz et le laisser gonfler jusqu'à remplir la marmite. Et si le résultat n'était pas toujours du meilleur aspect, cette pâte épaisse, savamment épicée, avait le mérite d'être peu coûteuse et rassasiait rapidement. « Le ventre ne dévoile jamais son contenu », disait-elle, en servant sa mixture. Et les rares fois où l'un des petits osait dire son dégoût pour un plat, elle l'attrapait, le regardait droit dans les yeux et lui parlait comme à un adulte indélicat :

— Attention hein ! Si tu ne sais pas qui tu es, prends-toi pour qui tu veux, mais reste humble : on ne dédaigne pas le son quand on n'a pas de mil !

À ces paroles, les autres gamins se tassaient ; mais dès que la grand-mère tournait le dos, ils ricanaient, se moquant de celui qui avait été réprimandé :

— Du son ! Il va manger du son ! Ha, le mouton ! Ha ha ha !

Évidemment, ils ne savaient pas encore qu'il existe mille manières de manger du son, quand on n'est pas né dans des draps de soie. Plus tard, ils comprendraient les différentes condamnations que la pauvreté faisait peser sur leurs épaules. Lorsqu'ils auraient conscience de supporter ce que les nantis trouvent inadmissible, les paroles de leur grand-mère dévoileraient toutes leurs nuances. Pour l'instant, ils en riaient et ces rires n'étaient que le mince voile de l'enfance qui les préservait encore de la cruauté de l'existence.

Ces orphelins qui riaient, Arame les observait avec tendresse. Mais leur innocence la dévastait, elle qui ne souriait plus que par politesse, depuis le décès de son fils aîné. Le drame était entré dans sa demeure et n'en était jamais ressorti. Mais dans ce village où les petits grandissent près des femmes, profitant si peu de la présence paternelle, les petits-enfants d'Arame n'avaient pas eu le temps de vraiment s'attacher à leur père ; aussi s'étaient-ils vite habitués à son absence. Son mari ne partageant jamais ses émotions, Arame avait l'impression d'être seule à pleurer son fils. « Tu n'es pas seule, tu n'es pas seule », lui avaient répété les gens venus aux obsèques. « Menteries », avait-elle pensé, le temps lui avait donné raison. D'autres deuils avaient eu lieu et on avait fini par oublier le sien. L'émotion immédiate fut remplacée par une fade compassion sans incidence sur son sort. Allongée sous son arbre, elle mesurait à quel point elle était seule, absolument seule, surtout depuis que Lamine, son cadet, était parti pour l'Europe. Le mort, même si son cœur de mère refusait de se l'avouer, elle y avait renoncé ; mais Lamine, parti pour l'Europe en clandestin, comment se délivrer de son absence ? Il n'avait appelé que de rares fois, puis, plus rien. Comment allait-il ? Où était-il précisément ? Que faisait-il ? Tout espace au-delà de Dakar dépassait l'entendement d'Arame. Le Sénégal, avec ses dix régions, lui semblait impossible à parcourir en une vie. Alors, l'Europe, cela sonnait à ses oreilles comme le nom d'une planète récemment rentrée dans son univers. Son fils parti si loin, elle imaginait bien que son retour prendrait un certain temps, mais tout de même, sept ans déjà qu'elle attendait, cela commençait à l'inquiéter sérieusement.

Elle se rendit dans sa chambre et revint avec une carte postale, la seule envoyée par Lamine. Elle ne savait pas lire, mais elle se mit à observer tous les détails de la photo. « C'est beau, là-bas », pensa-t-elle. Soudain, un frisson la parcourut : « Et s'il décidait d'y rester, là-bas ? » Une idée insoutenable, mais qui ne la quitta plus. Mieux que quiconque, elle savait pourquoi on ne pouvait exclure un tel choix. Le mot immigration renferme des réalités multiples dont certaines sont si souterraines qu'elles échappent à l'acuité des analystes du phénomène. Même si les raisons économiques sont évidentes, elles sont loin de justifier tous les départs. Or des raisons de quitter sa terre natale, le fils d'Arame n'en manquait pas. Consciente du fait, la mère, effrayée, priait en silence : « Seigneur, veille sur mon petit ; qu'il gagne de l'argent et qu'il me revienne, j'espère qu'il n'en sera pas autrement. » Elle ferma les yeux, pour mieux s'abandonner à sa prière. La fatigue aidant, elle finit par s'endormir.

L'après-midi était bien avancée, le manguier répandait généreusement son ombre et le vent soufflait, plus frais. Devant la cuisine, quelques poules gloussaient, grattaient et picoraient des graines visibles d'elles seules. Parfois, le bêlement d'un mouton montait d'une ruelle, avant de s'évanouir pour retentir plus loin. Même si les chèvres se manifestaient avec leur indiscrétion habituelle, les canards étaient de loin les plus agaçants ; on les devinait se dandinant à la queue leu leu, d'une maison à l'autre, avec une lenteur qui rendait leur caquètement plus entêtant. Cette ambiance avait beau être familière, on entendait, de temps à autre, une voix exaspérée maudire la propriétaire négligente d'une si envahissante basse-cour. Cette bande sonore de la vie de campagne ne dérangeait pas la sieste d'Arame. Comme elle se levait aux aurores et enchaînait les tâches, lorsque l'épuisement endiguait le cours de ses pensées, seul un vrai tintamarre parvenait à perturber son sommeil.

Il était presque seize heures lorsqu'elle sursauta, réveillée par des éclats de voix. Assise sur sa natte, elle se frotta les yeux et tendit l'oreille. Des voix s'élevaient de plus en plus haut, c'était bien une dispute. Elle quitta sa natte et jeta un œil dans la rue, où beaucoup de voisines convergeaient vers la même maison, attirées par la bagarre. Pour la énième fois, Bougna et sa jeune coépouse offraient aux villageois le spectacle attendu. Arame ajusta son pagne et, sans prendre le temps de chausser ses sandales, se rendit en courant chez son amie. Son cœur battait la chamade : comme tout le monde, elle pensait que les deux coépouses finiraient un jour par s'entre-tuer. À chacune de leur bagarre, les gens accouraient, craignant le pire. Qu'allait-elle encore trouver ? Un œil poché ? Une oreille déchiquetée ? Un bras cassé ? Elle retroussa légèrement son pagne et hâta le pas.

Lorsque Arame pénétra dans la maison de Bougna, grouillante de monde, les deux coépouses ne se cognaient plus, mais les insultes fusaient, baroques et virulentes. La cour était divisée en deux parties : chacune des pugilistes, retenue d'un côté et entourée par les siens, déversait sa prose fielleuse autant qu'elle suait. Des hommes se tenaient au milieu et, l'air de discuter entre eux, gardaient un œil vigilant, prêts à s'interposer à tout moment pour éviter un affrontement des deux camps. Ils savaient d'expérience que ce cordon de sécurité était nécessaire, car cette société, homogène en apparence, est en réalité un patchwork de tributs et de clans où tout différend crée un risque d'embrasement généralisé. À chaque dispute, on accourait, on séparait les belligérants, on feignait la neutralité, on tentait même une conciliation pour affirmer sa propension diplomatique, mais chacun restait prêt à laver l'affront si quelqu'un osait ternir l'honneur de sa famille. Une bataille entre coépouses est toujours une déclaration de guerre entre deux lignées.

Arame se trouvait dans une position très délicate : amie de Bougna, elle était apparentée à sa jeune coépouse. Si les choses venaient à dégénérer ou elle soutenait son amie et se faisait maudire par sa famille ou elle soutenait sa cousine et son amie y verrait la pire des trahisons. La cousine, Arame avait si peu d'accointances avec elle qu'elle ne se sentait guère prête à se battre pour la défendre. Quant à Bougna, elles étaient de la même classe d'âge, se connaissaient depuis leur jeunesse et avaient déjà noué amitié, lorsque le mariage fit d'elles des voisines de quartier. En dépit de la prégnance des vieilles lois claniques, Arame s'en tenait à l'évidence de ses sentiments : à ses yeux, les liens qui l'attachaient à son amie comptaient plus que les quelques gênes qu'elle partageait avec cette cousine lointaine avec laquelle elle n'échangeait que des amabilités. Fidèle en amitié, elle n'était pas encline pour autant à épouser la querelle de Bougna, car elle savait combien celle-ci pouvait être retorse et provocante envers ses coépouses. Elle-même payait très cher leur amitié, car Bougna avait influencé son destin plus qu'elle ne l'aurait souhaité, ce dont elle se mordait les doigts à présent. Dans cette position inconfortable, Arame erra d'un groupe à l'autre, murmura quelques phrases apaisantes à chacune et, comme le calme semblait revenu, préféra rentrer chez elle. En sortant, elle inspira profondément et soupira d'aise, soulagée de quitter les autres femmes qui jacassaient encore. Elle croisa d'autres commères qui lui demandèrent, à brûle-pourpoint, la raison de la rixe. Elle dit qu'elle n'en savait trop rien, bredouilla des salutations et poursuivit son chemin.

Elle n'avait même pas cherché à comprendre le motif circonstanciel de la bagarre, puisqu'il n'était un mystère pour personne que Bougna était de ces femmes qui font de la polygamie un conflit permanent. Depuis son mariage, la concurrence et la rivalité l'occupaient du matin au soir. Au début, on disait qu'elle finirait par s'adapter, mais tel ne fut pas le cas. Les premières années, il lui arrivait de relâcher un peu la pression. Mais selon ceux qui fréquentaient son ménage, ces moments d'accalmie ne survenaient qu'à la faveur du tempérament de la première épouse. Non que celle-ci se laissât faire, mais une force psychologique à toute épreuve lui permettait d'ignorer les piques de Bougna. D'une autre génération, la première épouse, moulée dans les certitudes traditionnelles, considérait la poly-gamie comme une situation inévitable : lorsque son mari, Wagane, lui avait annoncé l'arrivée de la deu-xième, elle avait reçu la nouvelle comme on admet le passage des saisons. Elle n'était pas indifférente, loin de là, mais elle savait qu'aucune de ses colères ne change-rait la couleur du ciel. Elle voulait simplement rester digne, tenir, ne pas perdre la face devant la nouvelle venue. Ne nourrissant plus aucune illusion amoureuse, elle ne fit plus rien pour entretenir la flamme de son époux et reporta toute son affection sur ses enfants. Pour sauver les apparences, elle s'accrochait à ses auto-matismes conjugaux. Quand Bougna, jeune mariée, lui disputait l'attention d'un homme qui ne l'intéressait plus, elle ne se donnait même pas la peine de lui tenir tête. Elle pouvait encaisser les outrances pendant des mois avant de se révolter et même ses colères attiraient rarement la foule, tant elles étaient froides et brèves. Soucieuse de sa paix intérieure et du bien-être de ses enfants, elle évitait les querelles, laissant à l'autre l'illusion d'une victoire. Son naturel silencieux était une coque sur laquelle venaient ricocher inutilement les flèches de Bougna. Lorsque cette dernière était fatiguée de lancer des attaques infructueuses, elle se disait qu'elle n'avait décidément pas de vraie rivale ; cela la rassurait et mettait une trêve à ses provocations. Pendant ces périodes-là, souveraine sur son trône de jeune épouse, Bougna savourait l'attention de son mari, qui la traitait comme s'il n'avait jamais aimé personne avant elle. Wagane négligeait ouvertement sa première épouse, Bougna profitait sans aucun scrupule de son régime de faveur, prenant chaque injustice de son homme pour une preuve d'amour. À l'époque, elle ignorait que son tour viendrait. Adulée et folle d'amour, il ne lui fallut pas plus de dix ans pour aligner six enfants devant celui qu'elle voulait pour elle toute seule. Des enfants qui grandissaient maintenant à ses côtés, sans aucune perspective d'avenir.

IV

Dès sa nuit de noces, Bougna s'était mis en tête de battre le record de la première épouse, qui avait déjà huit enfants, dont cinq garçons. Les garçons étaient l'objet de sa plus féroce jalousie : après son aîné, Issa, elle avait enchaîné quatre filles avant d'avoir un deuxième fils. Dans son milieu, une telle infortune vous déroute l'amour d'un homme. Le mari s'était, au fur et à mesure, désintéressé d'elle pour retourner vers la valeur sûre : la première, dont les cinq fils, déjà grands, allaient lui garantir le pain de ses vieux jours. Il est vrai qu'avec ses maternités rapprochées, Bougna avait peu à peu perdu le lustre de sa jeunesse et ressemblait maintenant, en tout point, à la première épouse. Toutes deux avaient des rides, le ventre flasque, les seins tombants et des courbes incertaines qui se perdaient dans les plis négligés de cotonnades jaunies au labeur. Et puisque, de part et d'autre, il n'y avait plus de dorure à faire valoir, il devenait loisible de mettre la grandeur d'âme sur la balance amoureuse du ménage. Quand le flacon est brisé, seuls les effluves du parfum demeurent. Maintenant que la deuxième épouse avait perdu les appas de sa jeunesse, le mari comprit très vite que sa première était d'une bien meilleure essence. Son tempérament placide en faisait naturellement un refuge idéal pour un homme vieillissant, fatigué des affres de l'amour.

Disgrâce, sentiment d'abandon, rancune tenace, ce qui rongeait Bougna instillait en elle l'envie d'une revanche éclatante. Sa blessure d'orgueil, elle la portait comme une dernière grossesse et rêvait d'une délivrance royale. Un jour, se jurait-elle, elle laverait l'affront. Ce jour-là, assise sur sa victoire, elle toiserait son mari et sa coépouse. « Une Guelwaar ne meurt pas l'échine courbée ! » clamait-elle, lorsqu'elle croisait l'un ou l'autre de ceux qu'elle appelait ses deux ennemis. Divorcer, elle n'y songeait pas. Où irait-elle avec son abondante progéniture ? Au nom de l'honneur familial, un frère ou un cousin consentirait peut-être à l'accueillir, mais elle savait combien une telle situation était peu flatteuse pour une femme de son âge. Cependant, la peur du scandale n'était pas seule à la retenir. Bougna ne se sentait pas prête à louvoyer entre des belles-sœurs qui, inévitablement, se serviraient d'elle dans leurs propres rivalités. Un tel rôle vous condamne à l'hypocrisie ; or, si elle partait s'incruster chez les siens, non seulement elle n'y échapperait pas, mais ce serait le seul moyen de ménager toutes les susceptibilités pour gagner la paix. Et puis, au-delà de toutes ces considérations, elle n'entendait pas céder un pouce de la place qui était la sienne. Trop fière pour prendre la fuite, elle se convainquit qu'elle devait rester et lutter pied à pied jusqu'au jour où elle récolterait les lauriers de son combat.

Tel le fleuve Sénégal, la vie du village coulait ininterrompue, en charriant ses événements ordinaires. On célébrait les mariages dans l'excès, on s'empiffrait, on dansait à s'en briser les chevilles, on manifestait exagérément sa joie à chaque cérémonie, comme pour forcer une réconciliation avec la vie. On baptisait, on enterrait. Les marées rythmaient les journées. On mouillait, remontait les pirogues. L'école se remplissait, se vidait, les inscrits étaient plus nombreux à chaque rentrée, mais tous ne revenaient pas forcément l'année suivante. On priait, on espérait, il fallait se convaincre que demain serait meilleur afin de ne pas se laisser mourir. Las de geindre, on rêvait et les rêves grandissaient plus vite que les enfants. Les saisons se succédaient, s'emboîtaient comme des phalanges sur la main du destin. On jardinait, on labourait. On bêchait, on sarclait. On semait les graines avec fatalisme. On récoltait, peu ou pas. On pleurait de tristesse ou de joie, parce que le cœur a sa propre loi. L'insignifiant pour les uns était grandiose pour les autres. Et rien n'était mièvre, parce que tout correspondait à une sensibilité. Même dépouillé de tout, chacun garde sa palette d'émotions et varie les couleurs de son ciel !

Si elle participait à la vie de la communauté, Bougna portait en elle une indicible solitude. La riposte qu'elle ourdissait la rendait imperméable à toute réjouissance et le vent se refusait à tourner en sa faveur. Au contraire, les joyeux événements qui se succédaient du côté de sa coépouse attisaient sa convoitise. L'un des fils de la première, qui venait de terminer ses études en ville, avait obtenu un petit poste dans l'administration. Il était bien loin des fastes des ministères, sans doute ne le goûterait-il jamais, mais dans une famille d'analphabètes, une telle consécration est toujours accueillie avec tambours et trompettes. Respectueux de la tradition, le jeune homme avait envoyé son premier salaire à ses parents. Tout à leur bonheur, ces derniers achetèrent de la cola et quelques kilos de sucre, qu'ils distribuèrent à la parentèle pour annoncer et célébrer la bonne nouvelle. « Priez pour notre fils », disaient-ils, faussement modestes, en sortant des maisons où les heureux bénéficiaires des offrandes les félicitaient avec enthousiasme. Ce spectacle écœura Bougna au plus haut point. Elle passa des nuits entières sans trouver le sommeil. Concernant le nombre d'enfants, elle avait presque rattrapé sa coépouse. Sa grande frustration se situait au niveau de la réussite : aucun de ses rejetons ne semblait en mesure de rivaliser avec ses demi-frères.

Nés pendant la période faste de Wagane, les enfants de la coépouse de Bougna avaient bénéficié de meilleures conditions d'éducation. Lorsqu'il était encore en pleine activité, le marin pêcheur, embauché par une compagnie espagnole, avait installé la première épouse et ses enfants dans la banlieue dakaroise. Les plus grands étaient déjà au lycée quand la compagnie espagnole déserta le port de Dakar. Les patrons, prétextant de lourdes réparations à effectuer impérativement, avaient rapatrié leurs chalutiers, faisant accroire aux employés sénégalais qu'ils reviendraient bientôt les embarquer. Trois années s'écoulèrent, sans bateau ni indemnité. Ayant presque épuisé ses économies, Wagane, n'espérant pas d'autre emploi à cinq ans de la retraite, préféra fuir la vie chère de la capitale. La mort dans l'âme, il s'en retourna vivre au village avec les siens.

En partant, le couple avait laissé ses quatre aînés poursuivre leur scolarité en ville. Pour des raisons financières, ils furent répartis par paire, chacune hébergée chez un oncle. Wagane lui-même avait souvent accueilli de nombreux étudiants et demandeurs d'emploi venus de l'île. C'était à son tour, pensa-t-il, de profiter de ce système où chaque barque qui mouille peine à flotter, assaillie par la parentèle. Ce fut donc très naturellement qu'il se tourna vers ceux auxquels il avait déjà rendu service et qui, de ce fait, ne pouvaient que répondre favorablement à sa demande, malgré la faiblesse de leurs ressources et l'exiguïté de leur domicile. La mère pleura en quittant ses garçons, le père considéra que sortir des jupes de leur maman ferait d'eux des hommes. Comme les autres, leurs enfants apprendraient à se faire tout petits, à s'incruster, en attendant de grandir, de travailler et d'être assaillis à leur tour. Sans être aussi affecté que son épouse, Wagane n'était pas content de la situation, mais ses moyens ne lui permettaient pas d'agir autrement. Depuis qu'il vivait à Dakar, sa maison ne désemplissait pas ; cette situation avait, des années durant, absorbé une bonne part de ses revenus. Alors, lorsque son épouse avoua sa gêne de devoir laisser ses enfants à la charge des autres, il trouva l'argument imparable pour la déculpabiliser : ils avaient assez donné, ils pouvaient donc demander sans complexe. Si personne n'ose prendre la responsabilité de l'autonomie, il faut bien que tous partagent le fardeau de cette dépendance perpétuelle si habilement maquillée en solidarité. Sûr d'être dans son bon droit, Wagane avait laissé ses enfants à la charge des autres, comme on exige le remboursement d'une dette.

Au village, on les accueillit avec les égards dus à ceux de leur rang : des enfants du pays qui avaient prospéré en ville sans oublier leurs racines. Si madame restait discrète, malheureuse de devoir se réhabituer aux tâches ardues de la campagne, Wagane semblait, quant à lui, ravi de plastronner entouré de ses camarades d'antan. Certes, il n'avait plus de salaire et ses maigres économies ne tiendraient pas plusieurs saisons mais, libéré de l'angoisse des lourdes dépenses citadines, il savourait l'attention qu'on lui portait. Arrivé au village, encore auréolé de sa supposée réussite, il fut courtisé par des parents et alliés qui lui signifièrent très rapidement le manque d'envergure de sa monogamie. Comme ce choix n'avait jamais été que provisoire dans sa tête, il ne se fit pas prier. En quelques mois, il avait déniché la perle censée embellir ses vieux jours, Bougna. Tout le village salua la bonne fortune de la demoiselle. Wagane avait une barbe hirsute, un ventre de moins en moins discret et des fesses qui avaient tendance à prendre leur indépendance, mais personne ne se demandait si ce physique convenait à la jeune épouse. Dans le marasme du Sud, quel parent refuserait la main de sa fille à un marin embauché par une compagnie européenne ? Le marin se garda bien d'ébruiter son chômage : « Il attendait le retour de son chalutier », laissait-il dire. Disposant encore de son bas de laine, Wagane célébra les noces en grande pompe, décidé à impressionner les villageois une dernière fois, avant la période prévisible de vaches maigres.

Les baptêmes se succédèrent, mais ils furent de moins en moins fastueux. Après des années à terre, le marin avait fini par annoncer sa retraite. Et Bougna comprit le piège qui s'était refermé sur elle : jamais elle ne goûterait à la belle vie qui l'avait tant fait rêver, jamais elle n'aurait le plaisir d'aller passer quelques années à Dakar avec son mari, à l'instar de la première épouse. La ville, elle n'y avait été que pour servir de bonne dans une famille qui ne la laissait même pas sortir ; elle aurait tellement aimé y passer ses premières années de mariage. Amère, Bougna s'étranglait de jalousie, lorsque sa coépouse évoquait avec ses enfants des souvenirs de leur vie citadine. Des souvenirs dont elle ne se doutait pas à quel point ils étaient reconstruits et magnifiés dans le seul dessein de la faire enrager.

Certes, la coépouse n'était pas vindicative, mais elle avait l'art de titiller de façon sournoise. Sa rivalité était plus vicieuse que celle de Bougna qui crachait ouvertement son acrimonie. Elle attaquait de biais ou faisait semblant de parler aux autres pour dévoiler des choses dont elle était certaine qu'elles agaceraient sa rivale. Ainsi, du jour où elle apprit que son fils avait un emploi dans l'administration, elle en fit le sujet favori de toutes ses conversations. Lorsqu'un visiteur lui demandait des nouvelles de ses enfants, elle annonçait d'un ton faussement naturel :

— Dieu merci, les grands sont à Dakar où ils poursuivent leurs études. D'ailleurs, l'aîné vient d'obtenir un poste dans le gouvernement. Nous en remercions le Seigneur.

Dans le gouvernement ! Il est vrai que la dame était analphabète et ne saisissait pas forcément la nuance entre travailler dans l'administration et travailler au gouvernement. Mais, à l'évidence, même pour des oreilles non averties, la sonorité bourdonnante de ce dernier mot en imposait davantage. Bougna avait beau fuir de tels conciliabules, elle ne pouvait se soustraire à toutes les occasions dont profitait la première épouse pour étaler sa fierté de mère comblée. Par exemple, quand ses enfants les plus jeunes et ceux de Bougna traînaient pour aller à l'école, elle prenait sa voix la plus claire pour affecter de les motiver :

— Les enfants, dépêchez-vous, ne vous mettez pas en retard ! Si vous voulez réussir comme votre grand frère, vous devez être ponctuels et apprendre sérieusement. Voyez le riz que nous mangeons tous maintenant, c'est bien grâce à lui. La réussite d'un fils, c'est à cela qu'on reconnaît une bonne mère. Remerciez donc votre grand frère qui nous nourrit tous et tâchez de faire aussi bien que lui !

Ces remarques irritaient Bougna, qui percevait qu'elles n'étaient pas uniquement destinées aux enfants. Par cette pirouette, la première épouse se taillait une place de reine mère, réduisant sa coépouse à néant, puisqu'elle et ses enfants n'apportaient rien au foyer. Cette rivalité des mères envenimait aussi les relations entre les enfants. Ceux de la première se délectaient des propos de leur mère, tandis que ceux de Bougna souffraient de la vexation adressée à la leur.

Cette position de remorque, Bougna ne désirait que son prompt changement.

Les soucis avaient creusé ses joues, raboté ses hanches et baissé les octaves de son rire. Ses nuits étaient souvent blanches, son ciel désespérément noir et le rouge de sa colère ne brûlait que ses yeux. Pensait-elle encore aux douces veillées amoureuses de sa vie de jeune mariée ? Rien ne permettait de le croire. La seule extase qu'elle attendait, ce serait le jour où elle renverserait le pouvoir de la première épouse. Malheureusement, à vingt ans, Issa, son fils aîné, qui avait quitté l'école avant le brevet, n'avait pas trouvé d'emploi plus rentable que la pêche artisanale. Comme beaucoup de jeunes dans son cas, il passait ses journées à abîmer ses rêves en mer. À part le poisson qu'il rapportait à la maison, il ne gagnait presque rien. Pourtant, Bougna ne pouvait compter que sur lui pour améliorer son sort. Elle ne savait pas encore comment, mais elle était certaine que son fils réussirait et lui permettrait de recouvrer toute sa dignité face à la première épouse. En attendant, celle-ci faisait le paon, le moindre paquet envoyé par son fils était exhibé devant tous. Et lorsque c'était un tissu, elle s'en faisait une robe, en disant à qui voulait l'entendre que son fils, si attentionné, tenait à ce que sa mère ne soit pas habillée comme d'autres avec des loques. Bougna ravalait sa salive, regardait ailleurs, en attendant que le cirque passe. Elle, la sanguine, la grande gueule du quartier, gérait maintenant ses nerfs, feignant l'indifférence au risque d'imploser.

Alors qu'elle croyait son supplice terminé, elle reçut le coup de grâce. Les fils de la coépouse étaient venus de la ville passer quelques semaines de vacances sur l'île, avant de partir pour de lointains voyages qui déjà laissaient présager un bel avenir. Le deuxième avait brillamment réussi on ne savait quel concours et obtenu une bourse pour le Canada. Le troisième avait eu son bac avec mention et une bourse pour aller faire ses études en France. Ces nouvelles se répandirent dans tout le village en quelques jours. De toutes parts, les géns convergeaient vers ceux qui s'étaient ainsi hissés au rang de figures du microcosme insulaire.

Durant le séjour des garçons, Bougna se sentit à l'étroit, supportant mal le déchaînement de joie, les éclats de vanité de sa coépouse et guère mieux les félicitations dithyrambiques qui lui étaient adressées. Pour les repas, elle faisait de son mieux, lorsque c'était son tour de cuisiner : simple question d'honneur. Elle fut soulagée de les voir plier bagage. Ils n'allaient pas revenir de sitôt, c'était très bien ainsi.

Les fils de la première épouse, Bougna ne les portait pas dans son cœur. Pendant longtemps, une distance froide lui avait permis de sauver les apparences. Cela aurait pu durer encore ainsi, mais maintenant que leur réussite signait la suprématie de leur mère, elle les haïssait sincèrement. Pourtant, au fond d'elle-même, elle les remerciait. Leur histoire et leurs conversations avec certains de leurs copains, qu'elle attrapait au vol, lui avaient ouvert les yeux sur une solution qu'elle n'avait jamais envisagée. Grâce à eux, elle tenait enfin l'idée qui allait changer le destin de son propre fils et lui offrir, par la même occasion, la revanche tant attendue. Sûre de posséder les clefs de sa vengeance, Bougna sortit de l'expectative, déterminée à construire l'échelle censée mener à ses ambitions : l'Europe ! Son fils aussi irait en Europe, tout comme les autres !

V

Pause. Le temps coulait, sans but, aussi indifférent qu'un ruisseau sauvage. C'était l'heure ralentie, l'heure plate, une succession monotone de minutes sans saveur. Aucune langue ne se souvenait plus du goût de son déjeuner. Les inconditionnels de la sieste poursuivaient leurs rêves diurnes. Seul le vent agitait les fils tendus du tisserand, assoupi près de son métier, à l'ombre des cocotiers. En cherchant bien, on aurait pu trouver un vieux pêcheur rafistolant son filet à l'arrière d'une cour. Peut-être même qu'une épouse amoureuse était en train de mixer, dans le secret de sa chambre, les essences qui attireraient son homme au lit, dès le crépuscule. Et si le forgeron avait eu la mauvaise idée de frapper un coup de marteau, il aurait fendu des tempes surprises. En dehors du chant des oiseaux et du rugissement des vagues, les bruits habituels s'étaient momentanément interrompus. Les enfants, qui n'étaient pas à l'école, attendaient des heures plus clémentes pour déferler dans les ruelles du village. Même les chèvres sans piquets semblaient retenues quelque part. Dans cette torpeur de l'après-midi, l'île reprenait son souffle comme une vieille dame fatiguée de traîner sa mémoire. Pourtant, à cette heure silencieuse, en apparence privée d'activité, tout n'était pas suspendu.

D'une foulée synchronisée, deux silhouettes avançaient, tranquillement, sous les cocotiers. Les sandales laissaient des marques difformes sur le sable blanc et soyeux, qui gobait le pied à chaque pas. Murmures, éclats de rires retenus, messes basses de bonnes femmes : Arame et Bougna, dans leur délicieuse complicité. Un coup d'œil, à gauche puis à droite, sait-on jamais ? Une oreille pourrait pousser par erreur sur un cocotier. Et puis, il y avait une autre bonne raison d'être prudent : selon les croyances du village, ce moment de la journée est considéré comme l'heure des djinns. Une mauvaise rencontre pouvait rendre malade ou faire perdre la raison à tout jamais. Encore un coup d'œil à gauche et à droite. Personne ne suivait et rien de bizarre ne laissait supposer la proximité d'un djinn. Un échange de regards et de sourires acheva d'installer la sérénité. « Je te dis ceci, parce que je sais que tu ne le répéteras pas… Je te donne un peu de moi, parce que tu as la générosité de me donner tant de toi… » Ces pensées non formulées étaient les préalables évidents de leur dialogue. Protégées par le cocon de leur amitié, elles savouraient leurs confidences débridées, comme les gamins se délectent de gros mots à l'écart des adultes. Encore quelques pas et le souffle marin s'engouffra dans leurs habits multicolores. Mues par un analogue réflexe de pudeur, elles se penchèrent, presque simultanément, pour retenir les pans de leurs pagnes qui risquaient de s'envoler. Si l'irrévérencieuse bise les avait dénudées, elles n'auraient choqué la vue de personne, le bord de mer était désert. La marée était encore haute. Bougna avait convaincu Arame de venir avec elle chercher des fruits de mer. Elle qui d'ordinaire préférait la pêche de proximité avait choisi cette fois la plage la plus reculée, cachée derrière les derniers champs du village. Lorsqu'elles furent sur place, Arame rouspéta :

— Je te l'avais bien dit, la marée n'est pas encore assez basse.

— Oui, oui, je sais. Pardonne-moi, ma chère Arame, mais je dois te parler de quelque chose de très important, j'ai voulu que nous soyons en avance et loin des oreilles indiscrètes.

— Rien de grave, j'espère ?

— Non, non, rassure-toi. Rien de grave, mais c'est très important.

— Bon, allons, vite ! La curiosité est une épine sous le pied. Ne me fais pas languir.

Bougna l'attrapa par la manche et l'entraîna sous un baobab qui montait la garde depuis des siècles. Accrochées à ses branches, plusieurs générations de l'île avaient guetté leurs assaillants venus par la mer. On disait même que l'arbre était hanté à certaines heures car, pendant longtemps, on avait enterré à ses pieds les morts étrangers. Avec les années, les bâtiments avaient poussé, réduit la forêt qui séparait les habitations du baobab et des peurs qu'il abritait. S'il inspirait toujours le respect, le vieil arbre était devenu une aire de repos pour les marcheurs fatigués et les cultivateurs harassés par le labeur. Mais il était rare que quelqu'un s'y reposât seul.

— Asseyons-nous, à l'ombre nous aurons l'esprit plus clair pour réfléchir à la question. Ce soleil est une vraie punition.

— Ah, Bougna ! Mais dis-moi, tu peux parler en marchant, tout de même. La punition, c'est ta façon de me tenir ainsi en haleine.

Bougna ricana, lui mit affectueusement la main sur l'épaule et accompagna son mouvement vers le sol. Lorsqu'elles furent très confortablement installées l'une à côté de l'autre, Bougna se dégagea pour faire face à son amie. Depuis que son idée lui était venue, elle la précisait, la reformulait mentalement et rêvait de ce moment. Les mots avaient mûri en elle comme des chrysalides prêtes à livrer leur trésor. Les yeux dans les yeux de son amie, Bougna libéra les papillons qui battaient déjà des ailes dans sa bouche.

— Bon, ma chère Arame, tu as entendu, comme tout le monde au village, que les enfants de ma coépouse vont à l'étranger, l'un au Canada, l'autre en France.

— Ah, ça oui ! Même les morts du siècle dernier sont au courant, le village ne parle que de ça.

— Et tu verrais ma coépouse ! On dirait qu'elle a gagné une parcelle au paradis. Ses lèvres ne couvrent plus ses dents jaunes.

— Oui, bon, je sais que tu pourrais égrener les défauts que tu lui trouves une lune entière, mais ce n'est pas ce que tu voulais me dire, hein ?

— Non, concéda Bougna, mais si tu habitais avec elle, tu verrais toi-même : si cette femme était une bâtisse à rénover, il faudrait tout démolir.

— Eh, comme tu y vas ! N'oublie pas que tu parles de ma cousine, puisqu'on est tous parents ici d'une manière ou d'une autre.

Les deux femmes s'esclaffèrent. Loin de contenir Bougna, ce rappel de parenté effectué par Arame sur

un ton complaisant soulignait l'exceptionnelle connivence des deux amies.

— Ta chère cousine est plus que pénible en ce
moment. Elle remplit notre demeure à elle toute seule ;
depuis qu'elle a appris que ses enfants vont partir pour
l'étranger, son sourire permanent nous barre l'horizon.
La pauvre est gonflée d'orgueil et déballe ses réflexions
sans frein, dès qu'un visiteur pointe le nez. Je ne lui
soupçonnais pas une telle loquacité. Elle se voit déjà
sur son trône doré de reine mère ! Je suis sûre qu'elle
m'imagine en servante aplatie devant elle. Mais là, elle
peut toujours rêver !

— Allez, Bougna, soulage mes nerfs ! Dois-je te
payer afin que tu me dises enfin ce pour quoi tu m'as
convoquée ici ?

— Tu n'as pas deviné ?

— Mais non ! s'impatienta Arame, même si c'est
l'heure des djinns, ils ne m'ont, hélas, rien soufflé.
D'ailleurs, je crois que le seul djinn présent sous ce
baobab, c'est bien toi !

— C'est vrai ? Alors, ma chère Arame, comme un
djinn, j'ai vu notre avenir !

Les éclats de rire se mêlèrent à la rumeur des vagues
et se répandirent au-dessus des buissons, qui s'éten-
daient à perte de vue, derrière le baobab. Un vent tiède
venu du large balayait tout, soulevait le sable et semblait vouloir refouler les mots dans la bouche de
Bougna, qui se décida enfin à rentrer dans le vif du
sujet :

— Je… ah ! Brrr ! Je voulais te parler de nos fils.

— Nos fils ?

— Oui, nos fils, Issa et Lamine ; eux aussi pourraient partir en Europe.

— Partir en Europe ?

— Oui, partir en Europe, réussir comme les autres et améliorer notre sort.

— Mais comment pourraient-ils partir ? fit Arame dubitative. Les enfants de ta coépouse, eux, partent grâce aux bourses qu'ils ont obtenues. Même pour leurs papiers, il paraît qu'ils ont reçu de quoi régler tous les frais. Nos fils, eux…

— Eux aussi peuvent y aller, l'interrompit Bougna. Ils peuvent partir, sans diplômes, sans bourses et même sans papiers.

— Es-tu sûre de ce que tu dis ?

— Parfaitement certaine. J'ai entendu les enfants de ma coépouse : certains de leurs copains sont déjà en Europe, sans bourses ni papiers. Et d'autres vont partir bientôt. Tu as entendu parler des pirogues qui vont en Espagne, quand même ?

— Les pirogues, euh…

Arame écarquillait les yeux, songeuse. Elle avait, certes, entendu parlé des pirogues de clandestins, mais distraitement. Elle, qui avait déjà perdu son fils aîné en mer, n'avait jamais voulu envisager son second affrontant un tel péril. Lamine, le seul fils qui lui restait, avait raté plusieurs fois son bac et traînait maintenant à Dakar, à la recherche d'un improbable emploi. Tous les espoirs de la famille reposaient sur lui, mais Arame n'exigeait rien de lui. Comme toute mère, elle souhaitait voir son fils réussir, mais pas au point de l'encourager à mettre sa vie en danger. Lorsque Lamine revenait sur l'île, lors des fêtes annuelles, il apportait parfois son modeste soutien. Malheureusement, il arrivait souvent qu'Arame fût obligée de lui en restituer une partie, quand il était à court d'argent de poche ou pour payer son billet de retour. Lorsque le père, mécontent, tançait le fils indigne, Arame se montrait compréhensive et prenait la défense de son bébé de vingt-deux ans :

— L'aveugle ne prête pas ses yeux ! Où veux-tu qu'il trouve l'argent que tu attends de lui, alors qu'il est au chômage ? Je sais que mon fils n'a pas mauvais cœur, il nous aidera quand il aura du travail. Je lui fais confiance.

Offusqué de voir sa femme se désolidariser ainsi de lui, Koromâk se faisait sentencieux pour les englober dans la même injure :

— Le cabri passe où passe la chèvre ! Je sais où situer les trous dans ma palissade : la progéniture d'une épouse indocile n'apporte que déception.

À ces paroles, Arame et Lamine se retranchaient dans un silence blessé. Sans se consulter, ils priaient pour la prompte réalisation d'un même vœu : qu'un jour une brillante réussite du jeune homme démente les ignobles propos de son père. Arame était certaine que l'amélioration de ses conditions de vie et la paix de son ménage dépendaient de l'avenir de son fils. Aussi, malgré la peur que lui inspiraient les pirogues de l'émigration clandestine, elle fut attentive et encouragea même Bougna à aller au bout de son idée.

— Oui, les pirogues, me disais-tu, mais comment s'organise tout ça ? interrogea-t-elle.

Bougna, qui commençait à trouver le silence pesant, se sentit soulagée ; cette timide question posée par son amie sonnait comme un début d'adhésion. Enthousiaste, elle lui exposa, avec moult détails, les rouages du projet.

— Je me suis déjà bien renseignée et je vais tout t'expliquer...

Depuis que la pêche était devenue moins rentable, de nombreuses pirogues restaient à quai, si bien que leurs propriétaires se désolaient de les voir s'user inutilement et songeaient à les vendre avant de devoir s'en servir comme bois de chauffe. Quelques astucieux avaient flairé la bonne aubaine : ils rachetaient et revendaient les plus grandes pirogues aux passeurs qui, à leur tour, monnayaient la traversée aux aventuriers téméraires, prêts à embarquer sur n'importe quel esquif pour rejoindre l'Espagne. En quelques années, le système s'était mis en place, mais, pendant longtemps, seuls les initiés savaient comment pénétrer le circuit. Au début, les départs étaient rares. Par la suite, l'envie suscitée par la réussite des premiers à avoir pris le risque multiplia les candidatures et l'appétit des passeurs. De plus en plus, on voyait des villageois retaper d'immenses pirogues. De temps en temps, quelqu'un allait amarrer l'une d'elles entre les mangroves, au bout d'un bras de mer, derrière le village. Le soir, des jeunes hommes s'y rendaient, en file indienne, chargés de diverses marchandises : riz, lait, sucre, bâches, bidons d'essence et d'eau, paquets de biscuits, etc. Les plus jeunes montaient la garde en permanence sur le grenier flottant. Ces jours-là, quand la cale était pleine de victuailles, on remarquait des visages inconnus au village. Venus d'autres coins du pays, des candidats à l'émigration, alertés par leur contact, commençaient sur l'île le premier tronçon de leur longue errance. Hébergés chez le capitaine ou des connaissances, ils n'attendaient qu'un signal pour embarquer vers leurs rêves. En dehors des passeurs et du capitaine, personne ne savait la date exacte du départ. On se réveillait un beau matin, les étrangers avaient disparu et des enfants de l'île manquaient à l'appel. Le secret, c'était le premier lien qui unissait ces mercenaires de l'espoir, dont certains ne prévenaient même pas leur propre famille. Petit à petit, la gourmandise des passeurs rendit le secret plus difficile à préserver : l'augmentation du prix de la traversée obligeait ceux qui n'avaient pas les moyens à solliciter leur famille et, quand la famille ne disposait pas des ressources nécessaires, à faire appel à leurs relations. De ce fait, chaque départ s'ébruitait et en suscitait d'autres. Les émigrants étaient devenus les meilleurs représentants de commerce des passeurs. D'ailleurs, lorsque ces derniers manquaient de clients pour remplir une embarcation, ils appliquaient une technique commerciale toujours couronnée de succès : tout émigrant qui ramenait un nouveau client se voyait offrir une réduction sur sa propre traversée. Ainsi, d'eux-mêmes, et parfois avant toute proposition, les garçons se faisaient un devoir de recruter des compagnons de voyage dans leur entourage. Ils se cooptaient entre camarades, entre cousins ou entre voisins. Ils discutaient avec leurs potes, rêvaient à haute voix, se délectant par avance de l'agréable vie qu'ils mèneraient à leur retour. Ensemble, ils détaillaient leurs préparatifs, minimisaient les périls de la traversée pour garder le cœur accroché et oublier qu'ils risquaient de mourir avant de voir la côte espagnole. Dans cette euphorie, excessive parce que feinte, ils ne se souciaient plus des oreilles indiscrètes et dévoilaient, par inadvertance, tous les mécanismes du système.

C'est ainsi que Bougna avait appris le chemin dérobé par lequel son fils pouvait, lui aussi, tenter d'atteindre l'Europe. Comme beaucoup d'îliennes, elle avait souvent entendu dire que des jeunes étaient partis. Maintenant, elle connaissait la combine, savait à qui s'adresser et combien il fallait payer. Le problème, c'était l'argent.

— C'est vraiment trop cher, constata Arame, et puis cette mer…

— Oui, c'est cher, mais l'avenir n'a pas de prix, la coupa Bougna, qui ne voulait pas lui laisser le temps de douter. Si vraiment nous voulons aider nos fils, nous y arriverons.

— Mais où veux-tu que je trouve une telle somme ? Et puis, affronter l'océan pour un si long voyage ! Tu comprends…

— Oui, je comprends, tu as déjà perdu un fils en mer et il ne t'en reste qu'un. Je comprends ta crainte, mais quel avenir vois-tu pour nos enfants ici ? Et pour nous ? Que deviendrons-nous, si nos garçons ne s'en sortent pas ?

Arame n'eut pas le temps de répondre. Bougna, sachant que son amie n'était toujours pas prête à la suivre dans son plan, abattit ses meilleures cartes : la pauvreté contre laquelle elle se battait tous les jours, les orphelins de son fils aîné à nourrir, son mari grabataire qui ne lui était plus d'aucun secours. Et comme si ces arguments ne suffisaient pas, Bougna se lança

70

dans un sombre pronostic pour vaincre les dernières résistances d'Arame.

— Et puis, n'oublie pas que ton mari est vieux et malade. Dieu me pardonne, mais si tu te retrouves veuve, à notre âge déjà avancé, tu ne pourras même pas rêver d'un remariage salutaire. C'est évident, Arame, sans soutien, tu ne tiendras pas longtemps le coup, or seul ton fils est susceptible de t'épauler franchement.

— Mais où trouver tout cet argent ?

Bougna étala son plus grand sourire, épuisée, mais heureuse d'avoir obtenu le ralliement implicite de son amie. Elle ne voulait pas se l'avouer, mais depuis que lui était venu cet hallucinant projet, elle se laissait gagner par une certaine fébrilité. Son ambition ne parvenait pas à refréner la peur et la culpabilité qui la tenaillaient par moments. Maintenant, elle se sentait un peu rassérénée : le fait de voir Arame abonder dans son sens ne réduisait certes pas la dangerosité de l'entreprise, mais la réconciliait avec elle-même. Parce qu'une autre mère était prête, comme elle, à envoyer son fils aux galères, Bougna se libéra de l'image de mère cruelle qui la tourmentait. Cet obstacle psychologique surmonté, plus rien ne pouvait l'arrêter. Elle ne se refusait aucune piste pour trouver une solution au problème financier.

— L'argent ? Avec un peu de perspicacité et beaucoup de persévérance, ma chère Arame, nous y arriverons. D'abord, vendons nos moutons, nos chèvres et nos poules. Ensuite, j'irai à Dakar vendre nos bijoux et nos habits de valeur.

— Et qu'allons-nous porter pendant les cérémonies ? Est-ce prudent de liquider ainsi le peu que nous avons ?

— Qu'avons-nous de plus précieux que nos fils ? Des habits, des bijoux, nous en aurons d'autres et de plus grand prix, quand nos fils s'en reviendront d'Europe. En dehors du temps, rien n'est perdu à jamais. Pour l'instant, nous devons mettre le paquet pour garantir l'avenir de nos fils, le nôtre en dépend.

Arame se sentit gênée d'avoir émis des objections, honteuse de paraître si terre à terre et matérialiste aux yeux de son amie. Désireuse de se racheter, elle se montra plus impliquée.

— Et si la vente de nos biens ne suffit pas ?

— Les fruits de mer séchés se vendent très bien en ville, nous en pêcherons davantage. D'ailleurs, il y a des gens qui viennent les acheter au village et qui se désolent de n'en pas trouver assez. Et si tous nos efforts ne suffisaient pas, il nous resterait à solliciter nos familles respectives pour compléter la somme requise. Une fois en Europe, les petits nous enverront de quoi régler les dettes.

— Eh bien ! pour les fruits de mer, je crois qu'il est temps d'y aller, si nous ne voulons pas rentrer bredouilles aujourd'hui.

Les deux amies, absorbées par leur discussion, avaient tardé à s'en rendre compte, mais la marée était maintenant bien basse. Il n'y avait pas foule mais quelques femmes, pliées en deux, grattaient la vase découverte qui s'étalait à perte de vue. Arame et Bougna se levèrent, retroussèrent leurs pagnes, mirent leurs sandales dans leur panier et pataugèrent dans la gadoue. Si les rares touristes affectionnaient les plages de sable blanc, elles ne s'intéressaient qu'à ce limon fertile qui regorgeait de surprises et nourrissait les villageois depuis des temps immémoriaux. Tous leurs rêves tendaient vers ce même océan qui avait si souvent porté le deuil à ses riverains. Comme la proie mord à l'appât du chasseur embusqué, les deux amies se mirent à récolter les coquillages que la vague semait sur leur passage.

Parce qu'ils ne peuvent la fuir, les insulaires s'accommodent de la mer avec le fatalisme de ceux qui n'escomptent aucune grâce ; ce qu'on appelle courage n'étant souvent que la force extrême du désespoir. À la fin de leur pêche, lorsque Arame et Bougna, arrivées dans leur quartier, échangèrent un dernier regard avant de se quitter, la chose était entendue : leurs fils, Issa et Lamine, iraient en Espagne, ensemble, par la mer.

VI

Leur pacte scellé, Arame et Bougna ne vivaient plus que pour leur projet. Au village, la vie déployait son théâtre panoramique, une concomitance de joies et de drames.

Cependant, lorsque les deux femmes se retrouvaient et murmuraient en aparté, ce n'était que pour échafauder des plans susceptibles d'améliorer leurs modestes finances. D'habitude, c'était Bougna qui venait voir Arame pour relancer le débat. L'argent et les moyens de s'en procurer n'avaient pas éliminé de sa bouche ses médisances sur sa coépouse, mais ils étaient devenus ses sujets favoris. Les rares fois où les deux amies ne parlaient pas trésorerie, elles se désolaient de voir leur fils ruiner leur jeunesse au village et cela les confortait dans leur résolution. En tant que mères, elles ne pouvaient pas ne pas agir, se disaient-elles, et chaque jour confirmait ce point de vue.

Depuis quelques mois, Lamine, le fils d'Arame, était revenu de la capitale et passait l'essentiel de son temps à errer, désœuvré. Au village, il avait tenté de se mettre à la pêche artisanale sans trop de succès. Il y allait de manière sporadique. En vérité, il était tout simplement incapable de se faire à un tel métier. Les nombreuses années qu'il avait passées à l'école l'avaient détourné de ce genre d'activité. Pendant que ses camarades, élevés à la campagne, tissaient des filets et s'exerçaient à acquérir le pied marin, lui récitait des poèmes, rédigeait des dissertations et rêvait d'un destin de col blanc. Malheureusement, après plusieurs échecs au bac, il fut exclu de l'école publique. Ses parents n'ayant pas les moyens de lui payer l'école privée ou une autre formation, il avait passé des années à la capitale à courir les petits boulots sans lendemain. Fatigué et traumatisé par cette expérience, Lamine était revenu au bercail, comme reviennent ceux qui ne savent plus quelle direction donner à leur vie. Si la proximité de son père mettait son moral en berne, vivre à Dakar, les poches vides, lui semblait encore plus insoutenable. Là-bas, il avait acquis la conviction qu'il ne trouverait jamais un emploi digne de ce nom. Ce n'est pas le courage qui lui faisait défaut, il serait descendu dans une fosse aux lions si on lui avait tendu quelque billet pour le faire. C'est la foi qu'il avait perdue, et en l'Homme et en Dieu. Au port de Dakar, il avait été témoin de ce que la quête d'un salaire fait des hommes.

En compagnie d'un camarade du village, Lamine était allé proposer ses bras musclés au port de Dakar. Docker, ils ne s'y voyaient pas durablement, mais, parfois, pour un billet à palper dans leur poche, pour un repas chaud ou un ticket de transport, ils l'acceptaient. Alors, galériens des temps modernes, ils vidaient les cales d'immenses bateaux, ignorant le contenu des sacs et des cartons qu'ils portaient. Ils rentraient dans leur minuscule chambre en banlieue, fourbus mais heureux d'être plus nantis que la veille. Et parce que leurs maigres sous les consolaient, ils oubliaient les courbatures et retournaient au port, le cœur vaillant. Arame avait reçu, quelques fois, un sac de riz. Lamine luttait et pensait aux siens, son copain agissait pareillement. Ils avaient poussé dans le même terreau et partageaient les mêmes valeurs. Leur réduit en banlieue, la cale des bateaux, leurs matins sans petit-déjeuner, c'était autant d'arpents du chemin initiatique qu'ils parcouraient ensemble. La vache enragée qu'ils partageaient, ils l'assaisonnaient de leurs rêves et se soutenaient mutuellement. Le regard de l'un était le miroir réfléchissant où l'autre ajustait son image d'homme. Cette amitié-là, Lamine en avait fait sa béquille. Puis vint ce jour, ce maudit jour : ils déchargeaient des sacs pesants quand, soudain, son copain s'écroula, bave aux lèvres, les yeux révulsés. On l'aspergea d'eau, lui fit un massage cardiaque, en vain. Lorsque les pompiers arrivèrent, ils ne purent que constater le décès. De l'ammoniaque ; à vingt-cinq ans, il était mort asphyxié par de l'ammoniaque. Ceux qui les avaient engagés pour décharger cette dangereuse cargaison n'avaient prévu ni gants ni masques : les précautions coûtaient trop cher, plus cher que leur vie de gueux. Accident ? Oui, on avait osé dire que c'était un accident ! Il n'y eut pas de poursuites, aucune indemnité ne fut versée aux parents du sacrifié. Ils ne savaient même pas qu'ils étaient en droit de porter plainte. Démolis, mais résignés, ils avaient enterré leur fils, se soumettant en bons musulmans à la volonté de Dieu. La volonté divine, une cale de bateau où l'on peut mettre n'importe quoi ! Lamine protesta vivement, ce fut peine perdue. Personne ne dérangea le sommeil des responsables du désastre. Depuis, Lamine ruminait sa révolte : ce n'est un secret pour personne, la loi est rarement appliquée pour les analphabètes. L'ignorance est le premier obstacle à la démocratie. Citoyens libres et égaux, soit, encore faut-il connaître ses droits pour avoir la velléité de les défendre. Injustice ! Colère ! Impuissant, Lamine était en proie à l'amertume lorsqu'il raccompagna le corps de son copain au village. Il avait tant pleuré que ses yeux gonflés remplissaient ses lunettes. Après les obsèques, il avait dit à sa mère :

— Je n'y retournerai pas, à faire le tâcheron au port, on va tous crever là-bas. Il faut trouver autre chose, j'ignore quoi, mais autre chose.

Arame l'avait écouté sans broncher, le couvant tendrement des yeux. Lamine n'était pas du genre à se plaindre ; pour qu'il en arrive à s'exprimer ainsi, il fallait vraiment qu'il soit à bout. Elle se dit que c'était le moment de lui révéler le projet qu'elle mûrissait pour lui depuis si longtemps. Mais, comme elle avait peur de flancher, elle prit d'abord conseil de Bougna. Les deux amies affûtèrent leurs arguments ensemble, avant de convoquer Issa et Lamine en réunion. Elles croyaient les surprendre, mais ce sont elles qui furent agréablement surprises, car, de leur côté, les garçons caressaient secrètement le même rêve. Ils accueillirent la proposition des deux femmes comme une libération, car chacun d'eux redoutait le fait d'avoir à annoncer un voyage aussi risqué à sa mère. Soulagés et heureux de se savoir ainsi soutenus, leur futur départ pour l'Europe devint leur seul horizon. La pêche, ils n'y allaient plus avec le sentiment de perdre leur temps, mais avec la joie de contribuer à réunir, petit à petit, la cagnotte qui paierait leur traversée.

Des mois passèrent, plusieurs pirogues étaient parties pour l'Espagne, sans eux. Les maigres gains de la pêche ne permettaient pas d'envisager un départ rapide. La plupart du temps, leurs prises garantissaient seulement le repas familial, tant et si bien que les économies fondaient plus vite qu'elles ne s'accumulaient. Les imprévus obligèrent Arame et Bougna à dépenser une partie de leur pécule. Braves, elles ne s'épargnaient aucune peine, mais elles avaient fini par admettre qu'il leur faudrait beaucoup de temps avant de rassembler la somme requise pour le départ des garçons. En attendant, mères et fils se distrayaient de leur impatience en s'intéressant aux différents événements qui rythmaient la vie du village.

L'Atlantique caressait toujours les flancs de l'île, mais ne calmait pas toutes les angoisses. Si les oiseaux chantaient le matin, les hiboux hululaient le soir. Le soleil baignait tous les visages, mais n'éclairait pas tous les chemins. Et si l'ombre est reposante, la permanence des ténèbres finit par effrayer. Les jours s'enchaînaient, stagnaient ou fuyaient à toute allure. Les humains s'évertuaient à ajuster leur pas. On reprenait son souffle, on s'accrochait. Parfois, le moral ployait comme une canne à pêche. Sur l'île, le quotidien n'était pas avare de nuances et la boule de l'existence tournait à sa guise. *Mektoub*! disaient les sages et les fous. Et ceux qui ne disaient rien n'en pensaient pas moins. L'Atlantique peut toujours rugir, il ne rugira jamais assez fort pour étouffer l'éloquence des soupirs. Or, ce sont les soupirs qui disent le mieux le poids de la vie.

Pendant que les uns reportaient leurs rêves, les autres réalisaient les leurs. Les états d'âme n'y changeaient rien, Bougna était la mieux placée pour le constater. Le fils aîné de sa coépouse, celui qui avait obtenu un travail dans l'administration, était venu célébrer son mariage au village. Une meute de collègues, des fonctionnaires subalternes, était venue ripailler avec lui. Les frais somptuaires n'avaient pas effrayé le jeune homme. Euphorique, il avait débarqué avec son immense escorte et le peu qu'il avait, certain que le soutien des siens ne lui ferait pas défaut. Parents et alliés se mobilisèrent pour lui faire honneur. En dépit de l'opinion peu flatteuse qu'ils avaient des gens de la ville, les insulaires tenaient à leur offrir un accueil mémorable : les citadins devaient s'en retourner chez eux en emportant une excellente image de l'île. Pendant ce week-end prolongé, un bœuf perdit sa tête, les poulaillers se vidèrent ; les femmes cuisinaient du matin au soir pour régaler la foule des convives. Même Bougna apporta sa contribution ; le cœur n'y était pas, mais par souci du qu'en dira-t-on, elle y alla de ses deniers et de sa sueur. Elle avait offert les fleurs d'hibiscus, acheté les kilos de sucre et les épices nécessaires à la fabrication des bassines de jus de bissap servies tout au long de la cérémonie. Dans les cuisines, elle prodigua généreusement ses conseils, aida au service et veilla à ce que son dévouement fût dûment constaté. Il ne fallait pas laisser dire que la deuxième épouse avait saboté la fête de son beau-fils. Pourtant, au fond d'elle, elle souhaitait voir tout échouer, car la réussite de cette cérémonie de mariage était une dragée qu'on lui tenait haute : un jour, son fils devrait en faire autant et elle n'était pas sûre d'être en mesure de faire jeu égal.

Les noces finies, le fonctionnaire repartit en ville, laissant sa jeune épouse dans la concession familiale. Comme le voulait la tradition, la mariée était restée au village, sous le toit de ses beaux-parents, où elle devait décharger sa belle-mère des tâches ménagères qui lui incombaient. Bougna subit ce nouveau changement, la mort dans l'âme. Désormais, elle et cette jeune femme, à peine plus âgée que son fils, cuisineraient à tour de rôle, pendant que sa coépouse se tournerait les pouces. Depuis toujours, la première dame tenait les clefs du grenier. Comme le voulait son rang, c'était elle qui mesurait les céréales, que ce fût ou non son tour de cuisiner. Pour la dépense quotidienne, pendant longtemps, ce fut le mari qui donnait la même somme à chacune de ses épouses, ce qui équilibrait un peu les rapports entre les deux femmes. Maintenant que la première avait une bru et un fils qui faisait vivre la famille, elle jouissait d'un bien meilleur statut : outre les clefs du grenier, elle tenait les cordons de la bourse, puisque c'était son fils qui envoyait l'argent. Bougna trouva humiliant de devoir lui demander des sous pour les courses, les jours où elle avait son tour de cuisine. Elle se plaignit auprès de son mari, mais Wagane lui répondit qu'il n'y pouvait rien. Dans la polygamie, les enfants prennent en général le parti de leur mère. En faisant passer l'aide qu'il apportait à la famille par sa mère, le fils aîné voulait asseoir la suprématie de celle-ci. Par la même occasion, il s'assurait que son père ne pourrait pas léser sa mère en utilisant l'argent à sa guise. Sait-on jamais ? Sous son air de sage, détourné du tumulte de la vie, le vieux aurait pu se servir de la manne pour gagner la paix de la seconde ou, éventuellement, prendre une troisième épouse. Personne n'avait jamais formulé ces soupçons, mais le monsieur n'était pas dupe. Content de ne plus avoir à s'inquiéter pour les vivres, il se garda de revendiquer une préséance qui aurait pu le brouiller avec ce bon fils, pourvoyant avec régularité aux besoins de la famille. Bougna se plia de mauvaise grâce à la nouvelle donne, mais quelques mois lui suffirent pour trouver la situation intolérable. Un soir, folle de rage, elle convoqua Issa et lui parla en ces termes :

— Tu as vu ce qui se passe dans cette maison, ça ne peut plus durer ! Je ne vais pas continuer à entrechoquer des ustensiles de cuisine avec cette gamine, pendant que ma coépouse m'observe d'un air supérieur. Tu es en âge de prendre une épouse, certains de tes copains se sont déjà mariés, assurant ainsi le repos de leur mère. J'ai vu la fille que tu fréquentes, Coumba, c'est même une nièce lointaine, d'après notre arbre généalogique ; elle est bien élevée et ferait une parfaite épouse.

— Mais enfin, maman ! Tu sais bien que ce n'est pas possible.

— Tu préfères donc me laisser ridiculiser dans cette maison, à alterner des tours de cuisine avec une fille de ton âge !

— Mais non, maman. Je comprends que tout ça n'est pas agréable pour toi, mais avec quoi veux-tu que je finance un mariage en ce moment ?

— Ne t'inquiète pas pour ça. Nous n'aurons qu'à faire le mariage religieux à la mosquée, ça ne coûte pas grand-chose, il suffit de quelques noix de cola. Ensuite, ta femme pourra venir habiter avec nous. À ton retour d'Europe, on fera la grande cérémonie. Comme tu le sais, beaucoup de jeunes font ainsi avant de partir. Alors, pourquoi pas toi ?

Issa n'essaya pas plus de tenir tête à sa mère. Lui aussi vivait mal la nouvelle situation. Il ne se croyait pas capable de la changer si vite, mais il savait combien la détermination de sa mère serait tenace. La fille qu'il fréquentait, il se plaisait à la voir mais ne s'était encore jamais demandé s'il voulait en faire son épouse. Étant donné qu'il comptait sur l'aide financière de sa mère pour réaliser son rêve, il préféra céder à son caprice plutôt que de déclencher son courroux.

Un jour, un peu avant le crépuscule, Issa invita son amie Coumba à faire une balade au bord de mer. Alors qu'ils marchaient, lui ramassait des coquillages et faisait des ricochets sur l'eau. À chacun de ses jets, une nappe d'or rouge se froissait dans les yeux de la jeune fille. La brise soufflait, généreuse. La fin de journée fondait sous les pieds, douce comme une promesse d'amour. Alors que le soleil lançait un dernier clin d'œil sur la plage, le jeune homme cessa son jeu et se figea, son regard dérivait sur les vagues. Intriguée par son silence, Coumba se rapprocha et lui saisit la main. Il se retourna promptement, l'attrapa par les épaules et, les yeux dans les yeux, il lui débita sa tirade. Il lui dit qu'il allait bientôt partir pour l'Europe, qu'il tenait absolument à l'épouser avant son départ, car il ne voulait pas prendre le risque de la perdre. La dot, les cadeaux, les bijoux et la grande cérémonie, il s'en acquitterait dès ses premières vacances au pays. La demoiselle tressaillit, elle était encore trop jeune pour se douter que sur cette île, on succombe au regard et aux mots doux d'un homme mais on épouse souvent la volonté d'une mère. Elle reprit son souffle, s'accrocha à son bras et se mordit les lèvres pour imposer une retenue à son sourire. Issa savoura son effet. Il n'avait pas bien préparé son discours, mais le mot *Europe* fut son meilleur talisman. La fiancée, subjuguée, acquiesça de tout son cœur. Amoureuse et pleine d'espoir, Coumba ne sentit pas les mains calleuses du pêcheur fauché lui gratter les joues en essuyant ses larmes de joie. Elle se voyait déjà, princesse rayonnante, un soir de couronnement, parée de ses plus beaux atours, accueillant son amoureux, de retour d'Europe et riche à millions. Comme elle, les siens acceptèrent et facilitèrent toutes les démarches. Ils n'allaient quand même pas refuser à leur adorable fille ce merveilleux avenir qui se dessinait à l'horizon.

En deux semaines, Issa avait demandé, obtenu la main de sa petite amie et célébré son mariage religieux. Coumba était venue le rejoindre au domicile familial et Bougna jubilait. Maintenant, elle aussi savourait son bonheur de belle-mère : sa bru et celle de sa coépouse alternaient les tours de cuisine, elle se sentait moins écrasée par la première épouse. Mais la rivalité persistait quant à la réussite des enfants. Deux fils de la coépouse étaient déjà en Occident. Déchargée des tâches ménagères, Bougna entendait consacrer son temps libre et toute son énergie à trouver, au plus vite, de quoi payer la traversée de son fils vers l'Espagne. Issa semblait apprécier sa nouvelle vie, il ne fallait pas le laisser s'enliser. Cela faisait trois mois qu'il était marié et trois mois qu'il ne pipait mot du voyage. Au moment où Bougna se décida à lui rappeler son projet, une fête religieuse vint prolonger les roucoulades des jeunes mariés ; une pause imposée à laquelle Bougna elle-même ne pouvait se soustraire. Pourtant, même dans cette euphorie généralisée, son esprit ne cessa aucunement de concevoir les plans qu'elle exécuterait, sitôt ses parures factices déposées.

Jour de réjouissances, enthousiasme collectif, le cœur du village battait une mélodie festive et toute autre préoccupation semblait reportée à plus tard. C'était la fête de l'Aïd-el-kébir : le soleil brillait, les yeux pétillaient ; le mouton mijotait, les oiseaux chantaient dans le feuillage des cocotiers ; la gaieté était de mise et même ceux qui ne l'éprouvaient pas la feignaient de bon cœur. Et le rire n'était rire que parce qu'il perforait les tympans. Ha ha ha ! Arghrrr ! On retient tant de choses au fond de la gorge. Dans les cours noires de monde, on riait, on étouffait les gémissements. On ne mangeait pas, on s'empiffrait, on se vengeait des carences passées en espérant conjurer celles à venir. Abondance d'un jour, on se consolait des vaches maigres, à s'en rompre la panse. C'était la fête ! On fêtait, on aurait tout loisir de vomir plus tard. Ha ha ha ! Arghrrr !

Les jours précédents, une frénésie sans pareille s'était emparée des femmes. Réunies par quartier, elles rivalisaient de propreté, ratissant, balayant toutes les ruelles. Dans une chaleur caniculaire, elles s'activaient tout en chantant pour se galvaniser. Toutes débordaient d'entrain, car aucune ne souhaitait passer pour renâcleuse. Par moments, elles s'arrêtaient, formaient une large ronde autour d'un immense feu où elles brûlaient les détritus. La fumée montait dans le ciel du village, âcre et nauséabonde, comme pour mieux faire désirer les volutes suaves d'encens qui se dégageraient des maisons le jour de la grande prière. Libérée de cette corvée collective, chacune avait ensuite astiqué, récuré, épousseté tout ce qui pouvait l'être dans sa propre demeure. Après toutes ces besognes, aussi fatigantes que salissantes, les dames et les jeunes filles s'étaient enfin occupées de leur élégance. Lavée, peignée, coupée, défrisée, teintée ou tressée, aucune chevelure n'échappa au grand soin obligatoire. En cette période de l'année, même les souillons notoires cèdent à la coquetterie. « Ne choisis pas ton épouse un jour de fête, dit l'adage, tu pourrais ne pas la reconnaître après ! » Pourtant, pris dans l'ambiance, nombreux sont les jeunes du village qui se laissent hypnotiser par une belle pendant ces fêtes traditionnelles, seules grandes périodes de retrouvailles des ressortissants de l'île. Les insulaires sont mobiles, souvent contraints d'aller gagner leur pain hors de leur terroir ; ils voyagent, s'adaptent aux lieux et aux cultures, mais se marient rarement loin de chez eux. Les retours au village sont pour beaucoup l'occasion de trouver sa dulcinée. Pendant les interminables prêches de l'imam, les *Amen* retentissaient, sans détourner les paons de leur objectif.

Le matin de la fête, les femmes s'étaient levées aux aurores pour converger aux puits. De l'eau pour laver les moutons. De l'eau pour la douche de tous avant la prière. De l'eau pour la cuisine. De l'eau pour les canaris, qui seraient vidés dans la journée par le nombre incalculable de visiteurs. De l'eau pour la douche, nécessaire après la journée de labeur, avant d'enfiler la toilette des grands jours. Toutes ces eaux venaient des puits et traversaient le village sur la tête des femmes. Les jours de fête étaient aussi des jours d'Hercule, des jours de torticolis, des jours de grande peine, surtout pour celles qui n'avaient personne pour leur prêter main-forte.

Prévoyante, Arame avait rempli ses canaris et ses jerricanes la veille au soir. Le chemin du puits lui avait paru beaucoup plus long qu'à l'accoutumée. Nostalgique, elle regrettait la chaleureuse compagnie de Bougna, qui, elle, ne se rendait plus aux puits depuis l'arrivée de sa bru. Arame aurait pu demander aux plus âgés de ses petits-enfants de l'accompagner, avec des récipients à leur mesure ; même un litre multiplié par leur nombre et ramené plusieurs fois lui aurait allégé la tâche, mais elle avait préféré effectuer seule ses nombreux allers et retours. Ses deux ex-belles-filles n'avaient même pas daigné prendre leurs enfants pour les fêtes, mais Arame se doutait bien qu'elles auraient été les premières à lui reprocher d'avoir mis les pauvres orphelins au labeur. Ces gamins, nul ne s'en souciait vraiment, à part elle, mais il ne manquait pas de juge au village pour condamner le moindre faux pas de cette dévouée grand-mère. Alors, Arame anticipait les critiques, traitait les petits avec moult précautions au risque d'en faire des lianes sauvages, poussant au gré de leur nature, sans tuteur réel pour les redresser. Manger, dormir, aller à l'école, c'étaient les seules choses qu'elle exigeait d'eux et les rares fois où elle haussait le ton, c'était pour faire cesser leurs bagarres. Si elle en avait eu les moyens, elle les aurait gâtés comme des héritiers de prince, mais la réalité bornait ses intentions. Pourtant, au prix de quelques sacrifices, elle avait réussi à leur offrir à tous des vêtements neufs, des chaussures en plastique et un vrai repas de fête. Elle n'avait pas tué de mouton, mais en accumulant les bouts de viande offerts par les voisins, comme le veut la tradition de l'Aïd-el-kébir, elle avait pu mitonner des ragoûts et des couscous garnis pendant les trois jours de fête. Une fois de plus, Arame avait renoncé à s'offrir une tenue de fête, pour habiller et régaler sa maisonnée. Du tissu qu'elle se réservait, elle avait fait faire un beau caftan pour Lamine, pour lui permettre de redresser la tête parmi ses camarades avec lesquels il s'était rendu à la prière. « Merci maman, merci grand-mère », ces quelques mots, précédés de sourires démesurés, étaient les plus beaux cadeaux qu'Arame pouvait espérer le jour de l'Aïd-el-kébir. Elle les avait eus et remerciait le Seigneur sans penser à tout ce qu'il tenait hors de sa portée. C'était la fête et ceux qui ne savaient pas le goût du bonheur lui attribuaient une saveur de ragoût. L'appétit, c'était la santé ; la santé, c'était l'espoir ; et l'espoir transforme le malheur des fidèles en félicité putative. Alors, le bonheur ? *Inch'Allah* ! Et tout va bien, jusqu'au prochain réveil, quand, dessoûlé de la fête, on repose pied à terre et considère, avec stupeur, les angles obstinément aigus d'une vie qu'on avait crue, un instant, plus arrondie qu'elle n'est en réalité. Il y a tant d'épines à raboter. Mais quand et comment ? *Inch'Allah* !

VII

La fête était finie, Bougna avait déjà oublié les prêches de l'imam dirigés contre l'avidité, la jalousie et la convoitise. Elle rêvait sa vie, entrevoyait un horizon et n'entendait pas pousser sa barque à coups d'*Inch'Allah*. Au diable la méditation, bonjour l'action ! Si elles rythment le temps et œuvrent à la cohésion sociale, les fêtes rituelles sont mal vécues lorsqu'elles endiguent les projets personnels. Pendant toute la période de fête, Bougna n'avait fait qu'attendre. Par égard pour les siens, elle avait simulé la joie, affiché tous les signes extérieurs qu'exigeait le moment, un vrai supplice, pour qui trépignait d'impatience. Au soir du troisième jour de l'Aïd-el-kébir, elle s'était invitée chez Arame qui venait de mettre ses petits-enfants au lit et prenait un thé avec son fils dans la cour. Les longues salutations terminées, Arame invita Bougna à s'asseoir à ses côtés, sur sa natte, et lui proposa un thé. Pendant qu'elle chauffait de l'eau sur les dernières braises, Arame entendait Lamine répondre timidement à Bougna qui, déjà, l'interrogeait.

— Alors, mon garçon, on se prépare au voyage ?

— Oui, oui, on y pense…

— Lamine, maintenant, il ne faut plus seulement y penser, il faut vraiment se bouger, d'ailleurs...

— Mais enfin Bougna ! intervint Arame, qui revenait avec une tasse fumante. C'est quand même un jour de fête, nous aurons tout le temps pour reparler de tout ça.

— Justement, ma chère Arame, c'est le soir du dernier jour de fête et nous avons déjà assez perdu de temps. Il faut agir maintenant, tout mettre en œuvre pour permettre à nos garçons de partir.

— Je t'en prie, Bougna, pas ce soir, je suis très fatiguée. Et puis, tu as certainement entendu raconter l'histoire de ces garçons partis, sans plus donner signe de vie depuis. Et si nos gamins ne revenaient pas ? Je me sens déjà assez seule comme ça, laisser partir le seul fils qui me reste, vraiment, je me pose encore des questions.

— Arame, je te comprends, tu es fatiguée. La fête démultiplie tous les fardeaux et tu as dû tout assumer, toute seule. De plus, avec un mari malade, cette période ne peut qu'être attristante. Mais tu ne dois pas renoncer, cette situation doit te motiver. Si nous menons notre projet à son terme, tous tes soucis ne seront bientôt plus que de tristes souvenirs.

Lamine prétexta un rendez-vous avec un copain pour quitter les deux femmes. Avant l'arrivée de Bougna, il tentait de redresser vainement le moral de sa mère et ne tenait pas à réécouter le même disque de blues.

— Que deviendrais-je sans mon fils ? se plaignit Arame, qui regardait Lamine s'éloigner. Certes, il n'a pas d'emploi, mais depuis son retour de Dakar, sa présence me réconforte.

— Arame, tu ne peux pas changer d'avis maintenant ; Lamine t'a bien assuré qu'il voulait partir et c'est pour votre bien à tous, tu le sais, ça. Allons, envisageons les choses autrement. Tu as peut-être remarqué que beaucoup de parents dans notre cas marient leurs fils avant leur départ ? Et, comme tu le sais, mon fils vient de se marier. Pourquoi Lamine n'en ferait-il pas autant ? Non seulement ta bru te tiendrait compagnie, mais elle te serait également d'une grande aide pour les travaux domestiques. De plus, un mariage responsabiliserait ton fils et te garantirait son retour. Une calebasse de mil n'empêche pas le bélier de sortir de son enclos, mais elle peut lui donner envie d'y revenir. Un homme marié ne se perd pas à l'aventure, disaient les anciens, gageons que cela reste vrai de nos jours. En tout cas, j'ai choisi de faire ce pari.

— Mais avec quoi veux-tu qu'il se marie ? Il n'a déjà pas de quoi se payer un caftan !

— Mais Arame, réveille-toi enfin ! Il fera simplement comme Issa : une poignée de noix de cola pour le mariage religieux et ta bru viendra légitimement vivre avec toi. Les festivités auront lieu à son retour, tout le monde fait ainsi.

Arame opina du chef et esquissa un bref sourire. Son amie avait toujours l'art de la surprendre avec ses combines. Bougna, sûre d'avoir encore remporté une partie d'échecs, s'enhardit :

— Maintenant, au boulot ! Et si Lamine n'a pas déjà la perle rare au creux de la main, aide-le à trouver la sage pucelle qui saura l'attendre auprès de toi. Bon, ma chère Arame, il se fait tard, je vais me coucher, mais je reviendrai te voir, car je n'ai même pas pu t'expliquer le vrai motif de ma visite de ce soir. Allez, ma douce, fais-moi confiance, nous prouverons à nos fils que leurs mères sont braves et capables de concourir à leur réussite.

— Bonne nuit, Bougna. À bientôt ! lança Arame, d'une voix presque joviale.

De toute manière, elle savait que son amie la poursuivrait sans cesse de son assiduité. Si Bougna n'était pas coiffée comme un cocotier, elle l'aurait volontiers comparée au grand requin blanc, car elle ne lâchait prise qu'une fois le morceau arraché. *Tenace*, pensa Arame, ce n'était pas seulement un adjectif, mais un récipient qui contenait tout de cette femme.

Après un bref rangement, Arame se coucha, songeuse. Le sommeil ne fut pas immédiatement au rendez-vous. Pendant que Koromâk, recroquevillé et tourné vers le mur, saturait la chambre de son léger ronflement maladif, elle se réfugia dans ses pensées. L'obstination de Bougna lui rappelait ces légendes qu'elle avait entendu raconter à propos des anciennes guelwaars : des femmes qui plaçaient l'honneur et le bonheur de leurs fils au-dessus de tout. Des princesses aussi vaillantes que leurs hommes, qui ne rechignaient pas, lorsqu'il venait à manquer du monde dans les rangs, à soulever le glaive au côté de leurs frères ou époux. Chacune, motivée par l'envie de voir son fils accéder au trône qu'elle avait si âprement défendu, faisait de cette ambition sa véritable raison de vivre. D'après la légende, la reine Diâhère Tèw No Mâd, qui avait une coépouse et un beau-fils plus âgé que le sien, avait eu recours aux oracles. Bien que première épouse, elle avait d'abord eu des filles, de sorte que la seconde épouse fut la première à donner un fils au roi. Depuis, désireuse de savoir lequel des deux fils succéderait à son père, la reine Diâhère interrogeait les meilleurs devins du royaume. Mais l'oracle lui signifia que, de toute manière, le trône de son mari ne passerait pas à la génération suivante, qu'une terrible guerre l'anéantirait, que le roi le savait mais n'avait pas accepté de suivre les recommandations pour contrecarrer le sort. Bouleversée, Diâhère questionna l'oracle avec insistance : quel était le prix à payer pour éviter pareil désastre ? L'oracle lui confia que le sort pouvait encore être inversé, grâce à un sacrifice humain. Déterminée, elle avoua être prête à lancer des lansquenets aux trousses de qui l'oracle lui indiquerait. Mais celui-ci énonça que, si le roi tenait à garder son trône, le sang d'une de ses épouses devait servir de libations au bois sacré. La reine s'en retourna, mélancolique, mais déterminée. Arrivée chez elle, elle convoqua son mari ainsi que les conseillers de la cour et leur fit part de sa décision : elle était prête à se sacrifier pour sauver le trône de son époux à la seule condition que son fils soit désigné héritier du trône. D'abord surpris de constater que son épouse était au courant du terrible secret, le roi, effaré, réagit comme un simple homme : fou d'amour pour Diâhère, il hurla son épouvante, jura qu'il préférait renoncer à tout ce qu'il possédait pour la garder, elle, son premier, son plus bel amour. La reine fut touchée par cette déclaration mais incrimina la faiblesse de celui dont elle avait toujours admiré le courage et la fermeté. Et se fit acerbe pour le convaincre.

— Un roi, lui dit-elle, n'est plus un roi s'il cède aux modestes sentiments qui gouvernent les humbles. Pour rester roi, mon ami, et laisser un trône à notre fils, je te demande d'oser ce que personne d'autre qu'un roi n'oserait. Tranche ma gorge et pérennise ton empire ! Je t'en prie, écoute-moi et notre fils sera roi, comme son père et son grand-père avant lui.

Mais, pour une fois, son monarque de mari resta sourd à sa requête. Il pouvait décimer une armée étrangère, faire regretter à ses adversaires le jour de leur naissance ; d'ailleurs, il ne se trouvait personne pour démentir sa réputation d'indomptable guerrier et toutes les contrées voisines redoutaient son ire, mais il déposait les armes, lorsqu'il se trouvait face à son épouse adorée. Non, même pour s'épargner les pires foudres divines, il n'égratignerait pas ce corps qu'il avait tant aimé. S'il avait plusieurs fois bravé le péril, sauvé sa bannière du joug de féroces ennemis, ce n'était que pour le bonheur de semer des étoiles dans les yeux de sa complice de toujours. Alors, un trône, pourquoi faire, si elle n'était plus là pour apprécier ses exploits et le gratifier de son amour ? Les honneurs ont si peu de saveur, quand ils sont reçus loin de ceux qui comptent pour nous. Il aimait Diâhère et, même polygame, il n'avait aimé qu'elle et la voulait à ses côtés pour le restant de ses jours. Il l'aimait sans mesure, parce qu'elle était celle prête à tout pour lui, mais cette fois, le don qu'elle souhaitait consentir lui était insupportable. Et dans son désespoir, il cria à ses conseillers :

— Dispersez-vous ! On ne disserte pas de l'inconcevable ! Doublé d'une punition, un cadeau n'est plus un cadeau ! Je préfère me soumettre à un roitelet plutôt que de perdre ma femme ! Sans elle, mon trône ne serait plus rien qu'un vulgaire banc en bois ! Ma gloire, c'est elle ! Vous m'entendez ? Sans elle, mon règne ne serait plus qu'un deuil infini. Laissons le sort s'accomplir, ma femme vaut plus qu'un trône !

Événement sans précédent : le roi pleurait. Le silence de son épouse ne le rassurait pas, car il savait combien Diâhère pouvait se montrer entière. C'est ainsi qu'il l'avait toujours aimée, mais c'est aussi ce qu'il craignait secrètement chez elle. La réunion fut plus que brève. Aucun des conseillers ne risqua le moindre argument. Pourtant, ils voulaient tous conserver le trône ; ambitieux, aguerris aux tragédies, sacrifier l'une des épouses du roi ne leur semblait pas inadmissible, mais contrarier le souverain faisait tomber des têtes ; aussi se retirèrent-ils à reculons, sans broncher. Diâhère ne fut pas dupe de leur silence. Elle connaissait bien ses alliés parmi les conseillers, que la polygamie du roi avait divisés en deux camps adverses. Elle était certaine d'une chose : ceux qui avaient tout à gagner à voir son fils sur le trône veilleraient à ce que la dette implicite qu'elle entendait suspendre au cou du roi soit honorée. Dans ce règne du code d'honneur, une chose dite devant témoin était chose faite. Indubitablement, sa mort ferait de son fils l'héritier du trône.

À l'aube, un souffle frais dispersa le chant du coq dans les ruelles du village. Un ciel indigo pâlissait sous la poussée du soleil. Djéliba, le maître griot de la cour, gratta sa kora, la musique se répandit, limpide et joyeuse, célébrant, déjà, la belle journée qui s'annonçait. Le roi, qui avait peu dormi, ayant passé la nuit à murmurer des mots doux à l'oreille de son aimée, se leva, prit une douche et, comme à son habitude, enfourcha son plus beau cheval pour sa promenade matinale. Ce fut un homme détendu et souriant qui s'en alla, accompagné de ses gardes favoris. Après sa frayeur de la veille, il semblait apaisé. Son épouse, même si elle n'avait donné aucune réponse positive à sa supplique, s'était montrée sensible à ses propos et s'était offerte à lui avec la générosité d'une jeune mariée. Il n'avait jamais douté de leur amour, mais une telle nuit valait confirmation d'un lien indéfectible. Pour lui, autant de tendresse et de complicité ne pouvait signifier qu'un accord : rester l'un avec l'autre.

En revenant de sa promenade, il espérait retrouver sa favorite et partager avec elle un délicieux petit-déjeuner, aux sons de la kora. Mais un conseiller venu à sa rencontre s'agitait plus que la normale. Le roi se dit qu'il se passait quelque chose à la cour : un émissaire inattendu ? des alliés mécontents ? à coup sûr, une audience urgente. Il posa quelques questions au conseiller qui, n'ayant pas le courage de lui révéler la terrible nouvelle, se contenta de l'accompagner jusqu'à la salle du trône. Là se trouvait l'indicible : sur le trône en bois d'ébène gisait la reine Diâhère ; l'amoureuse transie qui avait embelli l'aube de ses baisers s'était tranché la gorge, dès que son époux eut tourné le dos. En peu de temps, l'information fit le tour du royaume, traversa les frontières et se répandit dans tout le Sahel. Les parents, les alliés et les curieux accoururent de toutes parts. Et pendant que le roi perdait la tête, le premier conseiller expliqua devant la cour et les émissaires étrangers les motifs ayant dicté le geste de l'inégalable reine. Dans la douleur et l'émotion, il révéla les dernières volontés de celle que tous jugèrent, unanimement, héroïque. On délibéra et, sans nulle réticence, le fils de la défunte Diâhère fut promu héritier du trône. Depuis, les griots chantent et colportent la légende de cette fière reine qui offrit sa tête pour sauver le trône de son époux adoré.

— Mon Dieu, quel terrible destin ! soupira Arame, qui se retourna lourdement dans son lit.

— Quel destin ? rugit Koromâk, lézard tapi à ses côtés.

Le vieil homme malade s'était réveillé sans comprendre que son épouse concluait ainsi une longue rêverie. Il croyait qu'Arame se plaignait encore de sa propre vie, ce qui le mit hors de lui.

— Quel destin ?

— Destin de reine, reine tragique.

— Oui, tu peux toujours ironiser, méchante femme ! C'est moi qui suis malade, mais c'est toi qui passes tes nuits à gémir. Que ta vie est une tragédie à cause de moi, je l'ai assez entendu. Mais rassure-toi, tu n'as rien d'une reine. Tout juste une traînée, avec ton bâtard, même pas fichu de devenir un homme et de gagner sa vie. J'ai toujours su que la gloire ne me viendrait pas de lui. Dire que je dois vous supporter jusqu'à mon dernier souffle !

— Détrompe-toi, le fardeau, c'est pour nous ! lui asséna Arame, avant de souffler pour éteindre la lampe tempête.

La chambre plongée dans le noir, Arame, les yeux embués, s'écarta de son mari autant que possible. D'un geste brusque, elle remonta sa couverture jusqu'au cou. Frôler cet homme la dégoûtait plus que tout. Seul le manque de moyens la contraignait encore à partager son lit. S'évader dans ses pensées ne suffisait pas à la soustraire à cette présence incommodante, car les rêveries sont comme les parapluies, arrive toujours le moment où il faut affronter la couleur du ciel. Cela faisait longtemps que leurs nuits conjugales étaient muettes et les rares fois où elles s'animaient, ce n'était que pour des querelles. Blottie dans son coin, Arame pensait à son fils. Les enfants, sa joie de mère, sa douleur d'épouse. Dans sa vie, tout s'était tissé autour des enfants. Son couple n'avait vu le jour que dans le dessein d'assurer une descendance à son époux. Pourtant, les enfants étaient devenus un sujet de discorde dans leur foyer. Toutes leurs disputes commençaient ou se terminaient par là. Arame aimait le fils qui lui restait de tout son être, d'autant qu'elle était convaincue que son père ne l'avait jamais porté dans son cœur. Cet homme, qui ronflait maintenant à ses côtés, n'avait jamais aimé aucun de ses deux fils, lui qui avait tant désiré être père.

Dans l'obscurité, les yeux d'Arame couraient sur les interstices de la fenêtre où la pleine lune, moqueuse, glissait des brindilles lumineuses. La nuit avait estompé tous les bruits diurnes. Au loin, les vagues jetaient bruyamment leur humeur contre les flancs de l'île. Tout ce qui était audible semblait l'être de manière souterraine, mais en tendant bien l'oreille, on percevait distinctement le hululement du hibou. Cet horrible chant traversait la nuit et glaçait les sangs. Arame frémit : avec les histoires de sorcellerie qui hantent le village, elle avait hâte d'entendre Lamine pousser le portail de l'entrée. Mais où était-il, à cette heure où la nuit, lourde de mystère, enfonçait les corps endormis dans leurs couches et serrait violemment le cœur des insomniaques ? On relate, on discourt, on commente avec tant d'emphase la pénibilité de l'accouchement, qui n'est jamais qu'une douleur éphémère. Mais nul ne songe à prévenir les futures mères de leur carrière de veilleuses de nuit, qui démarre avec les premières tétées nocturnes et dure toute la vie. Enfanter, c'est ajouter une fibre de vigile à notre instinct naturel de survie. Dans la chambre ténébreuse, Arame guettait le léger vacarme qui annoncerait l'arrivée de Lamine. Mais où diable était-il passé ?

VIII

Dehors, ce n'était pas seulement la blancheur du sable qui rendait irréelles les dunes de l'île ; une généreuse lune tendait un drap beige à perte de vue et offrait au promeneur nocturne un étrange paysage. Regarder le village, à cette heure-là, sous une si douce lumière, c'était découvrir une beauté que le silence rendait encore plus émouvante. Une silhouette avançait, seule, nonchalante. Un œil familier pouvait aisément identifier l'allure de Lamine. Arrivé au sommet de la plus haute dune, il fit un tour sur lui-même, examina attentivement tout ce qui l'environnait, quelques puits et des maisons aux volets clos. Il se baissa, passa une main sur le sable tiède et s'assit en tailleur. Se doutait-il de l'inquiétude de sa mère qui, dans la partie basse du village, guettait son retour ? Rien n'était moins sûr, tout dans son attitude indiquait une veillée qui devait se prolonger. De son observatoire, Lamine surplombait le vieux village où se trouvait la demeure familiale. Il fixa une ruelle, se frotta les yeux et scruta encore le même endroit.

Là-bas, dans une venelle qui serpentait, non loin de chez lui, on distinguait plusieurs silhouettes qui s'éloignaient. C'était sa bande d'amis, avec lesquels il avait passé la soirée, qui rentraient chez eux, à l'autre bout du village, après l'avoir raccompagné. Un cortège de garçons et de filles qui se retrouvaient souvent, après le dîner, pour prendre le thé, écouter de la musique ou jouer aux cartes, autant de prétextes destinés à favoriser ces flirts qu'ils cachaient aux parents. Ils constituaient un des groupes de jeunes les plus en vue de l'île. Ils avaient une aura qui les distinguait et faisait d'eux presque des personnalités du coin. Cela tenait sans doute à leur manière d'être dégourdis et plus remuants que la moyenne. Certains se connaissaient depuis la tendre enfance et ne se quittaient plus. D'autres s'étaient agglutinés au groupe, attirés par des yeux de biche, l'invitation d'un copain ou la complicité d'un cousin. En vérité, il était plus facile pour les filles de s'adjoindre au groupe, puisqu'il leur suffisait pour cela d'arriver au bras d'un de ses membres, quand la jalousie des garçons dressait moult barrières aux éventuels rivaux. Si Lamine s'était immiscé parmi eux, c'était grâce à l'introduction d'un ancien camarade de classe, Ansou.

À l'époque, ils partageaient le même table banc, commettaient les mêmes fautes à la dictée et lorgnaient la même fille, Daba, une beauté qui, à l'évidence, déclencherait mille convoitises plus tard. Mais, plus timide, Lamine s'était fait souffler la demoiselle par son copain. La cour de récréation est le théâtre des premières tragédies : l'âme pure, on s'agite, on gesticule, on fait l'intéressant, on partage même son goûter, comme les adultes offrent des fleurs, mais, hélas, le copain qui, lui, ne fait rien de tout cela devient, par un insondable mystère, le point de mire de celle dont on désirait tant être aimé. Tristesse de la récré, soudain le goûter prend le goût d'une première défaite qui colle à la langue. Que dire de l'amertume ravalée ? Renoncement reposant ou prémisse des frustrations à venir ? Dépité, on rumine à part soi : pourquoi ne vient-elle pas jouer avec moi ? Elle va même donner à l'autre la part de goûter que je viens de lui céder ! Quelle ingrate ! Mais que faire, contre les courants du cœur ? Lamine avait fini par se résigner, comme on regarde la marée haute envahir un bras de mer. Il y eut certes de la tristesse, mais pas assez de haine pour justifier une bagarre entre copains. C'était encore l'âge sain, l'âge innocent où la philosophie du moindre mal privilégiait le plaisir de jouer ensemble, qui suffisait à aplanir tous les différends. Aimer une fille et ne pas retenir son attention, à l'âge où l'on n'a pas encore appris à s'embrasser, est une déconvenue dont on se remet naturellement, surtout lorsqu'on a la possibilité de continuer à côtoyer la belle. On se jette quelques regards pleins de reproches, on se boude parfois, puis on se manque et on se retrouve pour jouer à cache-cache. Lorsque Lamine, d'humeur chagrine, restait dans son coin, une petite voix mielleuse venait le soustraire à sa léthargie : « Mais tu peux venir jouer avec nous », lui disait la petite Daba, qui ignorait encore tout de la trahison mais en expérimentait déjà la culpabilité. Et Ansou, qui n'osait jamais contrarier la petite princesse, renchérissait : « Oui, tu peux jouer avec nous, tu es toujours mon ami. » C'est ainsi que Lamine et Ansou étaient restés amis, pauvres lucioles voltigeant autour de la même flamme.

Les années s'étaient écoulées, emportant leur premier duvet, dessinant leurs pectoraux et les paysages affriolants du corps de Daba. S'ils s'accordaient encore quelques promenades collectives, ils ne couraient plus, nus, sous la pluie, depuis que la pudeur de la jeune fille avait fait du soutien-gorge une nécessité. Certes, les garçons gardaient quelques points communs, mais ils ne jouaient plus à cache-cache. Le sérieux les avait surpris, comme cette voix virile que chacun avait du mal à reconnaître chez l'autre. Ils avaient perdu leurs joues d'ados en même temps que cette douce naïveté qui leur permettait, jadis, d'arrondir les angles. Pendant que leurs mâchoires devenaient carrées, leur caractère s'affermissait, transformant leurs rêves de gamins en désirs impérieux. Ils étaient maintenant à l'âge où l'on ne s'amuse plus à aimer, à l'âge où l'on veille tard, parce que torturé par un cœur tyrannique criant famine loin de l'être aimé.

Assis, seul, sur la dune de sable, Lamine repensait à ses amis ; ils avaient disparu au loin, mais il regardait toujours dans la même direction et, soudain, les larmes lui vinrent aux yeux. Il inspira profondément, se passa une main sur le visage, mais cela n'interrompit guère les ruisseaux qui inondaient ses joues. Si les éléphants s'éloignent de leur bande pour mourir, ici, ce sont les hommes qui se cachent pour pleurer.

Dans le groupe qui regagnait le vieux village, il y avait Daba et Ansou, qui ne semblaient exister que pour illustrer le bonheur amoureux. Ce n'était un secret pour personne que ces deux-là sortaient ensemble, depuis des années. Mais pendant tout ce temps, où tous souriaient de les voir jouer les tourtereaux, Lamine, lui, avait toujours secrètement espéré la possibilité de récupérer un jour la belle Daba. « Tant qu'elle n'est pas officiellement mariée, elle reste un cœur à prendre », se disait-il pour se rassurer. Une fois, il crut tenir enfin sa chance. C'était quelques mois auparavant, pendant qu'il trimait encore au port de Dakar. Ansou était resté au village où il travaillait, en tant que piroguier. Comme beaucoup de jeunes filles de la campagne, Daba était partie chercher un emploi dans la capitale. Elle servait comme bonne dans une famille aisée, en plein cœur du Dakar plateau, mais tous les soirs, elle rentrait au domicile familial d'un oncle qui l'hébergeait, dans la banlieue où logeait Lamine. Dès que celui-ci avait eu vent de la venue de Daba, il s'était dépêché de la retrouver, d'autant plus qu'il avait appris, par des tiers rentrés du village, que l'idylle entre Daba et Ansou prenait l'eau. Flatté par l'enthousiasme avec lequel Daba accueillit leur première entrevue, il multiplia les visites. Ils étaient l'un et l'autre ravis de ces fréquents rendez-vous, lors desquels ils ne se lassaient jamais d'évoquer leurs souvenirs communs. Pourtant, si leurs éclats de rire traduisaient une incontestable connivence, une petite incompréhension ne tarda pas à poindre. Ils ne donnaient pas le même sens à leurs rencontres. Un jour, encouragé par la chaleureuse ambiance de leur discussion, Lamine fit une déclaration enflammée à la jeune fille : il l'aimait, l'avait toujours aimée, elle était la seule fille du village qu'il voudrait épouser, dès qu'il en aurait les moyens. Surprise, Daba bafouilla, puis préféra se taire un petit moment. Lamine avait mal interprété son attitude. Certes, elle appréciait sincèrement sa compagnie, mais il y avait plusieurs raisons à cela : d'une part, elle s'adaptait difficilement à la ville, d'autre part, sa relation avec Ansou traversait une mauvaise passe ; la bienveillante présence d'un ami de longue date ne pouvait que la réconforter, mais cela n'avait rien à voir avec de l'amour. Lorsqu'elle eut repris ses esprits, elle choisit des mots propres à ménager les sentiments de Lamine.

— Tu sais, je t'ai toujours trouvé sympa, je t'aime bien, c'est vrai, et j'adore discuter avec toi. Mais tu vois, ma relation avec Ansou traverse une période bizarre, en ce moment, et je ne sais pas encore à quoi m'en tenir.

Lamine n'avait pas eu moins mal, bien au contraire. On se console plus facilement lorsqu'on essuie un franc refus. Dans ce cas au moins, on puise un peu de haine dans un sursaut d'orgueil et, à défaut de force, on trouve un reste de prestance dans la détestation. Mais là, c'était pire que tout : Daba n'avait dit ni oui ni non. Elle se cachait habilement derrière une impossibilité de circonstance. Et même si c'était illusoire, Lamine n'avait pu s'empêcher de déceler dans ses propos un petit air de « pourquoi pas, un jour, peut-être », qui le tenait dans l'impossibilité de tourner la page. Avec cette stratégie de la porte entrebâillée, Daba l'obligeait à maintenir, à son égard, la courtoisie d'un soupirant. Il était resté gentleman, n'avait pas supprimé ses visites, s'était contenté de les espacer un peu. Puis, le temps passa. Au début des vacances d'été, Dakar se vida. À cette période de l'année, les petites bonnes saisonnières, comme tous les campagnards, retournent dans leur village pour se reposer ou participer aux travaux de l'hivernage. Daba était rentrée sans plus donner de nouvelles.

Peu avant l'Aïd-el-kébir, Lamine était revenu sur l'île, retrouvant sa bande et leurs occupations habituelles, comme si de rien n'était. Soir après soir, il incarnait l'ami serviable, mais épiait dans chaque petite dispute du jeune couple l'éventuelle faille par laquelle se faufiler pour atteindre son but. Malheureusement, si l'attente est pénible, la fin de l'espoir est encore plus cruelle. Ce soir-là, Lamine sirotait tranquillement un thé parmi ses amis quand Daba et Ansou, debout main dans la main, requirent un moment d'attention. À l'évidence, leur mauvaise période n'était plus qu'un lointain souvenir. C'est Ansou, fier comme un prince, qui avait cogné une cuillère sur un verre pour réclamer le silence :

— Mesdemoiselles, Messieurs, votre attention s'il vous plaît ! Daba et moi, nous avons quelque chose à vous annoncer ! Les devins parmi vous s'en doutent certainement, mais, quand même, nous tenions à vous en faire part, en bonne et due forme. Et puis, ce n'est pas tous les jours qu'on a l'occasion d'annoncer une si merveilleuse nouvelle...

— Allez, l'amoureux, crache le morceau ! le taquinèrent ses amis, tous suspendus à ses lèvres.

— Je ne bouderai pas mon plaisir ! Nous allons nous fiancer ! dit-il en collant une bise dans le cou de Daba. Et... Et, tenez...

Des cris de joie et un tonnerre d'applaudissements ponctuèrent la déclaration. Beaucoup rêvaient de leur emboîter le pas. Et l'on s'extasiait, d'autant plus qu'on anticipait sa propre joie.

— Et, tenez-vous bien, poursuivit Ansou profitant d'une seconde d'accalmie, avec la bénédiction des parents ! Et ça, vous le savez bien, c'est le plus difficile à obtenir par chez nous, mais nous n'avons même pas eu à supplier pour. Ce qui veut dire que nous avons, ma future et moi, le vent en poupe, comme disent les marins !

À ces paroles, le groupe l'ovationna derechef et se rua sur eux, les félicita, les congratula avec effusion. Même Lamine, qui avait mollement applaudi, y alla de ses bons vœux pour sauver les apparences. Le ciel venait de lui tomber sur la tête. Lorsqu'il avait quitté sa mère et Bougna pour rejoindre ses amis, il cherchait un peu de réconfort et n'imaginait pas rentrer avec un si gros chagrin. Cette soirée de pleine lune venait de dissiper ses dernières illusions. En se référant aux us et coutumes de l'île, il était certain que les fiancés n'attendraient pas longtemps pour convoler en noces. Après cette annonce désespérante, il n'avait plus le cœur de rester, mais prendre immédiatement congé aurait exposé ses états d'âme à tous. Exilé dans son esprit, prisonnier du bonheur des autres, il musela sa peine et subit son supplice le reste de la soirée. Parmi ses amis, Lamine avait fait diversion, ri de plaisanteries qui ne l'amusaient pas et taquiné des filles qui ne l'intéressaient nullement.

Au moment où il jugea convenable de manifester enfin son envie de s'en aller, tous s'étaient levés pour le raccompagner ; faire un bout de chemin avec lui, c'était leur manière à eux de lui prouver leur attachement. Habitué à ce rituel, il avait accepté l'égard, mais à deux pas de chez lui il les avait gentiment congédiés. Il souhaitait se retrouver seul, pour démêler l'embrouillamini de sentiments qui lui nouait la gorge. Absorbé par ses pensées, il avait dépassé la maison familiale et s'était dirigé, tel un automate, vers les hauteurs du village. Ce tête-à-tête avec lui-même, il aurait pu le tenir dans sa chambre, mais seules les dunes lui semblaient assez larges pour accueillir sa détresse. À moins que son inconscient n'eût décidé, à son insu, du lieu de son recueillement : les dunes se situaient très exactement en face de l'école primaire où le sourire de la petite Daba avait fait bondir son cœur pour la première fois. Là-bas, derrière une haie de cocotiers, il devinait cette cour de récréation où il avait partagé son goûter avec la petiote, comme on offre une part de sa vie, à jamais. Depuis, il se sentait incomplet sans elle. « Comment vivent les mutilés ? » s'interrogea-t-il.

Cisaillant quelques rares nuages, la lune filait, indifférente, baignant le village désert d'une lumière que Lamine n'avait, jusqu'alors, jamais remarquée. Le sable était maintenant bien froid. Soir insulaire, soir coupé du monde, morne, comme un temps volé à la vie, jamais solitude ne serait plus cruelle. Le village endormi était aussi muet qu'une épave gisant au fond de l'océan. En dehors des vagues, qui battaient les flancs de l'île de leur colère permanente, Lamine n'entendait que le hululement lugubre du hibou. Les superstitions ancestrales décèlent dans le chant de cet oiseau une puissance maléfique : les mangeurs d'âmes, dit-on, aspirent le souffle de leurs proies dans un tel hululement, mais Lamine n'y percevait qu'une manifestation solidaire de la nature. D'ailleurs, rien n'aurait pu l'effrayer : cette nuit-là, son immense peine avait fait litière de ses appréhensions. Il s'étira, poussa un long grognement, comme un *non* enroué, qui semblait avoir besoin de tout l'air de ses poumons pour sortir. Puis, il s'allongea. Les mains croisées sous la nuque, les yeux accrochés à la lune, il inspira profondément. L'air des soirs côtiers fait tant de bien ; cette rengaine, il l'avait tellement entendue, c'était le soir idéal pour en vérifier la justesse. Maintenant que son souffle avait retrouvé sa régularité, il tentait de se détendre avant de rentrer chez lui. Il voulait s'abandonner à la fraîche bise nocturne, se délasser, attendre d'avoir bien froid pour aller savourer le plaisir de s'enrouler dans ses draps. Ainsi pelotonné, il se laisserait dériver vers un espace où plus rien ne pourrait l'atteindre.

Ce fut un bruit sourd de récipients qu'on plongeait dans l'eau qui réveilla Lamine. Les cheveux hirsutes, pleins de sable, il avait sursauté et, dans sa panique, il chercha d'où venait le son. Mais ses yeux lui piquaient ; il s'essuya le visage, jeta un regard circulaire autour de lui et comprit aussitôt : des femmes, plus que matinales, bourdonnaient déjà autour du point d'eau et ne s'embarrassaient d'aucune précaution pour agiter le fond du puits de leurs petits seaux en plastique attachés au bout d'une cordelette. À l'est, un liseré rouge signalait un soleil pressé d'enflammer le voile bleu de l'aube. Lamine se leva, secoua sommairement ses habits et se dirigea, d'un pas décidé, vers le vieux village. Il se doutait bien que les femmes étaient passées devant lui, alors qu'il dormait, mais il ne tenait pas du tout à ce

qu'elles le reconnaissent, encore moins qu'elles l'inter-
rogent. Sa nuit sur les dunes, il ne souhaitait en discuter avec personne.

Lorsqu'il poussa le portail de chez lui, sa mère était
en train de balayer la cour, tâche dont elle aimait
s'acquitter avant le réveil de ses petits-enfants. Elle se
redressa, écarquilla les yeux, comme si le Diable lui
était apparu et, adoptant son ton le plus ferme, elle le
prit à partie.

— Lamine ! Dieu m'empêche de savoir où tu as
passé la nuit ! Lamine, je sais que tu es en âge de vouloir certaines choses, mais veille à ce que tout se passe
correctement. Si tu fréquentes une fille, nous devons
entreprendre les bonnes démarches, avant... avant que
le Diable ne s'en mêle.

— Mais, maman...

— Quoi, maman ? On ne gagne rien à se forger une
mauvaise réputation dans ce village !

— Mais non, maman, calme-toi, ce n'est pas ce que
tu crois...

— Et qu'est-ce que je dois croire ? Tu découches et
tu voudrais que je sois calme, hein ? Tu sais ce qu'il en
coûte, dans ce village, d'engrosser la fille d'autrui avant
de l'avoir épousée, hein ? Le prix de la honte ! Une
double dot ! Des commérages perpétuels et le mépris
de gens qui ne valent guère mieux que toi ! Pitié, pas
ça ! Tu n'as souhaité épouser aucune des veuves de ton
frère. « Je suis encore jeune », disais-tu, et je t'ai sou-
tenu contre tous, mais, si tu ne peux pas rester tranquille, trouve-toi une compagne avant de commettre
une bêtise.

Lamine savait qu'aucune explication n'aurait rassuré sa mère, qui, comme toutes les autres, vivait dans la hantise de voir son fils accusé d'une grossesse avant mariage. Il se fit tout petit pour passer devant elle, gravit les marches cassées du perron et s'engouffra dans sa petite chambre. Certes, la diplomatie a besoin de conciliabules pour aboutir, mais parfois, on peut signer la paix de manière unilatérale. Il suffit pour cela de prendre sur soi. Selon la tradition de l'île, les garçons sont priés de se montrer invincibles en toutes circonstances, sauf devant leur mère. De son côté, Arame savait que c'est l'ennemi qui fait la guerre. Or d'ennemi, en définitive, elle n'en avait pas. Elle avait fini par se taire, car, même si elle s'était quelque peu emportée, en mère poule, elle le regrettait déjà. Elle se doutait que son fils s'était couché et ne désirait nullement le perturber davantage. Il y a des matins qui s'accommodent mieux d'une couette que d'un grand soleil.

IX

— Arame ! Arame ! Ma chère, Arame ! Il y aura toujours assez d'eau pour porter les barques que l'on croit perdues au fond d'une crique !

Arame, qui récurait la vaisselle de son maigre déjeuner, sursauta. C'était Bougna qui venait de pousser le portail avec le débordement d'une digue rompue. La vague qui ne laisse aucune crique tranquille, c'était bien elle.

— Bonjour, Bougna. Mais que se passe-t-il ? interrogea Arame, d'un ton placide, espérant ralentir ainsi le débit de son amie.

Mais rien ne contenait Bougna : quand quelque chose lui tenait à cœur, elle glissait allègrement hors des balises de la bienséance, emportant ses interlocuteurs dans sa fougue. Arame, le geste suspendu, se disait qu'un jour cette femme lui provoquerait une crise cardiaque. Indifférente pourtant à son air de reproches, Bougna lui passa une main autour des épaules et l'entraîna vers une natte, étendue sous le manguier, au milieu de la cour. Désarçonnée, Arame n'opposa aucune résistance ; elle jeta son éponge au fond de la marmite qu'elle avait commencé à laver et se laissa mener comme un pantin. À peine étaient-elles installées, que Bougna lui exposa la raison de son exaltation.

— Écoute-moi bien, ma chère, je rentre du village, de ce pas et… Hey, détends-toi ! Ne me regarde pas avec ces yeux de sage-femme ! Tout va bien ! Je vais tout te dire. J'étais au village et je reviens avec une formidable nouvelle…

Ses plaisanteries et son large sourire décrispèrent son interlocutrice. N'ayant plus à se soucier de tâches ménagères depuis l'arrivée de sa bru, Bougna passait l'essentiel de son temps libre à visiter sa parentèle. Rien des actualités de l'île ne lui échappait, elle comptait des informateurs dans chaque quartier. Plutôt des informatrices, d'ailleurs, car c'est dans le secret des boudoirs que les amies ou cousines se révèlent tout ce dont on ne discute jamais sur la place publique. La formidable nouvelle, c'était une nouvelle combine pour l'émigration clandestine.

Des commerçantes du village avaient trouvé un nouveau filon pour investir leurs modestes gains et engranger des bénéfices colossaux. L'astuce était simple, mais personne, jusqu'alors, n'y avait songé. Il fallait acheter une grande pirogue, de ces énormes pirogues inutilement restées à quai depuis la raréfaction du poisson et dont les propriétaires étaient ravis de se séparer à un prix défiant toute concurrence. Ensuite, on achetait deux moteurs, un d'occasion et l'autre flambant neuf : le premier pour débuter la traversée, le second pour affronter la haute mer. On se procurait des jerricanes d'essence, équipait l'embarcation de tout le matériel de navigation nécessaire, comme le GPS, puis on la chargeait de la quantité de vivres suffisante pour le trajet.

Il arrivait qu'une personne finance, seule, son projet. Mais la plupart du temps, les commerçantes s'associaient pour réunir les quatre à six millions de francs CFA que valait toute cette logistique. Ensuite, elles fixaient un prix par passager – variant de cinq cent mille à un million de francs CFA – et faisaient courir le bruit d'un départ imminent pour l'Espagne. La nouvelle se répandait telle une traînée de poudre, d'autant plus qu'en véritables affairistes de la précarité elles avaient mis en place un système très alléchant, qui leur permettait de s'assurer une rentabilité optimale : le capitaine de la pirogue ne payait pas sa place et tout candidat qui en recrutait un autre se voyait octroyer une importante remise. Ainsi, ceux qui ne disposaient pas de l'intégralité de la somme requise devenaient, de facto, des préposés au recrutement. Quelques-uns arrivaient même à partir sans bourse délier en servant d'hommes de main au capitaine. Il se trouvait des petits malins qui, sans même bouger de l'île, profitaient de l'aubaine, en prêtant main-forte à la guilde qui les rémunérait en conséquence. La pirogue ne partait que lorsqu'il y avait assez de téméraires pour la remplir à ras bord et constituer ainsi un véritable jackpot. Ces dames battaient les passeurs patentés à plate couture, sur leur propre terrain.

Longtemps ces passeurs, une petite poignée de nez creux, avaient été les détenteurs du monopole et s'étaient vu courtiser par tous les jeunes désireux de s'expatrier. Mais depuis que l'Union européenne avait jeté ses nasses Frontex au travers des points de passage et imposé de pseudo-accords à l'État sénégalais, l'obligeant à accepter la restriction du droit de circuler de ses propres citoyens, les passeurs avaient réduit leur activité, par crainte des pandores. Bien sûr, au village, on avait senti le vent tourner, mais beaucoup ignoraient les arcanes de cette nouvelle donne et considéraient les passeurs comme des businessmen repus qui, vautrés dans leur confort, se détournaient maintenant de l'activité qui les avait enrichis. Certains villageois se disaient même prêts à les dénoncer, dès que l'occasion se présenterait. « Ces salauds de profiteurs, entendait-on, devaient payer pour leur soudaine indifférence ! » Bref, pour les émigrants potentiels, le goulot se serrait, l'horizon s'obscurcissait, c'était la stagnation, lorsque les commerçantes ouvrirent les vannes. En peu de temps, ces dames étaient devenues des héroïnes osant braver l'injustice administrative pour assurer l'avenir des enfants de la région. Et le mystère ajoutait à leur gloire, car, même si elles avaient choisi l'anonymat, les suppositions et les rumeurs allaient bon train, tressant des lauriers autour de quelques noms. Leur méthode était récente, mais ces guerrières des temps modernes jouissaient d'une solide réputation, depuis qu'on avait appris que deux de leurs embarcations étaient arrivées à bon port. Lorsqu'une pirogue s'abîmait en mer, on n'accablait personne, l'anonymat révélant alors toute son utilité. De toute façon, après le deuil, la dignité et la sagesse du peuple marin reprenaient le dessus. Le tribut que la mer prélève, depuis la nuit des temps, n'a jamais empêché un fils de marin de mouiller sa barque. Sur l'île, l'espoir n'était pas un rêve béat, il n'avait pas un goût de bénitier et on ne l'acquérait pas sur les marches d'une mosquée. Sur l'île, on savait bien que les vagues se retirent toujours avec des miettes de rêves et on se servait de la volonté, comme d'un piquet, pour fixer l'envie de vivre. Et même si la vie n'était que sables mouvants, les kamikazes qui affrontaient la pauvreté s'y accrochaient fermement. « Barcelone ou Barsakh ! » Barcelone ou la mort, clamaient-ils ; les contredire, c'était s'exposer à la vindicte publique. Pourquoi plaider, quand le verdict est connu d'avance ? Seuls les avocats s'époumonent pour des causes perdues, mais on les paie pour. « Barcelone ou Barsakh ! » Là où retentissait cette devise, mieux valait garder son opinion au fond de son sac, quand on n'était pas du même avis. Le vent peut dévaster la côte, aucun pêcheur ne vous pardonnera de lui prédire un naufrage. Et puis, quand les pélicans s'agglutinent au sommet d'une dune, on se dit que la pêche peut être bonne. Recueillis par la Croix-Rouge, sur une plage espagnole, des jeunes avaient téléphoné, rassuré leurs parents et suscité un véritable phénomène d'émulation parmi leurs copains restés sur l'île.

Bougna avait tout raconté d'une traite, insistant particulièrement sur les points qu'elle croyait de nature à convaincre Arame. Comme celle-ci l'écoutait sans broncher, elle s'arrêta et précisa sa pensée.

— Une pirogue doit partir bientôt, m'a-t-on dit, nos fils doivent en être.

— Quand exactement ? s'informa Arame.

— Je l'ignore, mais c'est imminent ; la date n'est jamais donnée de manière claire. Mais nos garçons ne doivent pas rater le prochain départ. Si nous nous débrouillons bien, leur voyage ne nous coûtera rien : mon fils est un marin confirmé, il sera le capitaine ; le tien n'a qu'à faire venir du monde et le tour est joué.

Seulement, nous devons faire vite, il faut qu'ils s'inscrivent parmi les premiers, pour mettre les atouts de leur côté.

— Mais qui sont les organisateurs ? Auprès de qui faut-il s'inscrire ?

— Chut ! Ça non plus, on ne le dit pas. Imagine, si la police débarquait… Il y a déjà une liste qui circule dans le village, celui qui veut partir doit simplement contacter le jeune homme qui la tient à jour. Même lui n'accepterait jamais de donner le nom des organisateurs. Fais-moi confiance ; lui, c'est le fils d'une cousine et j'ai déjà parlé à sa mère, les deux places pour nos petits, il nous les aura. C'est pour réduire le coût que tout le monde se dépêche, les derniers à se manifester n'obtiendront pas tous les avantages que je viens de t'expliquer.

— Mais, Bougna, avoue qu'il est tout de même étrange de ne pas savoir à qui on a à faire. Ce voyage, nos fils vont si loin, c'est difficile de se dire que…

— Qu'ils vont partir gagner leur vie ? Mais enfin, Arame, à quoi penses-tu ? Ce ne sont pas les organisateurs qui comptent, mais l'avenir de nos enfants ! Certains de leurs camarades sont déjà en Espagne. Beaucoup de jeunes, qui ne s'étaient pas laissé convaincre au départ des premières pirogues, s'en mordent maintenant les doigts et se bousculent pour s'inscrire sur les nouvelles listes. Fais comme tu veux, mais moi, mon fils est d'accord, il s'est même déjà proposé comme capitaine.

Bougna était retournée chez elle sans laisser à Arame le temps de tergiverser. Restée seule, dans sa cour déserte, Arame cherchait la lumière dans le feuillage de son manguier. Le soleil lui fit cligner des yeux ; elle posa son menton au creux de sa main, pensive. C'était toujours ainsi, Bougna débarquait comme une déferlante, se retirait comme une marée basse, la laissant seule dans le pétrin. Elle arrivait, après avoir tout décidé de son côté, et la mettait, elle, dans l'urgence de se décider. Arame scruta encore le feuillage ; un minuscule oiseau rafistolait son nid, en battant énergiquement des ailes.

— Même les oiseaux protègent leurs petits. Pourquoi pas moi ? chuchota-t-elle. Mais ai-je les moyens de garder mon petit dans son nid ?

Devant la cuisine, des canards buvaient dans la marmite laissée par terre. Soudain, ils caquetèrent bruyamment et s'éparpillèrent, affolés pas un chat efflanqué, attiré, lui aussi, par les maigres restes de poisson. Arame bondit de sa natte et s'en alla terminer sa vaisselle. Elle revenait sous le manguier, lorsque la voix nasillarde de Koromâk lui parvint.

— À boire ! Je meurs de soif ! Depuis le déjeuner, j'attends cette maudite eau ! Je parie que tu as fait exprès de ne pas me l'apporter. Méchante femme !

— *Wallahi*, j'avais oublié, Dieu m'est témoin, dit Arame, en s'approchant de lui avec un vieux pot en aluminium, cabossé mais bien récuré.

— Mécréante ! Ne mêle pas le bon Dieu à ta bêtise !

Arame lui jeta un regard courroucé. Elle sortait de la chambre, quand Koromâk rugit dans son dos, l'obligeant à faire volte-face.

— Tu crois que je n'ai pas tout entendu ?

— Mais qu'est-ce que tu as entendu ?

– Pfff ! Avec ta confidente qui résonne comme un tambour de guerre, tu te demandes ce que j'ai entendu ? J'ai tout entendu ! Si tu laisses ton vaurien dans cette maison, dis-moi : qu'allez-vous bouffer ?

— Et toi donc ? Eh bien, on mangera ce qu'on mange actuellement.

— Ah ! Parce que tu appelles ça manger, cette misérable poignée de riz que tu nous étales au fond du bol à chaque repas ? Si ton fils ne va pas travailler comme ses pairs, de quoi allons-nous vivre ? De mendicité ! Hein ? Il est temps qu'il soit un homme ! Va l'inscrire pour cette prochaine pirogue !

— *Notre* fils ! se révolta Arame.

— Oui, oui, c'est ça ! À d'autres ! Laisse-moi mon idée sur la question. Mais enfin, puisqu'il est là, qu'il soit utile au moins. Va l'inscrire ! Tu m'entends ?

Arame sortit, les yeux pleins de larmes. Il faisait chaud, très chaud. L'harmattan séchait les lèvres, brûlait les tempes, introduisait des flammèches agaçantes dans les narines et l'esprit bouillonnait. Laissée à son œuvre, la nature torturait suffisamment et Arame souffrait trop pour supporter encore la hargne de cet homme, qui avait fait de sa bouche un déversoir d'énormités pestilentielles. En bas du perron, elle s'aspergea le visage du peu d'eau restée dans le pot d'aluminium.

— Tu vas l'inscrire, oui ou non ?

Arame n'avait pas répondu, elle était partie se rasseoir sur sa natte. Lorsque son tyran serait fatigué de gueuler, il se calmerait, comme d'habitude. De toute façon, il s'arrêtait de beugler dès qu'il n'avait plus personne dans sa ligne de mire, comme si la force de ses agressions lui venait de cette douleur qu'il lisait sur le visage de ses victimes. Finalement, la pire punition qu'on pouvait lui infliger, c'était de se soustraire à sa présence. Arame savait bien que ses muscles, raidis par l'arthrose, le menottaient dans ce corps malade devenu sa geôle.

— Oh, je te parle ! Tu vas l'inscrire, oui ou merde ?

— Quoi ? Viens ici ! Viens me dire ce que tu as de si important à dire ! persifla Arame, dans un regain de vengeance.

— Méchante femme ! Mal élevée ! Continue à me parler de cette manière ; si je t'attrape, tu sauras que je suis toujours ton mari !

— Eh bien, qu'attends-tu ? Viens donc m'attraper. Mon mari, mon mari ! Pouah ! Te souviens-tu encore de ce que cela veut dire ?

Arame tournait le dos à l'entrée du bâtiment et ne s'était pas aperçue que Koromâk, poussé par la rage, avait trottiné pour sortir, s'aidant de sa canne qu'il brandissait maintenant vers elle en hurlant.

— Méchante femme ! Effrontée ! Le Diable t'emporte !

Arame jugea plus sage de s'éloigner ; le bousculer constituait un risque qu'elle préféra s'épargner. Ce zouave déguenillé pouvait tomber, se fracasser un membre, piquer une crise cardiaque ou avaler sa pourriture de langue ; il pouvait même pousser l'indécence jusqu'à mourir sur le coup, de sorte qu'on l'accuserait de l'avoir tué. Effrayée par ses propres pensées, elle bondit de sa natte, chaussa ses sandales, saisit un seau en plastique qui traînait dans la cour et se dirigea vers le portail en déclarant :

— Je m'en vais au bord de mer chercher du poisson pour le dîner, les pêcheurs doivent être de retour.

— Menteuse ! Tu me fuis ! Je t'interdis de sortir ! Ce n'est pas pour le poisson que tu y cours, mais pour les pêcheurs ! Salope ! Et puis, je m'en fous ! Vas-y ! Va faire ta catin, j'ai l'habitude !

— N'importe quoi ! s'exaspéra Arame. Tu ne sais même plus quoi faire d'une croupe nue et tu te permets d'être jaloux !

— Ma-mââân ! Arrête, s'il te plaît, implora une voix derrière elle.

— Quoi, arrête ?

— S'il te plaît, Mman. Allez, on y va, je t'accompagne.

Réveillé par la dispute, Lamine avait traversé le perron en deux enjambées, tout en enfilant sa chemise. Il rejoignit sa mère, sans un regard pour son père. Arame se ressaisit et, d'une voix qu'elle voulait douce, elle s'adressa à lui :

— Mais tu n'as même pas déjeuné, mon chéri, ton repas est encore chaud. Va manger d'abord.

— Non, merci, Mman, je n'ai pas faim. Allez, viens, on y va.

Koromâk, excédé par cette complicité qui l'écartait ouvertement, jeta ses phrases assassines à leurs trousses.

— Foutez-le camp ! Hors de ma vue ! Le caneton barbote dans la même fange que sa mère ! Saletés ! Allez, ouste !

Les enfants étaient encore à l'école ou s'attardaient entre les ruelles du village, absorbés par le plaisir de jouer avec leurs camarades. Le vieil homme, accroché à sa canne, claudiquait, errait seul dans la cour, captif du vide. Un vide qu'il ne manquait jamais de créer autour de lui et qui, pourtant, le tourmentait atrocement. Seul, il mesurait le caractère extrême de ses

esclandres, mais, claquemuré dans ses multiples ran-
cœurs, l'effort de présenter des excuses représentait, à
ses yeux, le stade ultime de la défaite. Puisqu'il avait
tout perdu, il tenait au moins à garder la face, et tant
pis s'il devait encore souffrir pour cela. Que la douleur
du bourreau puisse ressembler à celle du martyr est une
idée qu'on a peine à admettre mais, en l'occurrence,
c'était bien le cas. Les scènes de ménage sont des
guerres sans vainqueur, elles laissent toujours derrière
elles des cœurs également meurtris et pareillement
assoiffés d'amour.

X

Dehors, les cocotiers, exempts des tourments humains, dodelinaient de la tête et se rêvaient centenaires. Beaucoup de maisons étaient grandes ouvertes et même quand on n'avait pas l'âme espionne, on pouvait, en passant, voir les habitants vaquer à leurs occupations. Un léger vent soufflait, soulevait le linge multicolore tardivement étendu par une femme aux ongles déchiquetés qui, théorie de décroissance ou pas, aurait voulu elle aussi une machine à laver. Des coups de pilon retentirent, trahissant la hargne d'une ménagère qui n'avait pas eu de quoi payer le meunier pour moudre sa calebasse de mil. Des enfants poussiéreux rentraient des pâturages, en braillant plus fort que leurs moutons. Un jeune charretier, en haillons, passait avec sa cargaison de bois et frappait son âne, aussi épuisé que lui. Les hommes qui jouaient aux cartes devant la boutique d'Abdou lui crièrent de cesser. Ils expérimentaient ainsi leur droit d'aînesse, mais ce n'était peut-être que pour le plaisir du verbe, car ils savaient tous qu'il recommencerait quelques mètres plus loin. Le droit d'aînesse donne parfois droit à l'inutile, mais peu de gens renoncent à leur privilège, même lorsqu'il est insignifiant. Arame et son fils ralentirent légèrement l'allure pour saluer les joueurs de cartes et mirent aussitôt leurs pas entre les marques de pneus laissées par la charrette. Quelques mètres plus loin, ils croisèrent un groupe de femmes aux tenues criardes, qui semblaient revenir d'une cérémonie ou d'une visite importante. Arame n'étant pas d'humeur à écouter des potins, la courtoisie fut vite expédiée. L'après-midi tirait à sa fin, l'île flottait dans les mêmes eaux, immuable tableau où la vie nuançait à peine ses couleurs. Pourtant, il est de ces journées qu'on voudrait vider de leur teneur, tels des empyèmes. La tristesse ne fait que s'approfondir lorsqu'elle perdure. Ce soleil, qui filait lentement se saborder dans l'Atlantique, Arame aurait voulu le précipiter comme on renverse un bol de lait avarié.

En déambulant ainsi à côté de son fils, Arame se demandait comment qualifier sa journée : fatigante, sans trop de labeur ; chaotique, sans événement notable ; triste, sans drame extraordinaire. Bref, tout était routinier, mais lesté d'un poids qui l'écrasait plus que d'habitude. Aucune boule de cristal ne lui était nécessaire pour comprendre que quelque chose devait radicalement changer dans sa vie, et ce le plus rapidement possible. Des piranhas longtemps couchés en elle redressaient la tête et la rongeaient de l'intérieur. Les malheurs ne s'amputent pas, même dans le formol de la mémoire, ils se réveillent tôt ou tard pour vous confronter à la limite de votre endurance. On imagine que le temps apaise les peines, puisqu'il cautérise les plaies, comme si le bien-être n'était qu'une affaire de peau lisse. Les démangeaisons d'Arame, c'était au fond du ventre qu'elle les ressentait. Maintenant, elle en était convaincue, il fallait vraiment que quelque chose changeât. Mais quoi ? elle n'en savait trop rien. Mais si quelque chose pouvait faire taire l'hydre qui grondait en elle, elle devait le trouver. Il lui fallait vite accéder à la solution miracle qui lui insufflerait la force de supporter encore cet homme, qu'elle se retenait d'étouffer chaque fois qu'il ronflait à ses côtés. Seigneur ! Combien de fois, dans une vie, doit-on se débattre au prix de sa propre vie pour échapper à l'instant meurtrier ? Arame avait l'impression de ne faire que cela, depuis son mariage.

Mère et fils marchaient, silencieux, comme si chacun se retenait de perturber le recueillement de l'autre. Pourtant, cette absence de communication ne les aliénait pas l'un à l'autre, bien au contraire ; c'était leur façon de fusionner leurs états d'âme. Leur manière, furtive, de se frôler de temps en temps, ainsi que leurs regards, pleins de douceur, en disaient plus qu'un discours. Cette sinistre journée ne faisait que prolonger une longue piste épineuse qu'ils empruntaient, ensemble, depuis des années. Il n'aurait servi à rien de revenir sur la difficulté du parcours, c'est la suite qui méritait une concertation, afin d'élaborer, sans tarder, la stratégie salvatrice. Mais le cœur d'Arame était encore trop lourd pour se lancer dans une quelconque projection d'avenir. Ils longeaient le bord de mer, quand Lamine initia une conversation censée la consoler. Au retour des pêcheurs, le débarcadère grouillerait de monde, il y aurait à coup sûr des connaissances qui viendraient leur parler et Lamine ne voulait pas qu'ils remarquent les plis soucieux qui barraient le visage de sa mère. Il esquissa un sourire, ravala sa propre tristesse et essaya de dissiper celle de sa mère, comme on écarte un rideau opaque pour laisser passer la lumière du jour.

— Ne t'en fais pas, maman, ne te laisse pas abattre par ce que dit papa.

— Non mais, tu as entendu toutes les horreurs qu'il est capable de débiter ?

— Oui, maman, c'est sans doute à cause de sa maladie.

— Non, ce n'est pas que la maladie, cet homme n'est que haine.

— Mais non, maman, représente-toi sa souffrance, évite de rentrer dans son jeu.

— Mais pourquoi le défends-tu ? S'est-il jamais montré gentil envers toi ?

— Euh…

— Eh bien, non ! Il t'a toujours détesté, tout comme ton frère d'ailleurs.

— Ma-mâân ! S'il te plaît… Il est vrai que papa n'a pas le caractère facile, mais aucun père ne peut vraiment détester ses enfants.

– Si, lui ! Au moins, ton frère n'est plus là pour subir son mépris.

— Je t'en prie, ma-mâân, ne dis pas ça.

— Si ! Et je vais même te dire plus que ça : il vous a toujours détestés parce qu'il n'est pas votre père et ça, il ne l'a jamais digéré. Quand je pense que je lui ai évité d'être la risée du village ! Pffff !

Lamine tituba, les yeux écarquillés, la bouche grande ouverte. Il regardait sa mère, sans plus sortir le moindre son. Lui, qui tentait désespérément d'alléger l'atmosphère, chancelait maintenant, assommé par cette terrible révélation. Arame n'avait pas prémédité son aveu.

Elle avait parlé comme explose un ballon soumis à trop forte pression. Elle jeta un œil inquiet autour d'elle. Quelqu'un les avait-il entendus ?

— Viens, je vais t'expliquer, de toute façon, il fallait bien que tu l'apprennes un jour, dit-elle, en prenant Lamine par la main pour l'écarter un peu du débarcadère.

Mais le garçon, encore sous le choc, ne bougea pas d'un iota ; seul son regard courait d'un point à l'autre de l'horizon. Arame lâcha sa main et resta silencieuse près de lui. On la salua plusieurs fois, mais elle réagit à peine, son esprit voguait à plusieurs miles de la côte, à la recherche des mots doux qu'il lui faudrait pour tout expliquer à son fils, plus tard.

Le crépuscule résonnait du bruit des caisses qu'on jetait sur le wharf. Les enfants piaillaient, se trempaient, s'éclaboussaient, s'écharpaient pour une daurade ou un crabe, sourds aux appels des mères qui, elles, jouaient des coudes afin de ne pas manquer les poissons de premier choix. Une pirogue venait d'accoster, le capitaine hurlait ses ordres, les matelots s'activaient ; il fallait profiter des derniers rayons de soleil pour écouler la prise, qui semblait conséquente mais non pas suffisante pour satisfaire toutes les attentes. Le capitaine, qui faisait la fierté des dames lorsqu'elles servaient le thiéboudjène, il y en avait, mais pas assez pour tout le monde. Le quai bourdonnait d'acheteurs et de quémandeurs. Toute cette foule repartirait avec du poisson, acheté ou offert, et le capitaine de la pirogue, qui n'était autre qu'Issa, le fils de Bougna, devait faire preuve de discernement. Au village, on n'oublie jamais les relations à entretenir, et même

lorsqu'on n'a pas un sou en poche, on cède gracieuse-
ment une part de sa pêche à qui de droit.

— Lamine ! Lamine ! Eh, Lamine ! Passe-moi le
seau de ta mère, j'ai quelques daurades pour vous.

Cette voix familière et enjouée ramena Lamine à la
réalité. Il prit le récipient et s'exécuta. Il retroussa son
pantalon, pataugea jusqu'au bord de la pirogue, plus
porté par l'habitude que par une vraie conscience de
ses gestes. D'ailleurs, il oublia de remercier Issa qui,
pourtant, avait rempli le seau de très belles daurades et
lui avait chuchoté quelque chose à quoi il avait
acquiescé avant de s'éloigner. Lorsqu'il revint près de
sa mère, il se contenta d'incliner le seau pour lui en
montrer le contenu et prit la direction de leur domicile.
Arame hâta le pas pour le rattraper. Cette fois, ils mar-
chèrent côte à côte, sans se regarder.

À la maison, les enfants se tenaient tranquilles au
milieu de la cour. Les plus grands installés sur leur
banc, les petits agglutinés sur la natte, tous, figés dans
leur posture, guettaient un mouvement du portail. Un
visiteur impromptu n'aurait pas mis une minute à
comprendre la raison de ce calme plat, tant elle sautait
aux yeux. Assis sur les marches du perron, Koromâk
dardait son regard noir comme on tire à l'arc, et dès
que les enfants le croisaient, ils se vissaient un peu plus
sur leur siège. Même les plus joueurs d'entre eux,
lorsqu'ils voulaient répondre au geste taquin d'un
voisin, se ravisaient dès que le vieux se raclait la gorge.
Or, pour désencombrer ses poumons qui crachaient
leur lassitude, il ne cessait de ponctuer le silence de ses
désagréables grognements. Arrrrgh, pteuh ! Et sa saleté
se répandait jusqu'où son souffle le permettait. Les

gamins se regardaient, dégoûtés, et affectaient une discrétion polie. Lorsqu'ils traversaient le village, des âmes charitables ne manquaient jamais de leur demander : « Et votre grand-père, comment va-t-il ? » À quoi ils répondaient, invariablement : « Il va bien. » Mais en réalité, ils n'en savaient rien, puisqu'ils l'avaient toujours connu affublé de ce masque mortuaire qu'il arborait en toutes circonstances. Ils ne savaient pas quand il était souffrant ou simplement de mauvaise humeur. La douceur semblait exclue de son existence. Il distribuait, en permanence, ces coups d'œil qui signifiaient « éloignez-vous de moi » et n'hésitait pas longtemps à se saisir de son martinet – des cordelettes d'écorce de baobab attachées au bout d'un manche en bois – pour infliger une inoubliable correction aux récalcitrants qui tardaient à quitter son périmètre de mobilité. À bien y réfléchir, son arthrose, qui limitait ses déplacements, était la meilleure alliée des enfants, parce qu'elle leur permettait la plupart du temps d'échapper à ses foudres. Au village, les malades, notamment les personnes âgées, donnent des offrandes aux petits ; les prières de ces anges, dit-on, favoriseraient la guérison. Koromâk, lui, faisait exception à la règle. Et c'était bien ainsi, car aucun de ses petits-enfants ne souhaitait le voir se rétablir. D'ailleurs, ils n'étaient franchement heureux et libres de jouer que les jours où il était alité, perclus de douleur. Ces jours-là seulement ils pouvaient s'amuser, s'éparpiller, sauter et emplir la maison de leurs cris d'allégresse, sans modération aucune. Ils ignoraient encore le gouffre couvert par le mot *mort*, puisque certains d'entre eux demandaient souvent à

Arame si leur père allait revenir les voir. Lorsque celle-ci leur répondait : « Votre père est parti, très loin, dans un pays tellement magnifique que les gens n'en reviennent jamais » ; ils se mettaient à rêver d'un tel voyage pour leur grand-père. Sans malice, simplement charmés par l'idée d'un éloignement définitif, ils exprimaient ouvertement leur vœu, qui scandalisait Arame.

— Ahan ! Ne répétez plus jamais ça ! ordonnait-elle, sans trop hausser le ton.

— Et pourquoi ? s'étonnait l'un des plus grands. Si ce pays est magnifique ? Au moins nous, nous serions tranquilles ici, avec toi.

Arame réprimait un rire triste. Les enfants n'insistaient pas, car même si leur grand-mère était incapable de sévérité à leur égard, ils l'aimaient et la respectaient assez pour ne pas franchir les limites, les rares fois où il lui arrivait d'en fixer. L'obéissance, Arame ne l'exigeait pas, elle l'obtenait naturellement, en récompense de la tendresse dans laquelle elle les tenait. Avec elle, ils se décontractaient et se croyaient à l'abri de tout. Leur grand-mère, c'était leur oasis au milieu du désert, la sentinelle qui s'offrait en bouclier pour les préserver de toutes les adversités. Lorsqu'elle était de sortie, ils l'attendaient en apnée, car seul son retour faisait fondre le moule de cire que le vieux coulait autour d'eux.

La nuit était déjà tombée lorsque Arame et Lamine franchirent le seuil de la maison. Les enfants, propulsés par le soulagement, se ruèrent vers eux, dans une joyeuse clameur. Après les petites tapes et les caresses sur la tête, Arame leur distribua des sachets de cacahuètes. Lorsqu'elle le pouvait, elle leur rapportait toujours des friandises. Et ce jour-là, comme on lui avait offert le poisson, elle s'était servie des quelques pièces qu'elle tenait en réserve dans un pan de son pagne pour leur acheter ces graines qu'ils appréciaient tant. Ça les aiderait à patienter un peu pour le dîner, pensa-t-elle en gagnant sa cuisine. Lamine, lui, déposa le seau de poisson à terre et tourna les talons. Sous la pénombre du bâtiment, englouti par la nuit, Koromâk, toujours assis sur les marches du perron, n'était plus qu'une forme incertaine. Lamine allait ressortir quand un grognement lui parvint.

— Bonsoir ! Tous les deux, à passer devant moi, tels des fantômes, ça vous coûterait votre langue de saluer ? Il n'y a pas que des chiens ici !

— Ah bon ! rétorqua Lamine, avant de claquer le portail.

Le vieil homme ne releva pas l'impertinence, Arame non plus. À l'évidence, quelque chose venait de changer. Il est des jours qui arrachent les masques, embrasent les mots et brûlent les pupilles de leur cruelle lumière. Après l'éblouissement, on examine, on scrute, on s'émeut des contours d'un monde qu'on croit découvrir, alors qu'on l'a toujours porté au fond de soi. En définitive, rien n'avait changé, ni le relief de l'île ni l'histoire de Lamine ; simplement, l'angle de vue modifiait la ligne de fuite. C'est sa nouvelle perspective qui avait fait de Lamine un autre homme. Et, désormais, pour lui comme pour tout son entourage, rien ne serait plus jamais comme avant.

XI

Dîner express ! Seule la délectation prend du temps. Dîner express ! Pourquoi durer à table, quand il s'agit seulement d'avaler de quoi tenir debout ? Dîner express ! Ce n'est pas la gastronomie qui retient à table, mais la joie de vivre. Parfois, névralgique, on abrège le repas, on se glisse sous la couette, comme on appose un pansement sur une plaie. Les humeurs noires ont une prédilection certaine pour les ombres. Se coucher tôt : parfois, une manière de tirer un trait sur une journée pourrie.

Chez Arame, on avait plié la soirée comme une natte usée. Les veillées appartiennent à ceux qui ont des choses à se dire. Or elle et Koromâk n'avaient en tête que des sujets qu'il valait mieux taire. Cela faisait longtemps que la conversation ne faisait plus partie de leur mode de vie.

Cuisine de peu d'ingrédients, plat rapide, pas le temps de jouer l'artiste en cherchant la meilleure présentation. Quand il s'agit de simplement tenir la carcasse d'aplomb, les repas nécessitent peu de préambules. C'est cuit, c'est servi, c'est tout. De toute façon, personne n'y verrait rien : avec la lampe tempête qui rougeoyait de pudeur, on distinguerait à peine la forme du bol, le toucher et l'odorat suffiraient à susciter l'appétit. Pour le goût, Arame avait écrasé des oignons et quelques épices, en signe de respect pour ces belles daurades qu'elle n'aurait jamais pu s'offrir. On se demande d'où vient le talent des femmes du village à faire un festin de si peu de chose. Après un moment d'isolement dans sa cuisine, Arame était sortie déposer une gamelle devant son mari, sans oublier, cette fois, le pot d'eau. Puis elle appela les enfants qui s'attroupèrent aussitôt. Ils avaient faim, elle pas du tout, mais elle s'installa parmi eux, se forçant à avaler quelques bouchées pour les encourager à dîner paisiblement. Elle n'avait jamais entendu parler de psychologie et aucun gourou ne lui tenait la main, mais elle savait à quel point sa tristesse pouvait déteindre sur les petits et s'appliquait à leur donner une illusion de normalité.

— Tonton ne mangera pas ? lui demanda l'un des petits.

— Tu vois bien qu'il n'est pas là, dit-elle d'une voix blanche.

— Mais il n'a pas mangé à midi non plus.

— C'est parce qu'il dormait. Mais, il mangera à son retour, le rassura Arame, sans rien croire à ses propres mots.

Le déjeuner de Lamine trônait encore sur la vieille étagère de la cuisine. Arame n'avait pas eu le courage de le donner aux enfants pour les faire patienter. D'ailleurs, avec la chaleur, le plat avait peut-être tourné, mais elle n'avait pas vérifié. Le lendemain, les canards et le chat seraient bien nourris. Après le repas, pendant qu'Arame s'agitait, nettoyait sa vaisselle et rangeait sa cuisine, les enfants s'improvisèrent conteurs. Mais celui qui prit la parole en second ménageait encore une chute à son conte, quand Arame donna le signal du coucher.

— Ah, non, on ne saura même pas la fin ! se plaignirent certains.

— Eh bien, il n'aura qu'à vous la raconter demain. Allez hop, au lit ! insista Arame.

Les enfants murmuraient encore dans leur chambre lorsqu'elle gagna sa couche. Elle se demandait où était passé Lamine, mais n'ayant pas fermé l'œil la nuit précédente, son corps fourbu lui réclamait du repos. Son homme s'était déjà couché. Il avait le dos tourné mais ne dormait pas, puisqu'on n'entendait pas encore son ronflement maladif. Arame s'allongea, sans un mot, et souffla sur la lampe tempête. Le noir est commode quand on n'a nulle beauté à admirer. Ils étaient là, les corps distants, figés dans la haine, comme deux prisonniers s'accusant réciproquement du même crime, mais condamnés à partager la même cellule. Afin de ne pas y penser, Arame tourna son esprit vers son fils.

Où était-il encore ? Peut-être qu'il était simplement parti prendre l'air, se remettre de la révélation qu'elle lui avait faite. Soudain, Arame se souvint que la jolie Daba était de retour au village et ressentit un pincement au cœur. Et si c'était à cause d'elle que Lamine n'était pas rentré la nuit précédente ? Cette fille, Arame n'avait jamais su comment qualifier sa relation avec son fils. « C'est une amie », lui disait simplement Lamine. Mais quel genre d'amie ? Arame avait toujours trouvé leur relation ambiguë. Daba venait les voir, mais elle n'était jamais suffisamment proche pour qu'on puisse la considérer comme la petite amie de Lamine. Elle n'était pas suffisamment éloignée non plus pour empêcher qu'on ne devine anguille sous roche. Comme Lamine, Daba appartenait à un clan respectable du village, de ces gens sans fortune qui partageaient le sort commun mais dont la noblesse traditionnelle traverse les générations et ne souffre pas l'opprobre. Quel drame, si Lamine venait à la mettre enceinte avant des épousailles ! Les familles se déchireraient, c'était plus que certain. Arame frémit et ajusta son oreiller, comme on se cache le visage. Ne pas penser au malheur ! Comme Lamine ne lui avait pas raconté sa nuit sur les dunes, encore moins les fiançailles de Daba avec Ansou, qui en étaient la cause, Arame se promit de percer le mystère dès le lendemain. Sans passer par quatre chemins, elle oserait ; pour une fois, elle interrogerait franchement son fils sur la nature de ses liens avec la jolie Daba. Cette résolution prise, elle s'abandonna enfin au sommeil.

Au réveil, avant de se rendre aux puits, Arame s'arrêta devant la porte de Lamine. Elle frappa deux coups, personne ne réagit. Elle frappa encore, puis poussa légèrement la porte. Personne. Le lit était vide. Elle referma la porte et s'en alla. Elle fit plusieurs allers et retours, remplit tous ses canaris, disposa même des bassines pleines dans la douche et dans la cour. Avant de préparer le petit-déjeuner, elle rouvrit encore la chambre de Lamine et constata, dépitée, que celui-ci n'était toujours pas rentré. Elle resta un moment dans la pièce, dubitative. Le sac noir, dans lequel Lamine rangeait ses affaires, n'y était plus. Or il ne l'emportait que lorsqu'il partait en voyage. Peut-être s'en était-il retourné à Dakar, sur un coup de tête. Arame supposa que son fils lui en voulait, à cause de cette terrible révélation. Sachant la force de leur lien, elle se rassura, en se disant qu'il reviendrait une fois le choc passé, assez calme pour entendre tout ce qu'elle avait à lui expliquer. Elle réfléchit encore et se dit qu'elle dramatisait un peu vite. Lamine n'irait pas si loin sans la prévenir, peut-être était-il seulement parti se réfugier chez un copain du village, le temps de digérer son traumatisme. Il aurait exercé, ainsi, son droit au retrait momentané. Selon la tradition de l'île, pour éviter un clash avec les parents ou des proches, n'importe qui peut se replier dans le cousinage et revenir quand les esprits sont apaisés, sans que cette brève absence soit considérée comme une rupture. On louait même la démarche pacifique de ceux qui se comportaient ainsi. Le souvenir de cette coutume tranquillisa Arame. Sans rien dire à Koromâk, elle s'attela à ses activités domestiques.

Après le petit déjeuner, elle s'attaqua à la pile de linge sale qui s'était empilée depuis des jours. Il lui restait quelques savons que Lamine lui avait rapportés de Dakar. Ce petit stock précieux, elle en usait avec parcimonie. Elle tranchait le savon de cinq cents grammes au milieu et faisait attention à ne pas laisser mariner le morceau dont elle se servait. Un foulard autour de la taille, elle frottait, essorait, secouait, puis accrochait, sur un fil tendu dans la cour, des textiles délavés qui mettaient en évidence sa pauvreté. Avec quoi renouvellerait-elle la garde-robe des petits ? Ils grandissaient si vite. Les habits qui appartenaient aux uns l'année précédente étaient passés aux autres et elle-même n'avait plus de pagne ou de boubou à faire transformer pour eux par le tailleur. Mieux valait ne pas y penser. Arame se détendit quelque peu en voyant son petit-fils jouer à ses côtés. Les enfants étaient à l'école, mais le plus petit était resté à la maison, son institutrice étant partie à la capitale, pour on ne savait quelle raison. Pendant que sa grand-mère s'abîmait les mains, le garçon plongeait sa petite pirogue en bois dans une bassine et imitait un bruit de moteur :

— Vroum ! Vroum ! Regarde, mâme, regarde ! Vmmmm ! Je vais en Espagne !

— Et tu me laisses ici, toute seule ? le taquina Arame.

— Mais non, regarde ! Je t'emmène avec moi, dit-il, en plaçant deux feuilles de manguier dans sa pirogue.

Arame sourit, lui jeta un regard plein de tendresse et partit étendre le linge qu'elle venait d'essorer.

Combien de fois avait-elle joué à la princesse, lorsqu'elle était petite ? Combien de fois avait-elle porté sa robe de soie et son collier serti de diamants, chaussé ses souliers brillants pour suivre un prince charmant venu la chercher sur son blanc destrier ? Combien de fois s'était-elle vue dans un château aux innombrables pièces, avec un immense cellier plein de mille délices ? Puis, en un tour de passe-passe, elle avait atterri dans cette masure où tout n'était que carence et désolation. L'avait-on punie d'avoir tant rêvé ? Son imagination avait eu l'outrecuidance d'envisager la beauté et la douceur. Sa lucidité devait maintenant se faire à la dure réalité. Pour les humbles dans son genre, devait penser Arame, les rêves sont toujours illusions, rarement des projets susceptibles de se réaliser. Son petit-fils le comprendrait plus tard.

— Vroum ! Vroum ! Hey mâme, descends, nous sommes arrivés en Espagne ! l'accueillit le garçon, alors qu'elle revenait avec sa bassine vide.

— Et toi, descends de ton nuage et va me chercher à boire.

— Vroum ! Vroum !

Le garçon partit en courant, accroché au manche de son moteur imaginaire. À son retour, Arame, qui avait fini de laver, rinçait ses récipients, pressée d'aller préparer le déjeuner. Elle avait déjà vidé toutes les bassines, sauf celle où la petite pirogue du bambin flottait dans une eau moins souillée. Elle savait d'expérience qu'elle risquait une crise si jamais elle y touchait.

— Merci, mon petit cœur ! dit Arame, en prenant le pot d'eau que lui tendait le gamin.

Mais le petit capitaine n'était préoccupé que par sa pirogue qui flottait à l'envers. Ramassant les deux feuilles de manguier, les passagers, il se mit à crier :

— Oh, mâme ! Regarde ce que tu as fait ! Notre pirogue s'est renversée ! Vite, mâme, nous allons nous noyer !

— Ahan ! *Touk* ! le stoppa Arame. Je ne veux plus entendre ça !

Superstitieuse, Arame partit vers la cuisine, sans se retourner. Au village, on se méfie des jeux des enfants car, dit-on, les djinns les inspirent : en y prenant garde, on pourrait bien y lire des présages. Alors, lorsqu'un petit mimait une catastrophe, on se dépêchait de lui faire changer d'occupation. Certains allaient même jusqu'à faire une offrande, afin de conjurer le mauvais sort. Musulmane, toujours accrochée à sa culture animiste, Arame était de ceux-là. Elle épluchait ses légumes, quand un mendiant Bay Fall, un malabar aux rastas poussiéreux, poussa le portail en mêlant des sourates incertaines à ses divagations. Arame n'aimait pas donner à ces gaillards bien-portants qui écument la région, mais après la saynète que venait de lui jouer son petit-fils, elle se sentait obligée d'agir. Elle remplit une petite timbale de riz et alla la verser dans la calebasse du Bay Fall, qui lui souhaita le meilleur des paradis. Arame ne répondit pas *Amen*. Ce n'est pas le paradis qu'il lui fallait, mais quelque chose de bien concret qui favoriserait une mutation totale de sa vie infernale. En dépit de ces considérations, elle réintégra sa cuisine, sourire aux lèvres. Son déjeuner s'annonçait meilleur que d'ordinaire. Non seulement il lui restait quelques kilos de riz et de l'huile de l'Aïd-el-kébir mais, la veille, elle avait rôti et conservé une bonne moitié de ses daurades. Comme elle avait des oignons et du citron en quantité, elle aurait le plaisir d'exprimer ses talents culinaires en préparant un savoureux yassa. Elle pourrait même, comme le veut la courtoisie locale, porter un bol bien garni à Issa, qui avait eu la gentillesse de lui offrir autant de poissons. Elle mit tout son cœur à l'ouvrage.

Lorsque ses écoliers rentrèrent, Arame savourait une petite pause bien méritée, sous le manguier. Elle plaisantait avec son petit-fils qui, la voyant inoccupée, s'était pressé de lui imposer un jeu d'awalé. Le repas était presque prêt. La marmite de riz blanc, préparé à la créole, n'était plus sur le feu, mais maintenue au chaud, sur des cendres chaudes, à côté du foyer à trois pierres. Seule la sauce mijotait encore sur les braises. Arame n'ignorait pas que la qualité d'un yassa dépend d'une bonne réduction de la sauce, qui doit être onctueuse, sans être trop épaisse ; fluide, sans être trop liquide. La fumée qui lui avait rougi les yeux ne l'avait pas empêchée de veiller à la minutie d'une telle performance gastronomique. À l'arrivée des enfants, remarquant leurs lèvres sèches et leur ventre creux, elle se précipita dans la cuisine, mais un coup d'œil lui suffit pour se décider à les faire patienter encore quelques minutes. Elle fit diversion pour juguler l'impatience de sa petite équipe :

— Il fait très chaud, hein ? Allez tous prendre une petite douche, cela vous fera du bien. J'ai presque fini, j'aurai même servi à votre retour.

Les enfants traînèrent un peu des pieds avant de partir à la queue leu leu, se disputant l'ordre de passage. Finalement, ils s'engouffrèrent tous en même temps dans l'enclos qui servait de douche. Munis d'un pot en plastique, ils vidèrent deux bassines d'eau, se frottant à peine, avant de revenir dégoulinants, sous le manguier. Arame avait fini de servir et portait le déjeuner à Koromâk, cloîtré dans sa chambre. Arrivée à leur hauteur, elle ralentit le pas et les taquina en riant.

— Hey ! Déjà ? Vous brillez comme des silures ! Hum ! Mouillés, oui, mais certainement pas lavés !

En entrant dans le bâtiment, elle entendit les enfants pouffer de rire dans son dos. Cela lui mit du baume au cœur. Malgré l'humeur massacrante de son époux, qui ne remerciait jamais pour rien, elle ressortit avec le sourire. Lamîne n'était pas réapparu depuis la veille, mais ces gamins, qui la suivaient des yeux, distillaient en elle une énergie qui dévorait la mélancolie. Elle savait que le soleil ne suffisait pas à éclairer leur chemin, il leur fallait aussi son sourire à elle. Alors, pour eux, elle souriait et, petit à petit, ce bien-être, au départ feint, finissait par l'enivrer et la détourner provisoirement de ses soucis. Lamine n'était toujours pas là ; eh bien, tant pis, tout le monde se régalerait d'un succulent yassa sans lui et il n'aurait qu'à réchauffer sa part à l'heure où il déciderait enfin de rentrer. Arame gambada jusqu'à la cuisine et ressurgit avec un autre bol, qui n'était pas aussi grand que celui dans lequel ils avaient l'habitude de prendre leurs repas. Devant les regards inquisiteurs des enfants, elle les moqua encore.

— Mais non, votre déjeuner n'est pas si mesquin, bande de gourmands ! J'emmène vite ce plat pour Issa, je ne veux pas qu'il refroidisse. J'arrive tout de suite ! Profitez-en pour installer vos bancs, et surtout lavez-vous les mains, votre douche éclair ne me rassure en rien.

Chez Bougna, la fumée montait de la cuisine et on entendait des ustensiles s'entrechoquer, mais personne ne se préparait encore à déjeuner. Aplatis sur des nattes, les enfants suçaient leurs dents, pendant que les adultes refrénaient leur mécontentement. La cour était pleine de monde, mais étrangement calme. Il faut beaucoup d'énergie pour le bavardage. Or, si personne n'avait envie de discuter, nul n'avait envie de crier sa colère non plus. La faim était collective, la retenue aussi.

On ne râle pas avant le repas, cela coupe l'appétit à tout le monde et n'accélère pas pour autant la cuisson des aliments. On ne bouscule surtout pas la cuisinière, elle pourrait rajouter du sel ou du piment. On traîne sa faim comme on traîne un fagot de bois trop lourd, mais on ne la jette sur la figure de personne. Et, afin de ne pas exploser de rancœur, on respire, on découvre les vertus apaisantes du bouddhisme. Et lorsqu'on n'a plus assez d'énergie pour poursuivre l'exercice, on savoure l'extase que procure l'inanition. On dépose les armes, car même les plus vaillants guerriers se laissent vaincre par la faim. Ratatiné sur une natte, on poursuit du regard des libellules chimériques pour ne pas attraper les mouches. Mais plus que la faim, c'est la frustration qui colle au tapis. L'attente d'un repas plonge n'importe qui dans une détresse similaire à celle qu'on éprouve, enfant, en guettant une mère qui n'arrive pas. Le repas remplit, cajole, trompe les crocs de stryges voraces qui dévorent de l'intérieur. À manger ! Tant de cavités attendent une illusoire plénitude de chaque repas. À manger ! Puisque la vie se gave de tout, manger sera toujours, pour l'humain, une manière de combler le gouffre menaçant.

Chez Bougna, on attendait le repas comme on espère être sauvé avant la noyade. La bru de la première épouse cuisinait mais, pour une si grande famille, elle n'était pas encore aguerrie et cela lui prenait toujours beaucoup trop de temps. Bougna et sa belle-fille, Coumba, n'étaient pas dans l'assistance. Après les salutations, Arame s'enquit d'elles. Chacune était dans sa chambre, lui dit-on. Ainsi renseignée, elle se dirigea vers la pièce de son amie, étonnée qu'on puisse s'enfermer sous ce toit de taule ondulée, véritable fournaise à pareille heure de la journée.

— Bougna ? Bonjour. Mais tu es couchée, ça ne va pas ? dit Arame en écartant le rideau.

— Arame, bonjour, entre ! répondit Bougna en se redressant.

— Tu n'es pas malade au moins ?

— Non, non, entre, assieds-toi, l'invita-t-elle, en tapotant sur le rebord du lit. Je ne suis pas malade, mais puisqu'on déjeune ici à pas d'heure quand cette incapable cuisine, j'ai préféré m'allonger un peu.

Ne souhaitant pas faire languir davantage ses petits enfants qui l'attendaient pour déjeuner, Arame ne s'était pas assise ; il ne fallait pas laisser à Bougna le temps de se lancer dans une interminable diatribe contre la bru de sa coépouse.

— Tiens, mais attention, c'est encore chaud, dit Arame, joviale, en lui mettant le bol entre les mains ; ce repas, c'est pour Issa. Je ne sais pas comment remercier ton brave garçon. Hier, en fin d'après-midi, il m'a offert un seau entier de très belles daurades. D'ailleurs où est-il, à la pêche ou en train de roucouler auprès de Coumba, comme le jeune marié qu'il est ?

— Arame, tu plaisantes ? Ne me dis pas que tu n'es pas au courant, quand même.

— Au courant de quoi ?

— Mais, les garçons…

— Quoi, les garçons ? Bougna, explique-moi vite ! la supplia-t-elle, soudain apeurée.

— Mais nos garçons, Lamine et Issa, sont partis cette nuit pour l'Espagne.

Arame s'affaissa sur le rebord du lit et serra son visage entre ses mains.

— Comment ? Lamine, mon fils ? Comment a-t-il osé me faire ça ? Comment ?

— Arame, Arame, ressaisis-toi. Prie plutôt pour nos enfants. Nous voulions qu'ils partent, non ?

— Oui, mais, mon fils, comment a-t-il osé me faire ça ? Comment ? répétait Arame en tremblant.

— Mais enfin, Arame, que lui reproches-tu ? Nos fils sont partis réaliser leurs rêves et, grâce à eux, notre vie va s'améliorer bientôt. Je comprends ta tristesse de mère, mais...

— Non, Bougna, tu ne comprends pas, souffla Arame.

— Bien sûr que je te comprends ; moi-même, je me traîne depuis ce matin, mais...

Bougna s'acharnait à raisonner Arame, quand une petite voix se plaignit derrière le rideau.

— Mâme, nous allons être en retard pour l'école...

C'était l'un des petits-fils d'Arame, mandaté par ses aînés, qui n'en pouvaient plus d'attendre leur grand-mère pour déjeuner. Arame bondit, comme réveillée d'un cauchemar, et quitta Bougna sans dire au revoir. Dehors, un soleil de plomb avait vidé les rues. Arame hâta le pas, suivie de son petit-fils. Arrivée chez elle, elle traversa la cour, sans un regard pour les enfants, et se rendit directement à la cuisine.

— Mangez, dit-elle, en déposant le bol de yassa au milieu du cercle qu'ils formaient déjà.

Comme les enfants la dévisageaient, perplexes, hésitant à commencer, elle insista puis se justifia, d'un ton plus doux :

— Allez, mangez. Moi, je n'ai pas encore faim, je mangerai un peu plus tard.

Puis elle prit un banc et s'installa à côté, adossée au tronc du manguier. Ce yassa, qu'elle avait mitonné et si bien réussi, ne lui disait plus rien. Elle but d'une traite le pot d'eau qui était posé sur un coin de la natte et poussa un long soupir. Les enfants lui jetèrent des regards furtifs, puis baissèrent la tête, faisant mine de ne penser qu'à leur repas. Mais ils n'étaient pas dupes, Arame était sortie avec le sourire, elle était revenue sans, leur journée s'était subitement assombrie. Ce jour-là, ils déjeunèrent sans la moindre chamaillerie puis débarrassèrent sans aucune injonction d'Arame. Peu avant de repartir pour l'école, ils se regroupèrent sagement autour de leur grand-mère, lui lançant des œillades timides, comme si chacun d'entre eux, désireux de repousser le moment de la quitter, se refusait à ouvrir la marche. Arame sentit qu'elle devait trouver une astuce pour les libérer.

— Allez, c'est quoi, tous ces gros yeux ! fit-elle, en ouvrant grands les siens. Allez, allez, ouste, partez, bandes de retardataires ! dit-elle, en chatouillant ceux qui étaient à sa portée.

Les enfants s'éparpillèrent. Leurs rires, c'était la douce musique du soulagement. Leur grand-mère avait ri, desserrant l'étau qui comprimait leur poitrine. Maintenant qu'ils étaient partis, Arame avait toute l'après-midi devant elle pour tenter d'analyser et mieux comprendre ce que Bougna venait de lui apprendre. Soudain, elle se mit à sangloter. Elle venait de réaliser que Lamine ne reviendrait pas ce soir-là, ne mangerait pas la part de yassa qu'elle lui avait gardée avec tant d'amour. Elle se demanda quand elle aurait encore l'occasion de lui préparer son plat préféré. Tout se brouilla en elle, elle se recroquevilla sur sa natte et sanglota comme une petite fille terrorisée par ses propres pensées.

XII

Les jours se pourchassaient, aucun n'emportait le poids du cœur d'Arame. Le soleil déversait sa vive lumière mais, au lieu de gommer la mine noire d'Arame, il l'encerclait, comme l'océan dessine les contours de l'île. S'accrocher, il le fallait, bien sûr. Mais à quoi ? Le temps fuyait, paroi lisse d'un gouffre sans fond. Les jours qui n'apportent aucune consolation sont des rivets qui maintiennent la tristesse là où elle se trouve.

Depuis le départ de son Lamine, Arame se rongeait. Elle s'en voulait d'avoir tant manqué de perspicacité. Tout s'était pourtant joué sous son nez. Maintenant, elle additionnait ses propres déductions à ce que lui avait appris Bougna et reconstituait les séquences, comme on comble les ellipses d'un film : au débarcadère, lorsque Lamine était parti prendre les daurades, Issa en avait profité pour lui murmurer : « Lamz, la pirogue s'est remplie très vite, on part cette nuit, vers trois heures ; je serai le capitaine, si t'es prêt à y aller avec moi, emmène le peu d'argent que tu possèdes et je t'arrange une place. » Son accord fut immédiat. Ce jour-là, alors qu'il était dans sa chambre, Lamine avait entendu la discussion entre Bougna et sa mère. Il avait pu mesurer à quel point celle-ci hésitait encore. Rien ne lui avait échappé non plus de la dispute entre ses parents. Mais alors qu'il croyait devoir gérer une banale mésentente familiale, tout avait basculé. La révélation que lui avait faite sa mère avait suscité en lui un sentiment étrange, une tempête qui balaya en lui toute peur du départ. Il est toujours plus facile de partir, quand on éprouve de la colère contre ceux que l'on quitte. La nuit, alors que toute la famille dormait, Lamine était venu prendre ses affaires et le peu d'économies que sa mère rangeait dans une boîte, cachée au fond de la cuisine, la modeste épargne qu'ils constituaient justement pour le voyage. Puis il était parti sans prévenir. Après ses tâches ménagères, quand les enfants s'éloignaient, Arame restait seule et ruminait : « Mon garçon, lui, si doux, comment a-t-il pu me faire ça ? Partir, pour un si long voyage, sans les vœux de sa mère ? Avec quel cœur a-t-il pu agir ainsi ? Comment a-t-il pu ? »

Mère esseulée, Arame cherchait les mots pour désigner cette douleur intense, qui lui était jusqu'alors inconnue. Certes elle avait déjà perdu un fils, une réalité qui lui sembla longtemps inadmissible. Mais avec le temps, elle avait reconquis un certain équilibre en renonçant à ce fils, « parti pour ce pays si merveilleux que personne n'en revient » ; car, à force de raconter cette fable à ses petits-enfants, elle avait fini par y croire elle-même. Mais cette fois, quelle fable pourrait l'aider, elle, à se faire au départ de Lamine ? Lui, elle l'attendrait. Mais jusqu'à quand ? se demandait-elle. Les oiseaux qui piaillaient dans le feuillage de son manguier n'avaient aucune réponse à lui faire. S'ils étaient des perroquets, ils auraient tout bêtement répété la phrase qu'elle ne cessait de marteler. « Une mère d'absents, une mère du vide, je suis devenue une mère de l'absence, voilà ce que je suis. Une mère de l'absence… »

Au village, les jours s'abattaient sur les épaules avec la régularité qu'on leur connaît sous les tropiques. Le quotidien avait repris ses droits et filait ininterrompu, longue piste monotone où les soucis poussaient plus vite que les fleurs. Les préoccupations scandaient la journée. Les moutons à emmener aux pâturages, le bois à chercher, la famille à nourrir, les enfants à vêtir, les malades à soigner avec des ordonnances qui croupissaient sous la poussière. Les marées se succédaient, impassibles, emportant avec elles les ongles des femmes qui retournaient la vase pour quelques fruits de mer. Et parce que les bras de l'Atlantique ne charriaient pas de monnaie, la débrouille était le talent collectif qui donnait sa couleur à chaque jour. Chacun avait des astuces qu'il croyait originales mais qui, en réalité, étaient mises en œuvre par tous avec une discrétion qui coulait les pires conditions dans une apparence de normalité. Si personne ne se plaignait franchement, personne n'était dupe non plus. Ceux qu'on croise aux puces, achetant les mêmes choses dépréciées, sont rarement plus nantis que soi. Et là, sur la place du village, tout le monde s'arrachait les restes du monde moderne, repartait avec les miettes qu'il pouvait s'offrir, s'y accrochait de toutes ses forces, à défaut de savoir par quel bout saisir une vie malicieuse et toujours fuyante. Seigneur ! Qu'on nous cache les yeux ! Voir ce que la pauvreté fait des humains est une torture infligée à l'âme.

Dans ce siècle de la consommation et de la publicité planétaire, les frontières Nord/Sud n'endiguent pas les envies et le cœur du pauvre désire autant que celui du riche. Qu'on nous cache les yeux ! Dans le Tiers-monde, le marché de l'occasion sert de soupape aux frustrations. C'est là qu'on vient trouver, parfois des mois ou des années plus tard, la robe, le jean, le téléphone vus à la télé. On bave, on chine, on négocie à en perdre haleine et on rentre en caressant la pacotille tant convoitée. Qu'on nous cache les yeux ! Ici, tout appareil hors d'âge et hors d'usage patiente dans un coin, en attendant le nécessiteux, adroit et imaginatif, capable de lui offrir une nouvelle vie. Les réparateurs font preuve d'une habilité d'experts qui ferait pâlir les meilleurs ingénieurs des grandes firmes occidentales. C'est ici qu'on voit un mécanicien analphabète désosser une machine et la remonter, pièce par pièce, sans consulter le moindre manuel. Et lorsqu'il manque une pièce, ce qui est presque toujours le cas, il en fabrique une de son cru et parvient à redémarrer un moteur dont on n'espérait plus rien. C'est sûr, avec des devises pour lancer une industrie autonome et des hommes aussi astucieux pour la servir, l'Afrique lancerait son avenir au galop.

Au village, il n'était pas seulement question de mécanique vrombissante. Le cordonnier ne chômait jamais, car les habitants venaient faire rafistoler leurs souliers plus souvent qu'ils n'en achetaient. Brocanteur, c'était un métier d'avenir, car tout ce qu'on croyait bon pour la poubelle retrouvait immanquablement une utilité et comblait un nécessiteux. Les objets vivaient ainsi plusieurs vies, dévalant l'échelle sociale, stagnant un moment à chaque palier, avant de finir leur course dans une déchetterie anonyme qui, en définitive, n'en était pas une, puisqu'elle approvisionnait les plus infortunés des chineurs. Qu'on nous cache les yeux ! On fondait, transformait une somme d'objets que personne n'aurait imaginé mettre ensemble auparavant, en un matériau qui prenait une forme imprévue. Ainsi, on additionnait une marmite percée, des cuillères cassées et des lamelles de vieilles truelles pour en faire, au moyen d'une forge, une pelle, un fourneau, un marteau ; quand ce n'était pas, à l'approche des travaux champêtres, une machette, une faucille ou quelque hilaire. Les saisonniers, qui rentraient de la capitale lorsqu'ils avaient épuisé leur modeste pécule, se délestaient à regret de quelques camelotes rapportées de la ville. Vendre, quand on a si peu de choses, est une mutilation. Qu'on nous cache les yeux ! Les téméraires qui partaient, attirés par les sirènes d'Europe, n'espéraient qu'une chose : gagner assez d'argent pour ne plus se contenter de rêves d'occasion. Et ceux qui les attendaient au village comptaient sur eux, en formulant le même vœu.

Cela faisait presque trois semaines que les garçons avaient embarqué pour l'Espagne. La pirogue avait quitté l'île, chargée plus que de raison. Plusieurs familles comptaient des fils absents, mais si l'on murmurait dans les chaumières, personne n'en parlait en public. Le marabout pouvait dresser une liste de la plupart de ceux qui étaient partis, puisque beaucoup l'avaient sollicité pour un talisman, mais il ne pipait mot. Cerné par sa clientèle, il savait que son gagne-pain dépendait de sa stricte réserve. Bien sûr, il lui arrivait, pour appâter les dubitatifs, de citer quelques noms connus en attribuant leur réussite à ses pratiques ésotériques, mais cela se passait lors de rendez-vous très privés. Sorti de sa demeure, le marabout cultivait sa réputation d'homme mystérieux et impénétrable. Moins on en savait sur lui, plus on craignait son pouvoir occulte et plus on le sollicitait pour les cas les plus divers. Opportuniste, raccordant son wagon au train de son époque, il n'exorcisait plus, ne soignait plus les envoûtés, n'allait plus au bois sacré pour interroger les ancêtres sur les récoltes à venir mais pour causer émigration aux esprits, accrochés à leur téléphone portable, qui lui indiquaient le jour où les pirogues devaient larguer les amarres. Dans ce terroir de superstition et de nécessités multiples, les âmes naïves gardaient foi en lui. Et toutes les impuissances convergeaient vers sa maison, lui garantissant un tribut même sur les bourses les plus modestes. Il ne venait à l'idée de personne de passer outre à ses recommandations. Sur ses instructions, on conjurait le mauvais œil, distribuait toutes sortes d'offrandes : colas, bougies, tissus, riz, sucre, etc. Il allait jusqu'à décrire la physionomie des récipiendaires qui, souvent, n'étaient autres que lui-même ou ses épouses. Pour chasser le doute des esprits malins, il ordonnait parfois des repas pour les chérubins. Souvent invités, par des mères inquiètes mais secrètes, à vider des calebasses de bouillie de mil au lait caillé, les enfants se régalaient sans savoir pourquoi ils étaient censés prier. Le ventre plein, ils s'éparpillaient en claironnant toutes les merveilles qui leur traversaient la tête, jusqu'au délire : « Madame, on vous souhaite d'aller à La Mecque ! Madame, on vous souhaite d'avoir des jumeaux ! Madame, on vous souhaite de gagner des millions ! Madame, on vous souhaite de vivre mille ans… » Et l'intéressée, convaincue que la joie des petits suffirait à amadouer le Seigneur, répondait *Amen* en formulant ses propres prières intérieures. On taisait la raison de si généreuses offrandes, car on se méfiait des langues qui, pour avoir mangé trop de sel, portent malheur. Et comme, au village, le sel se récolte à profusion, on se méfiait de tout le monde.

Un jour, en se rendant aux puits, la jolie Daba fit un crochet chez Arame. Sous son manguier, celle-ci rafistolait un vieux drap, patchwork de tissus aux couleurs incertaines. Après les salutations d'usage, Arame désigna à Daba un banc, situé en face d'elle, et replongea le nez dans sa couture. Un petit moment de silence s'écoula. La jeune fille relança les amabilités, s'enquit des nouvelles du vieux malade et des enfants, parla de la chaleur et des puits qui commençaient à manquer d'eau. Puis ce fut encore le silence. Arame était moins diserte que d'habitude, Daba essayait en vain d'accrocher son regard. Intimidée, la jeune fille tritura le pan de son pagne et ne trouvait pas le courage de mettre un terme à sa visite. Le malaise était palpable.

Après le départ de son fils, Arame avait appris que Daba s'était fiancée et elle lui en voulait secrètement. Car même si elle n'avait jamais su la nature exacte de la relation entre Lamine et la demoiselle, elle l'avait toujours considérée comme sa belle-fille potentielle. Lorsque Bougna lui avait conseillé de pousser Lamine à se marier avant son départ, c'est à Daba qu'elle avait pensé. Maintenant, non seulement elle se sentait trahie, mais elle souffrait aussi de ses suppositions : peut-être que son fils était parti aussi vite parce que Daba lui avait brisé le cœur. Certes, influencée par Bougna, Arame avait fini par envisager positivement ce voyage, censé améliorer l'avenir de Lamine et le sien. Mais tout s'était précipité, alors qu'elle avait encore besoin de temps pour se préparer à la séparation. Dévastée par la tristesse, il lui fallait une explication pour justifier la conduite hâtive de Lamine. Elle minimisait l'impact de l'aveu qu'elle lui avait fait, convaincue qu'un fils ne pouvait rejeter sa mère pour si peu. Lamine avait sans doute appris les fiançailles de Daba et c'est assurément le dépit qui l'avait poussé à agir comme il l'avait fait : il était parti comme partent ceux qui fuient un lieu de défaite. Arame ne cessait de repasser dans son esprit l'attitude étrange qu'avait eue Lamine les jours précédant son départ : ses absences, son manque d'appétit, son air abattu, tout prenait maintenant sens à ses yeux et la mine contrite de Daba ne fit que la conforter dans son analyse. La jeune fille, ignorant ce qui lui trottait dans la tête, lui parla de son fils chéri. Daba croyait tenir ainsi la méthode infaillible pour détendre l'atmosphère. Elle voulait également vérifier les rumeurs. Profitant d'un bref échange de regards, elle risqua une question :

— Et Lamine ? Il est de ceux qui sont partis ?

— Est-ce que je sais, moi ?

— Tu ne sais pas ? Il ne t'a rien dit ?

— Et toi, vous étiez toujours fourrés ensemble, non ?

— Oui, mais, il ne m'a rien dit, j'ai seulement entendu dire que…

— Eh oui ! On entend tant de choses dans ce village. On en sait si peu parfois sur les gens que l'on croit connaître. On en est tous là, à essayer de nous remettre de nos surprises. C'est ainsi.

Le silence était retombé, épais comme un mur d'incompréhensions. Arame, persuadée que Daba en savait plus qu'elle ne voulait en dire, s'était départie de cette courtoisie ouatée que tous appréciaient chez elle. Daba, quant à elle, se demandait d'où venait l'irritation de son interlocutrice. D'habitude, Lamine était leur sujet favori, lorsqu'elles se voyaient. Perplexe, elle saisit sa bassine et, avant de s'en aller, tenta une dernière gentillesse pour se donner un peu de contenance.

— Bon, j'y vais, maintenant, sinon je risque de trouver les puits secs. Mais ça va, aujourd'hui je n'ai qu'un canari à remplir pour ma mère. Si tu veux, je peux même t'apporter quelques bassines d'eau après.

— Oh, non, merci. J'ai rempli mes canaris à l'aube, les puits étaient encore pleins d'une eau pure. Les femmes de ma génération ne perdent pas leur temps en grasse matinée ou en sieste, comme les filles d'aujourd'hui. De mon temps, on nous apprenait qu'une bonne maîtresse de maison accomplit ses tâches aux aurores.

— Au revoir, à bientôt, tante Arame, dit poliment Daba, en baissant les yeux.

La demoiselle luttait contre sa susceptibilité, mais les choses étaient d'une clarté blessante. Il n'y avait plus aucun doute dans son esprit, les piques d'Arame lui étaient bel et bien destinées. Sur le chemin des puits, ses pas semèrent des points d'interrogation dans le sable. Quelle mouche avait piqué Arame ? Ou bien lui en voulait-elle vraiment ? Mais dans ce cas, que lui reprochait-elle ? Elles avaient toujours entretenu d'excellentes relations. Ne voyant aucune raison de conflit entre elles, Daba préféra chasser le souvenir de cette désagréable visite. Magnanime, elle se dit qu'Arame était triste et agressive à cause de l'absence de son fils, que les choses se passeraient mieux à la prochaine visite.

XIII

Les dunes de sable ne sont pas faites pour consigner la mémoire, le vent veille à effacer toute trace de pas. C'est pourtant à la dimension du trou laissé au sol qu'on mesure la taille du cocotier arraché. Après avoir tant souhaité le départ de son fils, Bougna affrontait maintenant le vide créé par son absence. Issa ne gagnait pas de salaire fixe et n'apportait à la maison que la prise de sa pêche. Il ne possédait rien ; à son mariage, les griots n'avaient eu que la gloire de ses ancêtres à chanter. Aucune dorure ne brillait autour de lui, et en dehors de la beauté de sa femme, personne ne trouvait rien à lui envier. Mais, en son absence, sa mère s'avisait du pilier qu'il avait été dans la famille. Son poisson, que nul ne comptabilisait dans les dépenses du ménage, manquait à tous. Les paysans accordent peu de valeur à ce qu'ils produisent eux-mêmes. Seul ce qu'ils s'offrent en réunissant péniblement leurs deniers leur paraît considérable. La bru de Bougna et celle de la première épouse alternaient les tours de cuisine, mais le matin, lorsqu'elles allaient faire leurs courses, elles devaient maintenant acheter leur poisson ou compter sur la générosité de certains pêcheurs. Elles, qui ne s'étaient jamais souciées de ce genre de choses, découvraient toute la patience dont il faut faire preuve au débarcadère quand on n'a pas de quoi s'offrir le poisson de son choix. Les repas étaient devenus moins copieux, car elles devaient parfois réduire la quantité de légumes pour acheter du poisson.

La première épouse tenait toujours la dragée haute à Bougna. Son fonctionnaire de fils lui envoyait chaque mois une enveloppe qui lui permettait d'assurer l'essentiel : un sac de riz, une caisse de savon, du sucre et quelques billets à dépenser pour les courses. Mais si elle mettait le riz à la disposition de tous, Bougna devait assurer le petit déjeuner pour les siens et donner à sa bru de quoi faire les courses, lorsque venait son tour de cuisine. Parfois, elle harcelait son époux pour obtenir un peu d'argent, mais l'homme avait rarement de quoi la satisfaire. Pleine d'acrimonie, elle le tançait devant toute la maisonnée : « Wagane, je ne suis pas seulement ta planche, tu dois aussi pourvoir à nos besoins, mes enfants et moi ! Je n'ai pas un fils dans l'administration, moi ! » Puis elle partait chez Abdou et prenait tout ce qu'elle pouvait, en le faisant mettre au compte de son mari. Le commerçant, lassé de voir les dettes s'accumuler et d'empiler des carnets, essayait parfois de la freiner.

— Ton mari m'a dit que tu prends trop de choses, qu'il ne paierait plus ce qu'il n'a pas demandé…

— Je veux du savon, du sucre et de l'huile. Wagane peut-il me refuser ça ? Je mets du sucre dans son petit déjeuner, avec le savon on va aussi laver son propre linge et il ne manquera pas le déjeuner. Alors, tu peux me dire ce qu'il y a de superflu ? Allez Abdou, ma belle-fille m'attend pour cuisiner.

Devant un tel aplomb, Abdou s'exécutait, se promettant chaque fois de mettre un terme aux exigences de cette tornade de femme. Mais Bougna n'était pas la seule à lui donner la migraine. Toutes celles qui partageaient sa condition affluaient vers sa boutique, comme des chamelles attirées par l'oasis. Abdou ne savait comment résister à toutes ces mères désargentées qui s'en remettaient à lui pour nourrir leur marmaille. Comme il était au courant des récents départs pour l'Espagne, il pariait sur une amélioration prochaine de leur situation : lorsqu'elles commenceraient à recevoir les mandats de leurs fils, elles viendraient, à coup sûr, se ravitailler chez lui. Il se montrait conciliant, car il voyait en elles sa future clientèle captive. La fortune est incertaine mais, dans sa rotation permanente, elle peut faire des fauchés du moment les prospères du lendemain. Dans un environnement où l'espoir représentait l'investissement commun, les changements hypothétiques conditionnaient les conduites au jour le jour. On ne prêtait pas seulement par générosité, mais pour avoir soi-même la garantie de pouvoir compter, à son tour, sur celui à qui on rendait service, si d'aventure la situation évoluait défavorablement. Et personne ne voulait se priver d'une telle ressource. La perversité de ce schéma de penser, c'est que chacun sait que l'autre, se sentant obligé de se plier en quatre pour le satisfaire, consentira mille sacrifices avant d'oser opposer un refus catégorique. Dans une telle configuration mentale, Abdou, le boutiquier, se trouvait au confluent des désirs, dans le rôle de celui qui doit sans cesse céder pour ne pas se mettre tout le monde à dos. Pressé de voir arriver le terme de son calvaire, il priait, lui aussi, pour la réussite des émigrants et guettait la moindre de leurs nouvelles. Il n'avait pas besoin de jouer les détectives, les hommes qui venaient jouer aux cartes devant son échoppe colportaient, jusqu'à lui, toutes les rumeurs qui traînaient au village. Sur l'île, on disait plaisamment, que les alités et les sédentaires étaient toujours les mieux informés.

Un jour, en sortant de la boutique d'Abdou après une énième course, Bougna apprit une nouvelle qui la fit trembler de la tête aux pieds. Les hommes discutaient entre eux. Arrivée à leur hauteur, elle avait ralenti le pas pour les saluer. Mais le temps de réaliser sa présence, quelqu'un avait lâché l'information que les hommes essayaient de cacher depuis plusieurs jours : une pirogue de pêcheurs avait ramassé le corps sans vie d'un jeune homme, au large des côtes mauritaniennes. Des natifs du village, en campagne de pêche dans la même zone, avaient aussitôt téléphoné : selon eux, tout portait à croire qu'il s'agissait d'un passager de la pirogue qui avait quitté l'île pour l'Espagne, aucun naufrage n'étant à déplorer dans la localité en question. De plus, la date correspondait à la nuit où des pêcheurs avaient croisé l'embarcation des émigrants. Bougna insista pour en savoir davantage, mais personne n'ajouta mot. Elle s'en alla pleine d'inquiétude. Plus de trois semaines que les garçons étaient partis sans donner signe de vie. Que s'était-il passé ?

À la maison, la jeune Coumba s'affairait dans la cuisine et pensait à son mari. Issa n'était plus là pour faire briller ses yeux, mais elle devait continuer à jouer son rôle dans cette grande famille. Depuis son mariage, elle découvrait le poids de ses obligations d'épouse, son sort de femme et cela n'avait rien à voir avec ce qu'elle s'imaginait dans ses jeux de petite fille. Lorsqu'elle vivait encore chez ses parents, sa mère l'associait certes à toutes les tâches domestiques et, dès qu'elle regimbait, ne manquait jamais l'occasion de lui rappeler qu'elle était *une femme*. Coumba souriait, car elle trouvait incongru le ton sur lequel sa mère lui lançait cela, comme s'il s'agissait d'une terrible menace. Elle saisissait maintenant ce que ces propos voulaient dire : un grade militaire au niveau du labeur et un rang de serpillière au sein de la famille. Coumba devait travailler sans répit, obéir à la belle-mère comme au beau-père, supporter les beaux-frères et les belles-sœurs, satisfaire chacun de leurs caprices, sans jamais montrer un signe d'impatience. En tant que pièce rapportée, elle avait compris, peu à peu, que la greffe ne prendrait qu'au prix de sa soumission totale. « Une épouse doit être docile », lui avaient conseillé toutes ses aînées présentes lors de ses noces. La compassion avec laquelle elles lui avaient confié cette sentence suggérait déjà que la vie maritale ne serait pas une sinécure. Personne ne lui avait recommandé de jouer les amoureuses, d'être une séduisante compagne pour son homme. En revanche, tout le monde l'avait exhortée à se montrer à la hauteur de ce qu'on attendait d'elle, comme si elle-même n'attendait rien de son mariage. Oui, maintenant, elle saisissait vraiment la teneur des propos de sa mère. Son intérieur devait être aussi vaste qu'une cale de bateau pour avaler toutes les couleuvres dont pullulait son quotidien. Les dizaines de bassines d'eau qu'elle rapportait du puits se vidaient à une allure vertigineuse. Elle avait imaginé que les jours où elle ne cuisinerait pas seraient ses jours de repos, il n'en était rien, elle les passait à laver le linge de toute la famille. Elle s'étonnait devant l'amoncellement de vêtements, se demandant d'où venaient toutes ces hardes qu'elle ne reconnaissait pas. Mais Bougna lui expliqua très vite que des voisins, des tantes ou des oncles, ajoutaient parfois leurs habits pour profiter de son savon. Elle devait les laver sans rouspéter, en vertu du droit d'aînesse et des liens familiaux. Sa générosité devait se manifester, si elle voulait trouver une place dans le cœur des parents et alliés. Un soir, fatiguée, Coumba alla se plaindre chez sa mère, mais celle-ci lui tint le même discours que sa belle-mère, sans oublier d'ajouter : « Tu es une femme, les choses sont comme elles sont, ce n'est pas à toi de les changer. » Coumba était rentrée au domicile conjugal avec un terrible sentiment de solitude. Depuis, elle prenait sur elle. Le mariage, elle avait cru que c'était une histoire d'amour ; maintenant, elle se rendait compte qu'elle n'avait pas seulement épousé Issa, mais un clan entier avec tout un système de convenances où ses désirs à elle passaient à la trappe.

— Tiens, Coumba, voilà un litre d'huile, dit Bougna en lui tendant la bouteille ; garde la moitié pour ton prochain tour de cuisine.

Coumba saisit la bouteille, sans broncher. Elle commençait un tour de cuisine de deux jours : deux déjeuners et deux dîners à préparer pour tout un régiment. Ce litre d'huile y suffirait à peine et Bougna osait lui demander d'en garder pour le tour suivant. Quand même, elle savait que la famille n'était pas riche, mais elle ne pouvait pas accomplir l'impossible.

— Bon, maintenant qu'on a de l'huile, qu'est-ce que tu nous prépares pour le déjeuner ? interrogea Bougna, une main appuyée sur l'embrasure de la cuisine.

— Je voulais préparer un thiéboudjène rouge, mais il me manque de la tomate conserve.

— Eh bien, fais un thiéboudjène blanc, c'est tout aussi bon, lança Bougna. Je m'en vais voir Arame, envoie un enfant m'appeler quand le déjeuner sera prêt.

Au moment où Bougna allait s'éloigner, Coumba fit un effort pour adoucir sa voix et lui annonça :

— Tante, j'ai acheté du poisson pour le déjeuner, mais je n'en ai pas assez pour le dîner.

— Eh bien, après le déjeuner, tu iras chercher des fruits de mer. C'est une île ici, quand les femmes n'ont pas de poisson, elles profitent de la marée basse pour chercher de quoi agrémenter leur dîner.

Coumba s'engouffra dans sa cuisine, sans mot dire. Certes, elle était née sur l'île ; petite, ça l'amusait même d'accompagner sa mère, pour le plaisir de barboter à ses côtés ; mais de nos jours, aucune jeune fille ne pratique cette activité au village. On pouvait tout exiger d'elle : récurer du linoléum aussitôt souillé par une horde de sales gosses, abîmer ses yeux à cuisiner des kilos de riz au feu de bois, tasser sa colonne vertébrale à force de porter des bassines d'eau ; elle pouvait même renoncer à la sieste pour effectuer les services imbéciles qu'on lui demandait à l'improviste, mais retourner la vase avec ses ongles vernis pour quelques fruits de mer, jamais elle ne le ferait pour personne. De toute façon, son état ne le lui permettait pas. Elle n'en avait encore rien dit, mais les observateurs attentifs remarquaient déjà les modifications de sa silhouette. L'amplitude de ses robes n'était pas seulement destinée à bâillonner les censeurs locaux, ces enturbannés qui avaient déclaré la guerre aux habits moulants. Coumba masquait habilement ses rondeurs et si les quantités de citrons qu'elle achetait assaisonnaient délicieusement son poisson, elles lui servaient surtout à combattre les nausées qui l'assaillaient du matin au soir.

Trois mois après ses noces, alors que le village était pris dans l'agitation de la fête de l'Aïd-el-kébir, Coumba avait senti une étrange effervescence en elle. Mal en point, elle avait à peine goûté les plats gargantuesques servis pendant les trois jours de fête. Seul Issa avait remarqué son manque d'appétit et lui avait gentiment trouvé de petites choses à grignoter. Jeune et sans expérience, elle avait livré ses premières impressions à son mari. Issa fut très heureux, bien sûr, mais il lui avait aussitôt ordonné le silence :

— Surtout ne dis rien à personne pour le moment, lui avait-il conseillé, il faut se méfier des langues qui ont mangé trop de sel, il paraît qu'on n'en parle jamais avant la fin du troisième mois.

Coumba avait gardé le secret, aidée en cela par la tendre complicité d'Issa. Même à sa propre mère, qui très vite fit des allusions à sa silhouette, elle n'avait rien confirmé. Elle attendait qu'Issa choisisse le moment opportun pour annoncer fièrement la nouvelle. Mais le jour où elle espérait recevoir ses premiers lauriers d'épouse n'était jamais venu, car Issa était parti une semaine avant la fin de son troisième mois de grossesse.

Elle s'était retrouvée seule, à vivre cet énorme bouleversement de sa vie. Par pudeur ou par timidité, elle n'avait su comment aviser sa belle-mère et son entourage. Si elle avait fini par valider les soupçons de sa mère, afin de bénéficier de ses conseils, pour les autres, elle laissait faire la nature, qui bientôt les renseignerait mieux qu'un discours. En attendant, elle fournissait un effort surhumain pour effectuer tous ses travaux domestiques, se débrouillant avec ses nausées, ses vertiges et ses migraines pour servir aux autres des plats dont le fumet lui soulevait le cœur. Lorsque sa forme fluctuante l'empêchait de partager les mets qu'elle mitonnait, cela ne souciait personne ; les mauvaises langues l'accusaient même de se gaver discrètement dans la cuisine.

— Eh ben ! Ton déjeuner est bien tardif aujourd'hui, avait constaté Bougna en revenant de chez Arame.

— Je suis prête, répondit Coumba en lui donnant l'écumoire, afin qu'elle répartisse la grande marmite de riz entre les nombreux bols qu'elle avait déjà disposés en cercle.

Bougna était restée longtemps chez Arame, à discuter de tout et de rien, sans oser lui confier ce qu'elle avait entendu raconter devant la boutique d'Abdou. Pour une fois, elle cacha sciemment une nouvelle à son amie. Elle avait attendu qu'on vienne la chercher pour le repas, en vain. Les enfants étaient rentrés de l'école depuis un bon moment, et lorsqu'elle avait vu Arame s'apprêter à servir, elle avait écourté leur causerie et chaussé ses sandales. Malgré l'insistante invitation de son amie, elle était partie comme si quelqu'un lui avait donné l'ordre de déguerpir sur-le-champ. Bougna avait beau savoir que les baleines se nourrissent de crills, que les grands mammifères n'ont pas besoin d'aliments à leur taille pour survivre, elle répugnait à partager une nourriture qu'elle savait difficilement obtenue et pas toujours en quantité suffisante.

— Hum, ça sent bon, dit Bougna en soulevant le couvercle de la marmite.

Coumba se tenait à ses côtés et observait attentivement chacun de ses gestes. Depuis son mariage, elle cuisinait, mais c'était Bougna qui assurait la répartition des aliments entre les différents groupes qui composaient cette immense famille. Coumba était loin d'être bête, mais en raison de son jeune âge et de son manque d'expérience, on la jugeait encore inapte à l'exercice d'un si délicat arbitrage. En effet, il arrivait parfois qu'un groupe s'estimât lésé et les plus belliqueux n'hésitaient pas à monter sur leurs grands chevaux pour réclamer vertement une darne de poisson, une tranche d'aubergine ou une louche supplémentaire de riz. Dans ces cas-là, seules les doyennes parvenaient à freiner la hargne des révoltés et c'était bien la raison pour laquelle chacune tenait sa bru à l'écart d'une telle responsabilité. Si Coumba comprenait la logique de cette stratégie, elle la récusait en son for intérieur. Discutant, un jour, avec la bru de la première épouse, elle avait exposé son point de vue.

— Je ne sais pas ce que tu en penses, mais moi, si je peux cuisiner pour autant de personnes, je peux aussi répartir leur nourriture et tenir tête aux morveux. Il est vrai que nos belles-sœurs et nos beaux-frères prendraient moins les gants avec nous qu'avec leur mère.

Mais au lieu d'apprendre à leurs enfants à mieux se comporter avec tout le monde, nos belles-mères préfèrent mettre en place une technique d'évitement qui nous réduit au statut de bonnes infantilisées. Assez de ce tâcheronnat, à nous de nous faire respecter !

La bru de la première épouse n'avait rien ajouté pour la soutenir ou la contredire ; elle avait seulement écouté, puis esquissé un de ces sourires hypocrites trahissant les trouillards. Coumba comprit qu'elle n'avait aucune complicité à espérer de sa part et prit la résolution de ne plus jamais lui dévoiler ses positions. Elle ne regrettait pas la teneur de ces propos, mais d'avoir glissé ses confidences dans la mauvaise oreille. Elle avait vu juste, quelques jours suffirent pour lui en donner la preuve.

Dans la cuisine, après avoir mis ce qu'il fallait dans chaque bol, Bougna lui avait rendu l'écumoire, nantie d'une pique.

— Bon, j'ai fini, difficile de veiller au juste partage... J'aimerais bien me reposer de ça aussi, mais si cela peut nous garantir la paix dans notre foyer, il vaut mieux que je le fasse. J'espère que je ne t'infantilise pas trop...

Coumba ne réagit pas. Elle distribua les bols et, comme elle n'avait pas faim, alla s'allonger dans sa chambre. Des éclats de rire, des discussions, la joyeuse rumeur des ventres pleins lui signala la fin du repas. Elle ressortit, débarrassa, nettoya sa vaisselle, prit une douche et retourna se coucher. Ce n'était pas seulement la fatigue qui la poussait au fond de son lit ; s'isoler dans sa chambre était devenu sa manière à elle de retrouver son Issa. Alors, dès qu'elle le pouvait, elle se retranchait et se vautrait dans ses doux souvenirs. Au milieu de l'après-midi, Bougna frappa à sa porte.

— Coumba, tu me disais n'avoir pas de poisson pour ce soir. La marée est basse maintenant, tu devrais aller chercher quelques fruits de mer pour le dîner.

Coumba ne dormait pas, elle ne répondait pas non plus et ne faisait même pas mine de sortir. Sûre du poids de ses ordres, Bougna insista.

— Coumba, tu m'entends ? Si tu tardes trop, tu vas arriver à la marée montante et tu n'auras pas assez de temps pour ramener suffisamment de coquillages.

— Je n'irai pas.

— Comment ça, tu n'iras pas ? Avec quoi comptes-tu agrémenter ton dîner ?

— Mon dîner ? Votre dîner ! Personne dans cette maison n'a remarqué que je mange à peine. Je n'irai pas, je ne me sens pas bien.

— Bon, allez Coumba, ne fais pas l'enfant, il se fait tard.

— Je n'irai pas. Je ne peux pas soulever ces paniers de coquillages, ils sont trop lourds et je suis enceinte !

Bougna poussa la porte et l'entoura de ses bras en s'extasiant :

— Oh, mon fils ! Mon fils… Seigneur, quelle bonne nouvelle ! Mon fils est devenu père ! Tu nous feras un fils, oh oui, un fils !

Bougna était sortie, pleine d'agitation, les mains levées au ciel, sans avoir eu la présence d'esprit de féliciter Coumba. Celle-ci se rallongea, boudeuse, en marmonnant.

— Oui, c'est ça, ton fils est devenu père, mon œil ! Et moi, je suis l'outre du bon Dieu, le réceptacle à semence, le terreau fertile ! Fais-nous un fils ! Ah oui, je suis la forge ardente où tes rêves stupides prennent forme ! C'est ça, ton fils est devenu père… Et moi ? Il me faut un mari, moi, mais ça, non, tu n'y penses même pas. Égoïste !

Coumba aimait sincèrement Issa et souffrait de son absence. Lorsqu'il était encore là, elle ne se lassait jamais de leurs conversations. Très fine, elle l'écoutait, le titillait tendrement et décodait toutes les nuances de ses paroles. Elle n'avait pas mis longtemps à comprendre que c'était l'ambition démesurée de Bougna qui avait poussé Issa à se lancer dans cette périlleuse aventure d'émigration clandestine. Jeune, amoureuse, esseulée, elle maudissait maintenant sa belle-mère à proportion qu'elle ressentait le manque de son mari. Mais dans son environnement, une amoureuse en souffrance passait pour une capricieuse, si bien qu'il ne lui restait plus qu'à garder, tapie en elle, une nostalgie qui grandissait en même tant que son ventre.

XIV

Un mois après le départ des émigrants, leurs parents attendaient toujours des nouvelles. L'inquiétude planait, la tristesse aussi, mais l'urgence de joindre les deux bouts maintenait le cycle habituel des activités. Le blues au fond de l'oreiller, la déprime passive, c'est un luxe offert à ceux qui peuvent compter sur leurs réserves. Les autres, qui savent leur grenier vide, n'ont pas le temps de couver leurs états d'âme sous une couette, ils les transportent au fond d'eux pour négocier les virages. Sur l'île, même ceux qui avaient de bonnes raisons de se traîner trouvaient l'impulsion nécessaire à chaque jour. On voguait sur l'océan de l'existence, par tous les vents. On allait, venait, entendait, racontait. Et rien ne restait longtemps secret. L'île est une caisse de résonance où toute information tourbillonne et finit par entrer dans toutes les oreilles. Le vent murmurait dans les palissades et tout s'ébruitait.

Chaque fois que le poisson venait à manquer, Bougna entraînait Arame à la recherche de fruits de mer. Se réconfortant de leur amitié mutuelle, elles devisaient, passaient d'un sujet à l'autre : leur vie conjugale, la grossesse de Coumba, les mariages, les baptêmes, les deuils, les divorces, les divers soucis, bref, elles multipliaient les confidences mais Bougna avait fait tout son possible pour taire l'information entendue chez Abdou. Cependant, Arame, qui ne vivait pas sous cloche, avait fini par l'apprendre à son tour. Elle, d'ordinaire si réservée, s'était immédiatement ruée chez Bougna pour en discuter. Mais, face à son amie, elle fut également incapable de lui révéler un tel drame. Un matin, aux puits, elle comprit que sa retenue était inutile, le secret qu'elle croyait cacher à Bougna était connu de tous, puisque les femmes ne parlaient que de cela. Un corps repêché en mer, cela avait bien sûr réveillé de terribles souvenirs chez les insulaires, mais chacun faisait ses calculs de probabilités pour se rassurer. D'une part, ça s'était passé très loin du village, sur les côtes mauritaniennes ; d'autre part, il n'y avait qu'un corps échoué ; on se raisonnait, se répétant à l'envi que si cela concernait l'embarcation des jeunes de l'île on aurait retrouvé d'autres corps. Chaque mère s'éventait les oreilles, chassait l'horrible pensée et se persuadait que ce ne pouvait être son fils. On se voulait placide et, même quand on ne l'était pas, on en donnait l'air. Les statues de marbre ne pleurent pas. Or, dans ce terroir, les femmes tiennent leurs nerfs comme leurs hommes tiennent leurs filets, fermement.

L'Atlantique poursuivait obstinément sa danse païenne, mais ses fantaisies perpétuelles n'ébranlaient pas l'île : elle était là, fière, immobile, comme une belle acariâtre qui refuse un tango. Sur les dunes de sable, les puits, impassibles, s'entouraient des mêmes essaims de femmes, du matin au soir. L'allée centrale du village étalait ses rangées de petites tables où des femmes vendaient des légumes dont elles se privaient, en échange de quelques pièces, nécessaires à l'achat du savon de Marseille, du sucre du matin ou du pétrole des lampes tempête. L'école s'enlisait sous le regard des cocotiers, sentinelles lasses de compter ces gamins qui arrivaient et partaient en colonnes de fourmis. Dans les arrière-cours des maisons, de vieux marins, qui avaient toujours cherché le sens de la vie dans le bleu de l'océan, se sentaient coupables d'une retraite imposée par leurs muscles et se réconciliaient avec eux-mêmes en recousant des filets destinés à d'autres bras. Le fromager devant la boutique d'Abdou attendait tranquillement une pluie bienfaitrice et ne se souvenait plus du nombre de parties de cartes dont il avait été le muet témoin. La sous-préfecture contemplait le dispensaire aux murs jaunes, qui blanchissaient sous le soleil, en même temps que les tempes de l'infirmier dévoué, qui soulageait de tout avec les moyens du bord. Les palétuviers, dociles, bordaient l'île, portaient patiemment les hérons et admiraient l'envergure des pélicans. En survolant les alentours du village, on aurait cru voir une noria de mariées à genoux qui attendaient qu'on vienne les délivrer des marais salants : ce n'était que des monticules de sel et il y en avait assez pour saler l'éternité. L'île campait sa réalité, comme un immense tableau de nature morte où chaque chose occupe une place définitive. Il n'en était rien pourtant, cette fixité n'était qu'un leurre, rien n'arrêtant le roulis du quotidien. C'est dans la fragmentation et la juxtaposition des miettes de réalités que la vie gagnait en fluidité et se mettait en mouvement. La vie des insulaires ne connaissait aucune pause, les événements, même insignifiants, s'additionnaient à l'infini et composaient le fondu enchaîné d'un film déroutant. Les peuples marins ont le cœur accroché pour supporter la houle, mais cela ne les met guère à l'abri du vertige. Ils ont la peau dure pour supporter les morsures du sel ; mais comme ils n'ont pas une peau de pachyderme ni de la saumure dans les veines, ils finissent toujours par tanguer, assommés par les émotions. Et même quand rien ne se passait sur l'île, les échos du large déferlaient, brouillaient la musique routinière et suscitaient l'agitation.

Un jour, vers midi, une nouvelle se propagea par les ondes de la radio nationale, introduisant la terreur dans tous les foyers du village : une pirogue à la dérive s'était échouée sur les côtes brésiliennes, avec une quarantaine de crânes à son bord. Personne ne savait encore d'où venait la fameuse pirogue, mais les cris avaient déchiré le sol du village. Il n'y avait évidemment pas de survivant, mais, plus affreux encore, le journaliste, qui avait parlé en langue locale, n'avait pas dit des corps, mais bien *des crânes*. *Des crânes*, c'était là le détail atroce qui fendait le cœur des mères. Un film apocalyptique défilait dans la tête de chacune d'elles. Ces morts sans sépulture, elles les imaginaient parés du visage de leurs fils, affrontant les vagues, luttant contre les vents, souffrant du froid et de la faim, puis agonisant, sans secours. Ce qui faisait le plus pleurer les mères, comme Arame et Bougna, c'était la vision qu'elles se faisaient de ces corps abandonnés à la nature sauvage. Elles savaient que rien de ce qui flotte n'échappe à ce qui vole. Elles imaginaient donc des nuées de vautours s'abattant sur les cadavres, les déchiquetant, les dévorant goulûment. Elles visualisaient la danse macabre, un ballet endiablé de rapaces en ripailles, leurs becs féroces, ensanglantés, arrachant des chairs et s'insinuant dans toutes les cavités. Arame et Bougna avaient grandi dans ce terroir où rien n'avait pu chasser totalement la culture animiste, selon laquelle l'interdépendance du vivant lie le sort de l'homme à ce qui l'entoure en garantissant l'équilibre du cosmos. Elles étaient élevées avec l'idée que la nature retourne à la nature, mais elles avaient beau se souvenir de cette immuable loi, les images cruelles que leur scénario reconstituait les bouleversaient. Ce jour-là, aucune d'elles ne trouva l'envie de déjeuner. Une peur glaciale s'était infiltrée en elles. Seules des précisions sur l'origine de la pirogue retrouvée auraient pu les débarrasser de ces terribles pensées qu'elles partageaient du regard sans jamais oser les formuler. Mais des précisions, personne n'en avait.

Arame avait préparé une mixture quelconque, les enfants l'avaient engloutie avant de s'éparpiller. Ils n'étaient pas à l'école, mais ce temps de liberté était pour eux l'occasion de retrouver leurs camarades avec lesquels ils sillonnaient les ruelles du village et la brousse alentour, où ils cueillaient et ingurgitaient tout ce qui leur semblait comestible. Après chaque tâche, Arame en improvisait une autre pour s'occuper l'esprit et se distraire de ce qui l'obsédait. Dans la chaleur de ce début d'après-midi, elle nettoya tout le bâtiment et fit un grand rangement dans sa chambre avant d'aller balayer sa cour qui n'en avait guère besoin. Pour une fois, une dispute avec son grabataire de mari serait la bienvenue, mais Koromâk restait étrangement discret.

L'amitié des connaissances venues lui rendre visite, ce jour-là, lui avait sans doute mis un peu de baume au cœur, assez pour tenir ses nerfs tranquilles. Mais son silence signifiait peut-être autre chose ; grâce à sa petite radio qu'il gardait à son chevet, il avait, lui aussi, appris la nouvelle qui tourmentait le village et, pour la première fois depuis le départ de son fils, il avait posé des questions à son sujet. La cour balayée, sous un soleil torride, Arame, tout en sueur, reprenait son souffle sous le manguier. Koromâk, accroché à sa canne, avait fait l'effort de sortir de sa chambre, de descendre les quelques marches du perron et de venir jusqu'à elle pour lui poser des questions angoissées :

— As-tu des nouvelles de Lamine ?

— Et d'où les aurais-je ? dit sèchement Arame, en se retournant.

— Je ne sais pas moi, il ne t'a toujours pas appelée ?

— Non.

— Il était bien de ces jeunes partis pour l'Espagne ?

— C'est ce que tu voulais, non ?

— Mais quand même, tu aurais pu me dire qu'il avait embarqué, j'ai dû l'apprendre par des tiers.

— Ben, moi aussi.

— Et il n'a toujours pas appelé ?

— Je te répète que non ! Et depuis quand te soucies-tu de lui ?

— As-tu entendu les informations ? Il y a une pirogue qui s'est...

— Oui, oui, je suis au courant. Et je m'étonne que tu paraisses concerné. Après tout, si par malheur mon fils s'y trouvait, tu serais débarrassé...

— Mais, Arame, comment peux-tu...

— Comment puis-je quoi ? Te dire la vérité ? Tu n'as jamais aimé Lamine, aujourd'hui tu fais semblant de t'intéresser à lui, quand le sort nous agite au nez l'éventualité de sa mort ! Tu devrais avoir honte.

— Mais, Arame, qu'est-ce qui te prend ?

— Rien ! Avant de regretter les morts, il faut aimer les vivants ! Pour ta gouverne, sache que si mon fils est mort, il aura au moins emporté la vérité avec lui, il sait que tu n'es pas son père, je lui ai tout dit, tout !

— Lamine n'est pas mort, non, mon fils n'est pas mort…, murmura le vieil homme, en tournant le dos.

Arame le regarda s'éloigner et gravir péniblement les marches du perron, puis elle écrasa une larme, submergée par l'émotion. C'était la première fois qu'elle entendait son mari appeler Lamine *mon fils*. Elle reniflait encore, quand le crissement du portail interrompit la course de ses pensées. C'était Bougna qui entrait ; habillée d'un pagne bleu marine et d'un vieux tee-shirt, elle tenait une pagaie dans une main et une machette dans l'autre.

— Ah, ma chère Arame, dit-elle en voyant les yeux rougis de son amie, tu pleures encore à cause de cette terrible histoire de pirogue perdue ? Moi aussi, ça m'a vraiment remuée, j'espère que nous aurons très vite des précisions.

— Non, ce n'est pas ça, enfin, je veux dire c'est ça, mais pas seulement ça… bafouilla Arame.

— Ben, alors ? Que se passe-t-il ?

Arame lui raconta l'échange qu'elle venait d'avoir avec son mari et conclut en soulignant :

— *Mon fils*, tu te rends compte ? Il a dit *mon fils* !

— Mais oui, et il a raison ! C'est son fils, non ? plaisanta Bougna, qui était au courant de toutes les avanies de leur vie conjugale.

Les deux amies étouffèrent un rire complice. Et Arame, plus détendue, insista.

— Imagine ! C'est seulement maintenant qu'il le dit. Pourquoi a-t-il passé toutes ces années à nous détester, mes enfants et moi ?

— Là, ma chère, je crois que tu te trompes. Si tu veux mon avis, cet homme ne te déteste pas, peut-être même qu'il est odieux parce qu'il t'aime trop et ne supporte pas l'idée de t'avoir partagée.

— Comme tu y vas, toi ! s'étonna Arame, tu fais dans la divination, maintenant ?

Et les rires fusèrent plus franchement. Bougna profita de cette décrispation pour dire la cause de son passage.

— Tu vois, ma chère, j'ai mis ma tenue de combat ! J'ai emprunté la petite pirogue de mon cousin, je me suis dit qu'au lieu de rester à la maison à broyer du noir, nous pourrions aller couper du bois de palétuviers. Il ne m'en reste plus beaucoup et Coumba va bientôt en avoir besoin.

La proposition tombait à point, Arame aussi voyait son tas de bois s'amenuiser, elle n'allait pas rater cette belle occasion de renouveler son stock. Laissant Bougna sous le manguier, elle disparut un court instant, puis revint, vêtue d'habits qu'elle ne craignait pas de noircir dans la mangrove, balançant sa pagaie et sa machette. Elles discutaient en marchant vers le bord de mer où les attendait cette petite pirogue qu'elles propulseraient sur les flots avec une vigueur de jeunes lutteurs. Depuis toutes petites, on leur avait appris que le travail pouvait distraire de tous les maux. Aussi les jours d'inquiétude et de tristesse ne les paralysaient-ils point, puisqu'elles les transformaient en jours de labeur. Les soucis les bousculaient, certes, mais ne les poussaient jamais au fond du trou, parce qu'elles inventaient, sans relâche, des tâches avec lesquelles boucher les vides menaçants.

Une moitié de calebasse jaune flottait à l'horizon, le crépuscule estompait déjà les pics, les angles, les maisons et les minarets, cette modeste architecture de l'île dont le soleil se plaît à accentuer les contours. Les pêcheurs avaient fini de vendre leur prise du jour et les derniers badauds quittaient le débarcadère. Mais Arame et Bougna n'accostaient jamais à cet endroit ; elles empruntaient plus volontiers les bras de mer, contournaient l'île, puis jetaient l'ancre sur une petite plage sauvage. Là, elles déchargeaient leur pirogue et entreposaient leur bois près des jardins maraîchers. Ensuite, un fagot de bois sur la tête, elles traversaient les dunes, passaient devant les puits et descendaient vers le vieux village, fatiguées, mais heureuses du travail accompli.

Il faisait déjà noir, quand Arame déposa son fagot de bois près de sa cuisine, mais pas assez pour rendre invisible la silhouette assise sur les marches du perron ; une lueur qui venait du bâtiment éclairait le dos de Koromâk. Comme à l'accoutumée, les enfants s'étaient tous levés pour aller à la rencontre d'Arame, mais en toute sobriété : personne ne s'extasiait, car tous savaient qu'elle rentrait de la mangrove et ne rapportait aucune friandise. Alors qu'elle passait devant l'escalier, se dirigeant vers la douche, la voix de son mari l'arrêta.

— Les enfants sont arrivés.

— Oui, je vois bien, ils sont tous là.

— Non, en Espagne, ils sont arrivés en Espagne et ils ont téléphoné, quelqu'un est venu me le dire tout à l'heure.

Interloquée, Arame se laissa choir sur une marche, près de Koromâk. L'homme attendait une réaction qui ne venait pas. Alors, d'une voix très posée, comme s'il avait peur de réveiller un nourrisson, il lui raconta tout ce qu'on lui avait rapporté : « Les garçons étaient à la Croix-Rouge espagnole, ils appelleraient les parents, sur leur portable pour ceux qui en avaient un, au télécentre pour les autres. » Comme Arame ne réagissait toujours pas, il lui donna l'identité du messager et l'encouragea à lui rendre visite, si elle souhaitait une confirmation ou plus de renseignements. Le messager en question était un quadragénaire très connu dans le village et beaucoup le soupçonnaient d'être mêlé aux combines d'émigration clandestine, raison pour laquelle il n'aimait guère voir parader chez lui les mères d'absents. D'ordinaire, il envoyait des émissaires transmettre aux intéressés les informations qu'il recevait. S'il s'était déplacé cette fois, ce n'était que par respect pour le mari d'Arame, son oncle par alliance, et c'est pourquoi ce dernier se permettait de conseiller à sa femme d'aller le voir.

— Vas-y, ça va te rassurer. Mais je pense que Lamine va bientôt appeler, conclut le vieil homme.

Arame resta un long moment assise sur les marches, sans prononcer le moindre mot. Koromâk lui jetait de temps en temps un coup d'œil mais ne disait plus rien. Un étranger à la demeure se serait sans doute demandé pourquoi Arame avait-elle la joie si discrète. La surprise passée, le soulagement l'avait envahie, puis un tumulte intérieur s'était emparé d'elle : elle ne savait pas comment réagir devant cet homme, une sorte de pudeur l'empêchait de se réjouir devant lui. Des années passées à se pourrir la vie leur avaient ôté l'habitude de partager des moments heureux. Psychologiquement, ils ne vivaient pas ensemble, mais côte à côte, et se comportaient comme des inconnus, coincés dans une certaine obligation de réserve. Pourtant, si Arame ne manifestait rien, elle n'était pas indifférente pour autant. Ce soir-là, pour la première fois depuis très longtemps, elle était touchée par cet homme qui, comme un gamin, l'avait attendue, dehors, pressé de lui donner des nouvelles de leur fils. Il avait parlé avec une voix qu'elle ne lui connaissait plus, une voix timide, brisée d'émotion, une voix tendre. Ce soir-là, elle avait senti l'élan en elle, elle aurait voulu lui passer un bras autour du cou, l'embrasser, le serrer très fort et partager avec lui la joie de savoir Lamine sain et sauf. Mais elle ne savait plus comment on fait ces choses-là, elle en avait perdu les automatismes et lui restait immobile de son côté, bloqué tout autant qu'elle. Face à cette silhouette tassée, Arame se reprochait d'être cruelle, mais elle était comme une petite fille qui avait besoin qu'on lui tienne la main pour marcher. Les cris des enfants, qui jouaient et couraient dans la cour, la tirèrent de sa rêverie. Elle se leva et fila aussitôt dans sa cuisine pour préparer le dîner. La douche, elle la prendrait après le repas, puis elle irait voir ce messager dont lui avait parlé son mari. Malgré la fatigue, son corps lézardé par les palétuviers et toutes ces petites plaies qui la faisaient souffrir, elle préférait aller se renseigner nuitamment afin de ne pas susciter la curiosité.

À son retour, les enfants étaient déjà couchés et dormaient profondément. Tout le bâtiment était plongé dans le noir, sauf sa chambre où la lampe tempête diffusait une petite lumière jaune. Son mari était couché, mais ne dormait pas et n'était pas tourné vers le mur, comme il le faisait d'habitude. Arame croisa son regard en entrant, il semblait guetter son retour. Lorsqu'elle souleva son grand boubou, se déshabillant pour la nuit, l'homme baissa les yeux. Pressée de se reposer, Arame se prépara rapidement puis, assise sur le rebord du lit, elle souffla la lampe tempête et s'allongea sur le côté, donnant le dos à son voisin. Dans le noir, elle fut surprise de sentir une main se poser doucement sur son épaule ; elle ne se retourna pas, mais ne se dégagea pas non plus. Cette nuit-là, il n'y eut pas de ronflement maladif, Arame n'eut pas à se retenir d'étouffer quelqu'un, parce que tout simplement, l'homme à ses côtés lui inspirait autre chose.

XV

Au village, tout le monde avait appris que l'embarcation des jeunes était bien arrivée à destination. « *Alhamdoulilah,* Dieu merci, entendait-on, les garçons sont arrivés, ils sont à la Croix-Rouge ! » Cette phrase, les gens se la répétaient et s'en délectaient comme d'une promesse de consécration. Le simple fait de savoir que les jeunes avaient accosté sur la côte espagnole signifiait, pour beaucoup, les prémices d'une réussite certaine. Soulagés, les organisateurs du trafic se frottaient les mains et inscrivaient déjà des noms pour une prochaine pirogue. Maintenant qu'on savait que les partants étaient sains et saufs, on évoquait enfin, ouvertement, ce qui n'avait été qu'un secret de Polichinelle : moyen employé pour appâter d'autres candidats. Dans le village, l'espoir grandissait et suffisait à changer le statut de la parentèle des héros. En toute occasion, on saluait les mères des absents avec plus de déférence qu'auparavant et on leur demandait exagérément des nouvelles de leurs *Espagnols.* Les garçons téléphonaient rarement, mais les mamans répondaient toujours : « Il va bien, il a appelé dernièrement. »

Grâce au téléphone prêté par la Croix-Rouge espagnole, quelques migrants avaient pu appeler une première fois, qui sa mère, qui son épouse ou les deux en même temps. Cette fois-là, ce fut l'embouteillage au télécentre, envahi par une foule de femmes qui bourdonnaient, trépignaient, chacune tendue vers le moment béni où la gérante prononcerait son nom. Mais toutes ne furent pas appelées, la ligne fut brutalement coupée. L'étonnement et la déception passés, on subodora un problème de réseau, plus que fréquent sur l'île. Personne ne songea au coût de la communication ni au grand nombre des appelants, qui pouvaient justifier une limitation du temps de parole accordé par l'institution humanitaire. Après ce premier contact, rassurant mais frustrant parce que trop fugace, les semaines s'enchaînèrent sans le moindre signe des *Espagnols*.

C'est quand la sécheresse semble interminable que le Sahel reverdit et fleurit, fécondé par une pluie inattendue. Un jour sec et poussiéreux, un jour, qui n'annonçait rien de particulier, la surprise était venue tracer des sourires lumineux sur la pénombre des visages soucieux. Ce fut la gérante du télécentre qui apporta la bonne nouvelle. Issa et Lamine l'avaient d'abord jointe pour fixer un rendez-vous. Prévenues, Arame, Bougna et Coumba bravèrent la canicule, en file indienne, une après-midi, vers quatorze heures, pour aller attendre leurs coups de fil. Elles avaient patienté, longtemps patienté, et au moment où elles pensaient être venues en vain, la sonnerie retentit. Elles bondirent en même temps, mais la gérante décrocha, puis héla la veinarde.

— Coumba ! C'est pour toi.

Arame et Bougna se réinstallèrent mollement sur leur chaise. Le visage de Bougna se crispa, elle était déçue de constater que son fils, Issa, avait d'abord réclamé sa femme. Pendant que Coumba discutait, repoussait le moment de quitter cette voix chérie, Bougna profita de son absence pour papoter avec Arame :

— T'as vu, mon fils ? Sa femme lui manque plus que sa mère.

— Mais non, il va te parler aussi.

— Oui, mais après ; il a quand même commencé par sa femme. Tu vois, c'est pour cela que je te disais de marier Lamine avant son départ. Ils peuvent être là-bas pour le travail, mais, si celle qui fait battre leur cœur se trouve ici avec nous... Eh bien, ils ne nous oublieront pas.

— Oh, mais ils ne peuvent pas oublier leur mère, soutint Arame. Regarde, ils nous appellent, non ?

— Oui, mais s'ils ont une femme ici, ça les tiendra plus encore. Tu sais, il y a une famille du village dont à mon avis le fils ne rentrera plus. Voilà déjà dix ans qu'il n'est pas revenu, on dit qu'il s'est marié là-bas. Franchement, tu fais ce que tu veux, mais je pense qu'il serait plus prudent de trouver une épouse à ton Lamine. Tu n'as que lui, alors imagine si jamais...

— Mais qu'est-ce que tu veux que je fasse, maintenant qu'il est parti ?

— Ben parle-lui ! Demande-lui s'il avait des vues sur une fille du village, crois-moi, si c'est le cas, ça peut se régler très vite et je t'aiderai...

— Tante, Issa t'attend au téléphone, interrompit Coumba.

Bougna fit deux grandes foulées, s'introduisit dans le local et saisit le combiné qui trônait sur une petite étagère en bois. Elle s'écriait, enchaînait des salutations tonitruantes : même quand elle se voulait douce elle parlait fort, comme si sa voix devait couvrir la distance qui la séparait de son correspondant.

— Alors, t'es rassurée, il va bien ton Issa ? s'enquit Arame. C'était sa manière de cajoler Coumba qui essuyait une petite larme.

— Oui, ça va, il est avec Lamine.

— Mais tu m'as l'air triste, comment vont-ils ?

— Ils vont bien, mais ils ont trop souffert en mer. Ils n'ont pas pu nous appeler plus tôt parce qu'ils se sont retrouvés à l'hôpital, pendant les premiers jours. Et puis, le corps qui a été retrouvé du côté de la Mauritanie, c'était bien un des leurs. Il paraît qu'il a fait une crise de convulsions, il s'est étouffé, puis il est mort. Comme il leur restait encore beaucoup de trajet à faire et que le corps commençait à… à…, bref, ils ne pouvaient plus le garder avec eux ; alors, ils l'ont jeté en mer. Issa m'a dit qu'ils avaient appelé les organisateurs pour les prévenir, mais ces derniers ne voulaient surtout pas ébruiter l'information. Ils attendaient que les autres passagers soient à terre et qu'ils puissent communiquer avec les familles, afin d'éviter la panique au village.

— Mon Dieu, le pauvre garçon ! se désola Arame. Et Lamine ? As-tu parlé à Lamine ? insista-t-elle, soudain inquiète.

— Oui, oui, il est avec Issa, il m'a même saluée ; dès que ma tante aura fini…

— Arame, Lamine au téléphone, lança Bougna en passa légèrement la tête par la porte.

— Anh, *Alhamdoulilahi* ! Dieu merci ! soupira Arame.

En se rendant au télécentre, Arame s'était juré de n'aborder aucun sujet qui fâche. Après avoir salué son fils, elle s'enquit de sa santé et lui posa des tas d'autres questions auxquelles il donna des réponses rassurantes. Tout avait l'air d'aller bien entre eux, mais elle ne put s'empêcher d'ajouter :

— Hey, Lamine ! Lamine, mon fils, comment as-tu pu partir comme ça, sans même me dire au revoir, hein ?

— Maman, il s'est passé tellement de choses ces jours-là. Mais tu vois, je suis bien arrivé et je pense à toi, c'est le principal.

— Oui, il s'est passé beaucoup de choses, en effet. Mais es-tu sûr qu'il n'y avait pas une histoire de fille derrière ? Ton attitude ces jours-là était tellement...

— Maman, tout va bien, ne t'inquiète pas.

— Comme tu le sais, ton ami Issa s'est marié avant votre départ. Beaucoup de tes camarades font pareil. Si tu as des vues sur une fille d'ici tu peux me les confier et je m'occuperai des démarches à faire.

— Ma-man... pas maintenant.

— Tu n'avais vraiment personne en vue ? Aucune fille qui t'intéresse dans tout ce village ?

— Maman ! La seule qui m'intéressait, c'est Daba, et tu as dû apprendre qu'elle s'est fiancée à Ansou.

— Écoute, Daba est venue me voir il n'y a pas long-temps. À mon avis, tu as encore toutes tes chances. Si tu l'aimes vraiment, appelle-la ; sinon, j'irai la voir.

— Ah non !

— Alors, appelle-la et dis-lui tes intentions, au moins pour en avoir le cœur net.

— D'accord, maman. Faut que je te laisse, je t'appellerai dès que possible.

— Fais attention à toi, mon fils, trouve du travail, sois sérieux et tu réussiras. Je pense à toi et je prie pour toi. Tu as les salutations de ton père.

Lamine préféra ne pas répondre, mais Arame ne raccrocha le combiné que lorsqu'un désagréable bip lui agaça le tympan. Les trois femmes donnèrent quelques piécettes à la gérante du télécentre et s'en allèrent, en commentant leurs entretiens respectifs. Mais c'était surtout Bougna et Arame qui conversaient, Coumba, mutine, semblait vouloir garder pour elle les mots doux de son cher époux.

Ce soir-là, Coumba se coucha le cœur plus léger que les jours précédents, mais la voix d'Issa avait exacerbé son manque de lui. Avant d'aller au lit, elle s'était dévêtue et s'était longuement regardée dans le grand miroir de son armoire, en caressant son ventre. Depuis le départ d'Issa, elle s'observait, essayant d'évaluer ce qui avait changé en son absence. Comment pourrait-elle lui raconter la modification de son corps, toutes ses rondeurs sur lesquelles elle aurait tellement aimé sentir ses mains ? À qui confierait-elle ses pensées intimes à propos de toutes ces petites nouveautés de sa vie de femme, qui ne faisaient que la surprendre ? Son noviciat pour la maternité, elle le rêvait à ses côtés, maintenant elle l'endurait dans une chambre vide où renifler les habits de son mari était devenu, pour elle, la seule manière de sentir sa présence. Au télécentre, la présence de Bougna et Arame, juste devant l'entrée, l'avait bridée. Elle était ravie de parler avec Issa, mais elle ne s'était pas exprimée comme elle l'aurait souhaité et s'était surtout contentée de l'écouter. Elle aurait voulu lui parler de sentiments, de solitude, de nostalgie amoureuse et, sans aller jusqu'à lui faire part de toutes ses pensées licencieuses, lui dire à quel point il lui manquait. Seulement voilà, même dans son ton elle avait joué la carte de la retenue, elle n'avait pas osé lui faire entendre cette douce voix qu'il aimait au creux de son oreille. Alors, parce qu'il savait mieux que quiconque le feu qui couvait en elle, il s'était étonné de sa tiédeur. Plusieurs fois, il l'avait interrogée comme on quémande un baiser :

— Coumba, que se passe-t-il ? C'est bizarre, tu ne dis presque rien. T'es sûre que ça va ?

Et Coumba avait systématiquement répondu « mais oui, ça va », d'un ton qui le faisait douter davantage. Pourtant, elle aurait tant voulu lui dire ses nuits blanches, depuis son départ ; la torture du temps, toutes ces heures qui s'abattaient sur elles, tels des fouets, pendant qu'elle attendait de ses nouvelles. Elle aurait voulu lui raconter ses rêves, où elle le serrait dans ses bras, et ses réveils, où elle se retenait d'éclater en sanglots. Oui, elle aurait voulu lui dire que tout la peinait, que tout l'irritait, que toutes les nourritures lui déplaisaient depuis qu'il n'était plus là pour faire briller ses yeux. Mais surtout, elle aurait voulu lui demander s'il se souvenait de leurs murmures, de leurs câlins, si son corps, qu'il trouvait si doux, lui manquait et s'il rêvait d'eux comme elle ne cessait de le faire. Et parce qu'elle n'avait pas pu lui dire tout ça, elle l'avait imploré à la fin de leur conversation :

— S'il te plaît, la prochaine fois, appelle-nous des jours différents, ta mère et moi, ce sera mieux ; j'aimerais pouvoir te parler, comme si nous étions dans notre chambre.

Alors, il avait compris et n'avait plus demandé « T'es sûre que ça va ? » Il l'avait simplement taquinée un peu ; puis, il lui promit de bon cœur que, désormais, il l'appellerait à part, car lui aussi voulait entendre sa chérie comme quand ils étaient seuls dans leur chambre. Et même s'ils l'ignoraient tous deux, en s'aménageant ainsi de discrets coups de fil amoureux, ils venaient de s'éviter un futur incident diplomatique, car Bougna n'aurait plus à se plaindre que son fils réclamât sa femme avant sa mère.

XVI

Le berger lève son bâton derrière son troupeau, et c'est une saison qui s'en va. Dans le Sahel, deux saisons se partagent l'année et le ciel. Au village, les moutons domestiques couraient après les mois, allaient brouter de plus en plus loin, car aucune botte de foin n'était plus disponible. On avait défriché, semé, sarclé ; la terre avait bu toute la sueur des hommes et les rares pluies déjà tombées. Des herbes de quelques centimètres tapissaient maintenant la brousse et l'on maudissait les petits bergers dont la négligence faisait perdre de vue certaines de leurs bêtes. Dans les bolongs autour de l'île, l'Atlantique embrassait le fleuve Sénégal et berçait les carpes, qui filaient, folâtraient, grossissaient sous le regard bienveillant des palétuviers. Bien sûr, parfois, en sortant la tête pour boire l'eau de pluie, elles se laissaient surprendre par un filet traître, mais c'était globalement leur période de tranquillité. Les champs avaient vidé les pirogues, les pêcheurs s'étant momentanément détournés des flots pour cultiver de quoi remplir les greniers. Chaque année, en cette période, on semait ; on ne récoltait pas toujours, mais on semait quand même, parce que l'espoir est pavlovien.

Après des centaines d'heures de labeur au soleil, on espérait tout de l'hivernage, mais c'est Coumba qui attendait la meilleure récolte. Des mois qu'elle se traînait ; maintenant, son gros ventre la devançait partout. Dès confirmation de sa grossesse, sa mère lui avait donné une cordelette en écorce de baobab, qu'elle portait autour de la taille. Une cordelette censée chasser le mauvais œil et protéger la santé du bébé à venir. À maintes reprises, Coumba avait dû faire augmenter le périmètre de son gri-gri. Même si elle assurait encore toutes ses tâches ménagères, la future maman souffrait plus que les autres de la chaleur. Elle ne portait plus que ses robes les plus amples, tout frottement la gênait ; ne supportant plus sa cordelette autour de la taille, elle la montait tout en haut de son ventre, sous ses seins qui menaçaient d'exploser. Et pendant qu'elle se languissait de son terme, Bougna, elle, jubilait : elle allait être grand-mère avant sa coépouse qui avait pourtant eu sa bru avant elle ! « Eh oui, le premier filet à l'eau n'est pas forcément le premier à remonter une prise ! » lançait-elle au passage de sa rivale. Coumba lui en voulait de transformer sa grossesse en trophée de guerre mais, trop préoccupée par les signaux que lui envoyait son corps, elle lui jetait seulement des regards réprobateurs et préférait laisser son esprit courir sur d'autres pistes. Qui masse les femmes enceintes, les soulage du mal de dos ? Qui console les futures mères d'avoir à porter le poids du monde ? Sans doute les futurs papas attendris. Coumba, elle, n'en savait rien. Pendant qu'elle tricotait des vêtements pour nourrisson, Issa tricotait son destin en Espagne. Coumba s'inquiétait pour son prochain accouchement, Issa s'inquiétait pour ses papiers.

Les coups de fil s'étaient largement espacés. Les femmes accusèrent le coup. Mais on finit toujours par s'inventer une manière de faire face à l'absence. Au début, on compte les jours puis les semaines, enfin les mois. Advient inévitablement le moment où l'on se résout à admettre que le décompte se fera en années ; alors on commence à ne plus compter du tout. Si l'oubli ne guérit pas la plaie, il permet au moins de ne pas la gratter en permanence. N'en déplaise aux voyageurs, ceux qui restent sont obligés de les tuer, symboliquement, pour survivre à l'abandon. Partir, c'est mourir au présent de ceux qui demeurent. Le souvenir reste, certes, mais on le pèse, le soupèse, le réduit, comme on réduit une charge afin d'épargner ses épaules. Et parce qu'on craint l'appétit, quand rien ne s'offre aux papilles, on se détourne des réminiscences, comme on dédaigne une table vide. « Parce que je t'aime trop pour ne pas te voir, je t'imagine mort, pour éviter la tentation de te chercher », avait dû se dire Coumba pour se remettre d'aplomb. Car les mois passant, elle s'était forcément accommodée à la situation. Elle n'avait pas l'air si heureuse que ça, avec ses sourires anxieux, mais elle avait perdu son air lugubre du début et affichait une mine quasi sereine où l'on pouvait lire : c'est ainsi. Et c'était ainsi, en pays niominka : depuis la nuit des temps, les hommes, poussés par les courants marins, s'en vont tandis que les femmes attendent.

Mais l'attente n'était pas leur seule torture ; on exigeait en plus qu'elles soient fidèles et malheur à celles qui se laissaient piéger par un doux chant de rouge-gorge. On ne devient pas femme de marin, il faut naître et grandir avec la doctrine qui va avec. C'est seulement quand on a compris et accepté toutes les nuances que couvre le mot *patience* qu'on peut jeter son dévolu sur un homme des mers. Car si le torse du marin est robuste, il ne suffit pas de s'y agripper pour le garder au lit, quand les vagues langoureuses le réclament. « Tu aimeras la mer, ta mère et ta femme ! » Tous les garçons de l'île grandissent avec un théorème de ce genre. Petits, on leur serine que la mer est leur mère et aussi leur épouse. Ils doivent l'aimer, comme une mère nourricière ; la séduire et la dompter, comme une épouse. Les mères et les épouses attendent, conscientes qu'elles sont la mer que les marins ne quittent que pour mieux revenir. L'océan gronde et s'étire ; entre désirs et frustrations, il charrie toutes les clefs des jeux de pouvoir. Mais la force n'est pas toujours là où l'on imagine, ceux qui restent à quai ont passé des lassos invisibles au cou de ceux qui s'en vont. « Partez, partez, vous reviendrez ! » Les femmes se soûlent de cette pensée magique afin de ne pas mourir de l'absence des hommes. « Je m'en retournerai chez moi, ma femme m'attend », se disent les hommes pour ne pas se laisser emporter par les vagues de la vie.

Aux dernières nouvelles, Issa, Lamine et certains de leurs compagnons de galère s'étaient enfuis des locaux de la Croix-Rouge espagnole pour se dissoudre dans la nature, sans papiers. Converti en euros, leur petit pécule de francs CFA ne valait pas grand-chose, mais assez pour s'offrir des cartes téléphoniques et de quoi ne pas mourir de faim les premiers jours. En dehors des appels au pays, ces cartes leur servaient à contacter une série de numéros de copains, des sésames précieusement conservés dont la plupart s'avérèrent néanmoins inopérants. Dans leur errance, ils couraient les adresses de quelques ressortissants de l'île arrivés en Espagne avant eux. Souvent, ils trouvaient ces derniers dans une misère comparable à la leur et partageaient leurs tribulations dans la souricière européenne. Dans ce jeu de cache-cache avec les pandores, ils se nourrissaient de sandwichs et devaient leurs rares repas chauds à quelque association repérée au coin d'une rue, par hasard. Et parce qu'ils ne cessaient de penser à tous ceux qui, au pays, comptaient sur eux, toutes les contraintes leur semblaient supportables dès l'instant qu'une rémunération s'ensuivait. Déterminés, ils resquillaient dans les transports publics pour s'assurer, par tous les temps, de petits emplois payés au noir. Leurs premières coupures ne furent guère destinées à améliorer leur vie de fugitifs, mais à expédier des Western Union à leur famille. Au village, ces modestes mandats furent accueillis avec fierté et considérés comme la preuve indubitable de leur réussite. Les familles, rassurées et optimistes, se voyaient, franchissant la première étape d'une période faste. C'est à ce moment qu'Arame entreprit les démarches coutumières en vue du mariage de son fils.

Lamine avait déjà téléphoné à Daba. Il avait plusieurs fois répété mentalement son discours, s'était préparé au coup de massue qu'il croyait l'attendre. Puis, la distance aidant, il se crut en capacité de parler à la jolie Daba. Mais le moment venu, il avait flanché après les salutations et s'était embourbé dans un labyrinthe insensé, avant de débouler enfin dans le vif du sujet.

— Je me disais que… Enfin, je voulais te dire que… je pense à toi.

— Merci, je vais bien. Et toi, comment vas-tu ?

— Bien, bien. Tu sais, toi et moi, on pourrait voir les choses autrement. Enfin, je veux dire, si tu le voulais…

— Mais si je voulais quoi ?

— Aller plus loin quoi, avec moi, je sais qu'il y a… Que tu es avec euh… mais bon…

— Lamine, j'ai du mal à te suivre. Veux-tu être plus clair ?

— OK, voilà : veux-tu m'épouser ?

— Mais, tu sais…

— Oui, je sais, mais vous n'êtes pas encore mariés et je tiens à toi depuis si longtemps ! Alors s'il te plaît, ne me réponds pas tout de suite, prends le temps d'y penser. Je te rappellerai. Allez salut. À bientôt.

Une fois qu'il avait sorti ce qui l'étranglait, Lamine s'était pressé de couper la conversation, redoutant une réponse qui l'aurait démoli. Il se remémorait toutes les approches que Daba avait fait semblant de ne pas remarquer, ainsi que l'échec cuisant de sa déclaration, lorsqu'ils s'étaient fortuitement retrouvés à Dakar. Même s'il risquait une nouvelle tentative, tout au fond de lui, il avait toujours pensé qu'il ne l'aurait jamais, tant que le sémillant Ansou serait dans les parages. Cette fois, il jouait son va-tout, enclin à croire que sa nouvelle aura d'émigré lui permettrait de faire la différence.

Lamine fit un bref compte rendu de cette conversation à sa mère et lui suggéra de laisser à la jeune fille le temps de réfléchir. Arame promit, mais en dépit des consignes de son fils elle préféra agir, sans délai. Après une discussion avec Bougna, elles s'arrangèrent pour ébruiter la demande en mariage de Lamine. Très renseignées sur les stratégies matrimoniales de l'île, elles connaissaient la pression que l'entourage était capable d'exercer sur une fille, dès qu'un émigré s'intéressait à elle. Répandre une telle nouvelle, c'était mettre la demoiselle en position de privilégiée, ce qui revenait à lui forcer la main, car tout refus de sa part risquerait de passer pour un caprice, si d'aventure les siens lui laissaient une telle latitude. En quelques jours, Arame et Bougna avaient réussi à glisser l'information dans l'oreille de tous ceux qui avaient autorité sur Daba, de sorte que le voisinage ne causait plus que de cela. Ces quelques jours suffirent pour disqualifier l'heureux fiancé qu'était Ansou. Lui, le pêcheur et transporteur, le brave marin qui affrontait vaillamment tous les courants, nourrissait les siens et les portait à bout de bras ; lui, que les villageois considéraient déjà comme le gendre idéal, quand Lamine n'avait encore rien à faire valoir, passait maintenant pour un second couteau. Ansou avait son courage à offrir, Lamine proposait un château en Espagne qui semait des étoiles dans les rêves de tous.

Lorsque Lamine rappela Daba, ce n'était plus que pour obtenir une confirmation de son accord. Arame avait déjà rassuré son fils, en lui expliquant que les parents de la jeune fille étaient favorables à sa demande et que, sans s'être exprimée positivement, Daba semblait être du même avis. La famille de Daba avait toujours considéré Arame comme une cousine lointaine dépourvue d'attrait. Mais depuis qu'on situait son fils du côté de l'Europe, un effet d'optique la parait, elle et les siens, de nouveaux atours. L'hypothétique réussite de son fils était la fausse monnaie avec laquelle elle pouvait déjà se payer une tranche de respectabilité. Lorsqu'elle se mit en quête d'une alliance pour ce fils à la notoriété soudaine, les consentements lui furent acquis d'avance. La famille de Daba n'avait pas hésité à briser ce que les Sérères sont censés avoir de plus sacré : la parole d'honneur. Cette famille, qui avait déjà accordé la main de sa fille à Ansou, n'avait pas tergiversé pour se résoudre à envoyer un émissaire chez les parents du jeune homme, soutenir qu'ils avaient trouvé des inconvénients à l'union et qu'il leur fallait à regret revenir sur leur premier engagement. Et comme rien n'avait encore été scellé, en dehors des simples fiançailles, ils s'offrirent à restituer tous les cadeaux que Daba avait reçus d'Ansou. Arame et les siens se cotisèrent pour réunir la somme d'argent nécessaire à ce renvoi de galanteries. Mais la famille du déchu, déjà très choquée par ce revirement de situation, fut outrée par la muflerie de leur proposition. Le père du jeune homme envoya son propre délégué rappeler quelques règles traditionnelles au père de Daba. Connu pour sa modération, l'homme avait parlé en tapant du poing, quand son émissaire s'était penché près de lui en signe d'attention et de respect :

« Dis-lui que nous sommes des Guelwaars ! Les Guelwaars n'ont pas de château, mais à l'ombre de leur parole ils sont à l'abri de tout, car leur parole est d'or et ne varie jamais ! Dis-lui qu'il fut un temps où l'inconstance était plus tranchante qu'un glaive, car trahir sa parole coûtait une tête ! Dis-lui que là où il y avait le feu d'antan, les cendres sont encore chaudes ! Dis-lui que les Guelwaars ne meurent pas à genoux !

On ne brade pas notre dignité ! Mon fils n'ira jamais les supplier ! Dis-lui que la fille peut garder tout ce qu'elle a reçu de mon fils, car donner fait partie de nos critères de noblesse. Les Guelwaars ne réclament jamais la jarre de lait offerte en signe d'amitié, même si l'ami trahit par la suite. Et surtout, dis-lui que le tissu peut toujours dégorger, il ne sera jamais aussi pur que l'eau qui l'a lavé. C'est nous qui pouvons renoncer à tout, nous qui n'avons rien reçu d'autre que trahison ! Dis-lui que ma famille et moi, nous leur laissons leur déshonneur pour unique dot de leur fille ! »

L'émissaire avait porté le message, bien sûr, mais en expert des tractations locales ; s'il avait préservé la teneur des propos, il en avait reformulé la tournure pour désamorcer la guerre. Comme tous les villageois, il pensait que la colère du père d'Ansou outrepassait le problème du moment. Nonobstant toutes ses précautions oratoires, ce qu'il avait transmis fut suffisant pour piquer la famille de Daba au vif et conforter chez elle l'envie de tout restituer au plus vite. Le soir même, elle convoqua son émissaire et le chargea de porter chez Ansou une liasse de billets et un grand sac où on avait fourré des babioles arrachées à Daba : des bijoux, quelques tissus, une petite radio, un lecteur de CD, une montre, etc. Mais le père d'Ansou chassa l'émissaire, qui revint aussitôt avec sa charge chez son mandataire. Ce dernier le renvoya, exigeant qu'il aille tout déposer chez ceux qui osaient mettre son honneur en doute. Ballotté de toute part, l'émissaire finit par déposer son fardeau chez Arame. Celle-ci considéra qu'elle avait fait son devoir en réunissant la somme adéquate, tant pis pour la partie adverse, si elle persévérait dans son obstination à se défaire des biens qui lui revenaient. Le messager ne savait plus où donner de la tête et manifestait hautement son désarroi. Arame le remercia pour ses efforts, prit l'argent et le sac qu'elle rangea dans la chambre de Lamine. Koromâk, au courant des manœuvres, avait suivi le conciliabule depuis la fenêtre de sa chambre. Après le départ du coursier, il sortit sur le perron et entreprit de morigéner son épouse en ces termes :

— Ce n'est pas très propre tout ça, il y a tout de même d'autres filles à marier dans ce village ! On casse la baraque de ce brave Ansou, avec l'assentiment forcé de sa fiancée. Bref, je crois que ce n'est pas ainsi qu'on fait un bon couple.

— Et toi ? Comment l'as-tu fait, ton couple ? Tu crois que je serais là si mes parents…

— Ce n'est pas pareil, tu n'étais encore fiancée à personne et…

— Mon fils aime Daba, il n'aime qu'elle ! D'ailleurs, tu les as toujours vus se fréquenter, elle est pareillement attachée à lui ; ils feront un bon couple, je n'ai aucun doute là-dessus.

— Un bon couple ? C'est ce que j'avais cru en t'épousant, mais…

— Mais quoi ? À ton avis, qui de nous deux est le plus légitimement déçu ?

— Bof, je ne me le demande plus. Espérons que Lamine sera heureux en forçant ainsi le destin. Il ne m'a pas demandé mon opinion mais…

— Mais quoi, tu lui aurais dit de renoncer à celle qu'il aime ?

— Non, mais il pouvait…

— Il a fait ce qu'il a pu. Les hiboux ont beau hulu-ler, ils n'empêchent pas le jour de se lever.

— Enfin, de toute façon, il n'y a plus rien à dire ni à faire ; espérons qu'ils seront heureux ensemble, conclut Koromâk, en retournant dans sa chambre.

Les guerriers poussent un cri en montant à l'assaut, mais ils rangent leur sabre en silence. Arame fut ravie de voir son mari battre en retraite. À ce stade de ses efforts, elle n'était pas disposée à laisser qui que ce soit ternir sa joie. Si Lamine était amoureux de Daba, elle, elle avait toujours souhaité qu'elle devienne un jour sa belle-fille. Maintenant qu'elle touchait à son but, elle n'allait pas laisser un oiseau de mauvais augure déployer ses ailes de malheur et lui cacher sa part de soleil. Bien-tôt, elle ne serait plus seule à se démener dans sa maison. Bientôt, elle pourrait, comme Bougna et beau-coup de femmes de son âge, savourer de longues heures de repos, enfin déchargée de l'essentiel de ses tâches ménagères. Peut-être même que la présence de sa bru réduirait ces longs moments de silence durant lesquels elle ruminait à s'en rendre malade.

Au vu des étapes déjà franchies, Arame n'avait plus à s'inquiéter, tout concourait à diminuer son attente. Sur l'île, les mariages qui suscitent des difficultés sont, paradoxalement, les plus rapidement célébrés, comme si les familles, désireuses d'évacuer les problèmes sus-ceptibles de surgir à l'improviste, se hâtaient d'arriver au point de non-retour.

Il avait suffi de quelques semaines de démarches et d'un Western Union de Lamine pour que le père de Daba fixât la date du mariage religieux. Une après-midi, en sortant de la mosquée, les hommes récitèrent quelques sourates, on distribua quelques noix de cola et la chose fut entendue. Cette cérémonie ayant légitimé l'union, Daba était maintenant autorisée à rejoindre le domicile conjugal. Le lendemain, Arame organisa une modeste fête, un déjeuner et un dîner pour la parentèle et les femmes du quartier. Le soir, Daba, accompagnée par des tantes, des cousines et quelques copines, vint s'installer dans sa chambre, où l'attendait le sac plein des hommages d'Ansou. Le grand mariage, disait-on, aurait lieu dès le retour de Lamine ; ce serait également l'occasion de fêter la virginité de la demoiselle, cette mariée imaginaire dont les noces resteraient blanches pendant un bon bout de temps. Elle était jeune, belle, désirable et désirée, on l'avait déposée là, comme un paquet cadeau, attendant que son heureux propriétaire veuille bien venir le décacheter. Ses aînées n'avaient pas oublié de lui rappeler la stricte tenue qu'elle devait observer : « Même si ton mari n'est pas là, tu n'es plus une demoiselle, mais une épouse ; par conséquent, tu ne devras plus fréquenter les soirées de tes camarades encore célibataires. » Daba n'avait rien répondu. Les dames virent dans son silence la preuve de sa politesse et de sa soumission, on félicita sa mère pour sa bonne éducation. Celle-ci n'était pas rassurée pour autant, elle savait qu'il lui faudrait, fréquemment, réitérer ses conseils à sa fille. Le plus dur restait à venir : cette attitude irréprochable qu'on louait en elle, Daba devrait la garder en toutes circonstances, car au village, les épouses d'émigrés sont sous haute surveillance. Beaucoup guettaient la première sortie publique de Daba en tant que femme mariée, pour mieux étudier son comportement. Le baptême de l'enfant de Coumba leur en donna l'occasion.

Coumba avait accouché, sous le regard de sa mère, de Bougna et d'une matrone du village. Toutes les femmes de l'île défilèrent pour saluer l'arrivée de ce énième bébé de l'année. Issa étant absent, on pouvait s'attendre à ce que la célébration fût aussi sobre que le Western Union qu'il avait envoyé. Mais, le jour venu, ce fut l'effervescence chez Bougna. Décidée à donner une certaine dimension à l'événement, l'heureuse grand-mère avait alerté tout le village et sollicité le soutien de sa parentèle. Ce premier petit-fils, elle n'entendait pas l'accueillir dans la discrétion ; maintenant que son fils aussi était en Espagne, elle voulait épater sa coépouse, faire accroire qu'Issa réussissait très bien et envoyait énormément d'argent. Elle avait même acheté un mouton, pour le déjeuner du baptême, et de belles tenues pour Coumba. Comme toutes les femmes du village, Arame et Daba étaient venues, parées du meilleur de leur garde-robe. Mais très vite, Daba comprit qu'elle ne passerait pas la journée à parader. Alors que ses camarades célibataires, en cercle sous les cocotiers, écoutaient de la musique, dansaient, flirtaient, sirotaient des jus de fruits en attendant le déjeuner, Arame lui ordonna de rejoindre les femmes mariées qui s'affairaient autour de gigantesques marmites. Dès qu'elle s'approcha du groupe, les plus âgées la charrièrent et lui assignèrent immédiatement une tâche déterminée. Elles allaient ainsi la commander à tour de rôle, une sorte de bizutage destiné à éprouver son caractère autant que ses qualités culinaires.

Au fond d'elle, Daba fulminait et regrettait déjà sa liberté et son insouciance d'antan. Mais se rebiffer, ce serait rater son intégration dans son nouveau quartier.

La bonne démarche, d'après ce que lui avait dit sa mère, c'était d'obéir sans trop s'écraser, sous peine de ne plus jamais être respectée par les autres. Forte de ce conseil, Daba exécuta parfaitement toutes les tâches qui lui furent imparties et limita l'audace des commères par sa propre retenue. Intriguées par la rareté de ses paroles, les femmes cessèrent de la tester et se lancèrent dans leurs interminables discussions. Daba les entendait, et plus elle les écoutait, plus elle s'interrogeait. Enviait-elle la jeune maman, si bien fêtée, ou redoutait-elle le moment où viendrait son tour ? Inspirées par le motif de leur rassemblement, les femmes causaient accouchement et le récit des nombreuses complications, répété jusqu'à la nausée, agaçait la jeune fille. Certaines femmes semblaient éprouver du plaisir à augmenter l'appréhension de celles qui n'avaient encore jamais vécu cette expérience. Mais pour Daba, qui débutait sa vie maritale dans une chambre vide, tout cela semblait encore bien lointain. Elle observait ces femmes : parfaitement informée de l'histoire de certaines d'entre elles, elle se demandait comment elles faisaient pour avoir l'air si heureuses. Était-ce du théâtre ou une résignation si complète qu'elles avaient fini par oublier les innombrables motifs de révolte et de tristesse qui les habitaient ? Alors qu'Arame se pavanait parmi ses camarades, donnait des nouvelles de son fils et se délectait de son nouveau statut de belle-mère, Daba sentait bien que son drame, à elle, venait de commencer.

XVII

Aux éplorés inconsolables, on soutient souvent qu'il faut vivre tous les rites annuels pour commencer à faire son deuil. Mais combien de fois faut-il les vivre pour ne plus souffrir de l'absence d'un être cher qu'on espère à chaque fête ?

Au village, toutes les réjouissances annuelles avaient eu lieu plusieurs fois en l'absence d'Issa et Lamine. La vie suivait son cours, les calendriers s'entassaient. Et quand les mères doutaient de la durée de l'absence de leur fils, elles se référaient à l'âge de celui de Coumba. En riant, elles disaient que le petit grandissait trop vite, à cause de l'alimentation actuelle et des médicaments modernes procurés par l'infirmier. Elles feignaient de s'étonner d'une prétendue précocité de l'enfant, parce qu'elles ne voulaient pas admettre la longueur du temps qui les séparait de leurs chers clandestins. Compter les années aurait insinué la terreur dans leur cœur de mère. Lancées dans une stratégie de résistance, elles s'aveuglaient volontairement. Il fallait garder les souvenirs frais pour rendre les absents présents. Il fallait que la joie de l'accueil soit sans cesse imaginée pour museler le désespoir. Et, du désespoir, il y en avait souvent. Les mandats des clandestins étaient aussi rares que la pluie sur le Sahel et les nécessités de la vie ne connaissaient aucune trêve : il fallait que les enfants mangent, que les malades soient soignés, qu'Abdou recouvrît ses créances pour être en mesure d'accorder de nouveaux crédits. Flanquées de leur bru, Arame et Bougna étaient confrontées aux mêmes carences qu'avant, mais avec des bouches à nourrir en plus. Sans ressources, elles avaient renoué avec leurs habitudes antérieures. Laborieuses, elles vendaient le surplus des fruits de mer et du bois de chauffe qu'elles cherchaient en quantité. Mais cela ne suffisait pas à combler leurs besoins. Bougna, toujours inventive, avait eu l'idée d'un petit commerce : en association avec Arame, elle vendait des beignets et des cacahuètes devant l'école. Cela améliorait l'ordinaire, mais pas assez pour éliminer tous leurs soucis.

L'oxygène, c'est parfois une parole qui tombe par hasard au creux de l'oreille. Rien n'est plus agréable qu'un soulagement inattendu. Un matin bleu de l'île, une rumeur annonça l'avènement du microcrédit. Quoiqu'elles n'eussent jamais eu de compte en banque, Bougna et Arame ne furent pas les dernières à venir s'informer. Leur raisonnement était d'une simplicité désarmante : il y avait de l'argent à prendre, elles en avaient besoin. Sans rien comprendre au jargon du préposé à la distribution, qui parlait de versement mensuel et d'intérêts à 2 %, elles acquiescèrent à tout, firent une croix au bas de la feuille qu'elles devaient signer et repartirent, chacune agrippée à sa liasse de billets. Elles l'ignoraient encore, mais elles venaient d'aggraver leur situation. Chacune régla d'abord ses problèmes immédiats et injecta le peu qu'il lui restait dans son modeste commerce informel. Elles n'étaient plus associées, l'une continuait à vendre des cacahuètes, l'autre des beignets. Se sentant plus nanties, elles avaient même ajouté d'autres marchandises, au grand dam d'Abdou qui pressentait la concurrence. Malheureusement pour elles, elles n'avaient pas l'expérience du boutiquier, ni son sens des affaires. Elles vivaient au jour le jour, du peu qu'elles gagnaient, sans jamais songer aux versements à effectuer à date fixe. À la fin du mois, elles écumaient les marchands du coin ou leur parentèle, réunissaient de petits emprunts pour obtenir le montant du versement imposé. Après avoir difficilement honoré leur engagement les premiers mois, les retards s'accumulèrent, les dettes aussi. Outre leur dette au Crédit Mutuel, elles avaient maintenant des kyrielles de petits prêts à rembourser à des créanciers encore plus impatients que le banquier officiel. Dans l'esprit des défenseurs du microcrédit, qui croyaient agir pour leur bien, 2 %, ce n'était rien, mais dans leur contexte à elles, c'était beaucoup. Arame et Bougna avaient certes mis du temps, mais elles avaient fini par se rendre compte qu'un bénéfice de 2 % multiplié par un nombre incalculable de pauvres restait pour la banque une manière d'engranger du profit, aussi efficacement que ceux qui prêtent aux riches, moins nombreux, à des taux plus élevés. Le capitalisme humanitaire n'existe pas. Arame et Bougna n'étaient ni aidées, ni protégées, les intérêts qu'on attendait d'elles étaient simplement calculés proportionnellement à leur condition. Le microcrédit ne servait qu'à rajouter des complications dans leur vie, où les mathématiques tournaient autour du prix du sac de riz. Même prélever 1 % de la sueur de ces femmes qui manquaient de tout était indécent, un prêt à taux zéro semblant plus indiqué pour qui désirait sincèrement leur venir en aide. Lassées de lutter pour joindre les deux bouts, de s'engluer dans ce qu'elles avaient initialement pris pour une solution, les deux amies passaient des heures à démêler leurs entraves. Tant de responsabilités reposaient sur elles ! Plus radicale, Bougna suggéra une manière expéditive de réduire leur fardeau : « Nos belles-filles ne doivent pas tout attendre de nous, qu'elles se prennent en main », avait-elle décrété. Arame se montra perplexe : Lamine n'étant pas là, elle ne voyait pas sur qui Daba pouvait compter, à part elle. Et puis, même si la petite devait gagner sa vie, où trouverait-elle un emploi dans ce village perdu dans l'Atlantique ? Bougna ne démordit pas de son idée, elle venait justement d'apprendre qu'un fonctionnaire affecté sur l'île cherchait une lingère pour sa famille. Sans hésiter, elle encouragea Coumba à saisir l'aubaine.

— Tu ne fais pas grand-chose les jours où tu ne cuisines pas, laver et repasser le linge de ces gens, une fois par semaine, t'apportera de quoi régler tout ce que tu me réclames pour toi et ton fils. On ne peut pas tout attendre d'un homme au bout du monde.

Coumba aurait pu lui rétorquer qu'il fallait y penser avant de marier un fils sur le départ, mais elle ravala sa salive. Une querelle ne l'aurait sauvée de rien, elle savait qu'elle n'avait pas le choix. Selon la tradition, sa belle-famille devait pourvoir à tous ses besoins en l'absence de son mari, mais la conjoncture et le caractère de Bougna ne lui laissaient aucune illusion. Dès la semaine suivante, elle retroussa ses manches. Décrasser le linge de cette famille, à peine plus aisée qu'elle, devint sa corvée hebdomadaire. Elle n'affectionnait pas cette tâche, mais le bénéfice qu'elle en tirait la soulageait d'autres affres : elle n'avait plus à baisser les yeux pour quémander du sucre ou du lait à sa belle-mère, ni à s'inquiéter du prix du savon, car elle lavait le linge des siens avec celui de ses employeurs. Mais le soir, après chacune de ses âpres journées de lingère, quand son fils s'endormait à ses côtés, elle pleurait à chaudes larmes. Courbaturée, les ongles déchirés, Coumba pensait à Issa.

Chaque été, des émigrés rentraient, couvraient leurs femmes de cadeaux, promenaient leurs fils bien habillés dans le village, construisaient d'immenses maisons. D'autres venaient en vacances, envoyaient leurs parents à La Mecque, distribuaient des billets à la nombreuse parentèle et s'en retournaient sous les louanges. Quelques-uns rentraient même pour de bon, ouvraient des magasins et menaient grand train. Pourquoi Issa ne revenait-il pas ? Pourquoi envoyait-il si peu d'argent ? L'aimait-il encore ? De toutes ces questions, c'était la dernière qui la dévastait le plus. Le matin, elle dégonflait ses yeux à l'eau froide et faisait bonne figure, la mort dans l'âme. En épousant Issa, elle avait rêvé d'amour, de douceur, de complicité, de nuits torrides, mais certainement pas de cette solitude qui s'apparentait à un interminable veuvage. Sa seule consolation venait de ses rares coups de fil, qui duraient le temps consenti par la carte téléphonique, des mandats irréguliers et de la promesse d'une belle maison qui hébergerait un jour leurs étreintes. Avec un mandat exceptionnellement plus gros que les autres,

Issa avait ordonné qu'on lui prépare quelques briques. Bougna s'était empressée de convoquer les maçons ; maintenant les cailloux étaient là, bien entassés, mais loin d'être suffisants pour les simples fondations d'une villa. Lucide en dépit des efforts de son mari pour se montrer convaincant au bout du fil, Coumba savait son bonheur plus que lointain. Pire, tout lui semblait flou. Elle traversait la réalité avec le sentiment de se débattre dans un long tunnel embrumé. D'avoir trop pleuré, ses yeux picotaient en permanence et clignaient face aux chatoiements du soleil, comme pour fuir les couleurs du jour. Les saisons, qu'elle ne comptait plus, se succé-daient, lentes, semblables à de lourds bateaux qui bou-chaient l'horizon de leurs immenses voiles noires. D'ailleurs, depuis le départ d'Issa, elle ne connaissait plus qu'une saison, le terrible automne de l'attente.

L'absence d'Issa, Coumba la ressentait comme une forme de cécité : ne plus voir, ne plus toucher ni sentir les courbes de ce corps tant aimé, c'était la pire mutila-tion qu'on pût lui infliger. Alors, comme l'aveugle déploie ses bras pour avancer, Coumba, dans ses pensées magiques, déployait son cœur, le dilatait aux dimensions de son imagination, pour capter et sentir tout ce qui échappait si cruellement à sa vue. Dans ses soupirs vespé-raux, on pouvait déchiffrer l'autosuggestion d'une amoureuse qui se souvient : « Parce que j'ai cueilli les reflets du jour sur tous les replis de ta peau, la nuit me rendra ton corps et, les yeux fermés, je dessinerai tes doux contours dans ma chambre noire. » Malheureusement pour Coumba, arrive toujours le moment où l'on rouvre les yeux et la lumière balaie les ombres qui dansent si har-monieusement dans le noir.

Le Sahel, c'est un soleil impudique qui s'exhibe sans retenue et met en relief les plis soucieux qui s'accommodent mieux de la nuit. Coumba se moquait du matin et n'attendait rien du soir. Sa routine, c'était languir, encore et toujours. Il y avait les journées avec la famille : les chamailleries des enfants, les cousines à recevoir à l'improviste, les voisines qui rendaient ou empruntaient un ustensile de cuisine et s'éternisaient, prises dans le filet de causeries entamées les jours précédents. Tout cela remplissait des heures, étalait des sourires polis sur son visage et gommait momentanément la pénombre de ses cernes.

Mais il y avait aussi les heures sans le remue-ménage des enfants, des heures vierges de visite, où même les voisines les plus collantes restaient tapies au fond de leur lit. Ces heures muettes étaient les plus longues, les plus lourdes, les plus insoutenables. Couchée sans trouver le sommeil, elle finissait par se redresser, soupirait profondément, puis ajustait son oreiller. Derrière la moustiquaire on la devinait, adossée au mur, la joue au creux de la main. Où était-il ? Avec qui était-il ? Que faisait-il ? Quand reviendrait-il ? Et d'ailleurs, reviendrait-il un jour ? Lui, toujours lui et seulement lui. Elle ne pensait qu'à lui. Cela faisait longtemps que plus rien ne froissait ses draps, mais elle passait toutes ces nuits avec cet homme au bout du monde. Elle aurait voulu s'en dégoûter, le haïr, le maudire, s'en détacher, bref, l'oublier, comme sa première dent de lait. Seule, les soirs froids dans sa chambre, elle avait prié, pleuré, vitupéré, rien n'y faisait. Ni ses heures de travail multipliées à l'infini, ni la cour assidue de certains charognards ramasseurs de veuves n'avaient réussi à chasser Issa de son cœur meurtri. Elle était là, dévouée, combative et chaque jour que Dieu faisait, elle jurait fidélité à sa chambre vide. Un mauvais djinn soufflait parfois dans ses oreilles, lui disait que son corps avait besoin d'autre chose que du riz au poisson. Ce même djinn finissait par lui murmurer aussi que la fontaine de jouvence se tarirait et que ce jour-là elle regretterait amèrement d'avoir laissé filer bêtement le temps de l'ivresse. Mais ivre, elle l'était déjà, elle l'était tout le temps, d'un amour qui s'était instillé en elle comme un venin et lui tordait les boyaux le soir venant. Ivre, elle l'était surtout pendant ces quelques heures de semi-sommeil où son corps se livrait entièrement à l'absent. Ivre, elle l'était aussi, mais de colère, quand certains matins l'humidité de son entrejambe, qui ne concernait qu'elle, la confrontait à une frustration qu'elle s'obstinait à nier. Que pouvait-elle y faire ? Certes les annales de l'amour grouillent d'absents cocus, mais certains absents possèdent les femmes mieux qu'aucun amant présent. Ce sont ces rares princes du royaume de Cupidon qui ont la grâce d'imprimer un regard, un murmure, un souffle, un parfum, un toucher, un baiser dans la mémoire sensorielle d'une amoureuse, l'envoûtant ainsi à jamais. Dans la nasse, la carpe bâille et se débat, les pêcheurs passent, jettent leurs filets, mais ce qui est pris n'est plus à prendre ! Raz-de-marée d'amour ! La marée basse ne se décrète pas ! On flotte, on surnage dans les vagues bleues romantiques. N'écoutez plus les océanographes ! Il n'y a pas de marée basse, c'est le cœur ardent des amants qui assèche la mer. Leur désir agite un drapeau rouge puis s'embrase : sauvés de la noyade, les amoureux esseulés risquent de périr, consumés par les flammes de leur passion. Mauves, les eaux de l'amour, quand les tisonniers de l'absence éclairent cruellement la nuit bleue du blues. « Je t'ai désiré, je ne désire que toi », dit le corps ensorcelé qui a frémi et vu changer la couleur du monde sous une étreinte magique. La diète ne change rien au goût du miel. Hum, on recommence ! Mais quand ? Impatience. Toutes ses braises enfouies sous la peau ! Ciel, quelle récompense consolera de tous ces calvaires inavouables ? Et l'attente se fait réminiscence.

Dans sa cage virtuelle, Coumba se souvenait. La nuit, ferrée dans les bras de l'absent, elle se souvenait. Pour qui, pourquoi s'évaderait-elle d'une telle emprise ? Se remémorer de merveilleux moments, n'est-ce pas plus délectable qu'une étreinte furtive et médiocre ? Perdre pied, d'accord, mais vaut mieux les perdre entre les meilleurs bras. On peut toujours trouver un marin au port, se disait-elle, mais sur les eaux de l'amour, la qualité de la navigation dépend aussi du matériel à bord. On ne propulse pas une barque avec une rame cassée. Et quand on a déjà connu un bon rameur, on ne négocie pas ces choses-là. Elle avait eu le meilleur des pagayeurs, elle l'attendait. On s'étonnait de sa patience, elle savait qu'elle l'attendrait tout le temps qu'il faudrait. Non parce qu'elle le voulût, mais parce qu'elle ne pouvait faire autrement : tout en elle réclamait cet homme. Et lorsqu'il lui arrivait de traîner son regard sur un autre homme, ce n'était que pour repérer ce que son cher et tendre Issa avait de plus : il était ou plus beau ou plus grand ou plus musclé ou plus élégant ou tout cela à la fois. Jamais elle n'avait remarqué chez un autre homme quelque chose qui aurait pu scier le piédestal sur lequel elle tenait son aimé. Même les séducteurs patentés, boni-menteurs à plusieurs tours, ne la faisaient pas vaciller. Ils renonçaient à elle, dépités, mais respectueux devant sa résistance sans faille. Au fond, sous leurs apparences de joueurs invétérés, ils rêvaient tous d'une femme comme elle : son cœur était une forteresse et seul celui qui en détenait la clef pouvait y accéder. Issa, le veinard ! Dire qu'il avait eu le toupet de laisser une telle perle derrière lui ! Même en allant au bout du monde, qu'espérait-il trouver de mieux que cet amour-là ? Quelle est la quête de l'homme, puisqu'il sait abandonner ce qu'il a le plus ardemment convoité ?

Une après-midi, un émigré en vacances, venu d'Espagne, passa chez Bougna et Coumba. Il devait bientôt repartir et ne voulait pas quitter le village sans rendre une visite de courtoisie à cette famille amie. On l'accueillit comme on aurait aimé accueillir le fils absent. Dans la cour où tout le monde le salua bruyam-ment, on lui installa la meilleure chaise sur le perron. Coumba commença une longue séance de thé, durant laquelle chaque service fut suivi d'une distribution de gâteaux. « Mange, mange ! », ne cessait-on de répéter à l'invité. Et il buvait, mangeait, complimentait Coumba. Les questions fusaient, il souriait, répondait sans se faire prier : Oui, il avait vu Issa et Lamine. Oui, ils allaient bien. Oui, il avait encore de leurs nouvelles : quelque temps après leur arrivée, ils étaient partis pour Cadix, puis à Séville, mais l'herbe n'étant pas plus verte là-bas, ils étaient revenus frapper à sa porte, un soir, à Barcelone. Oui, il les avait hébergés un moment et puis… Comment dire ? Et puis… Et puis une voisine de Coumba débarqua à l'improviste, s'invita à la séance de thé et sauva l'invité. Le soleil avait perdu de son ardeur, la brise du soir commençait à souffler. Le vacancier, qui ne souriait plus, se leva, prétexta une autre visite et prit congé. Coumba le raccompagna jusqu'au seuil de la maison. À sa mine contrite, elle se dit qu'il taisait sûrement quelque chose de difficile à entendre. Elle maudit intérieurement sa voisine, qui était venue interrompre leur dialogue ; puis, cédant à sa curiosité, elle risqua une dernière question :

— Est-ce que tu crois qu'il va revenir bientôt ?

— Euh… sincèrement, je ne sais pas.

Il y eut un bref instant de silence. Chacun cherchait, en vain, où fixer son regard. À l'horizon, une bassine d'or rouge se déversait dans l'Atlantique. Des nuées d'oiseaux se dispersaient, dessinaient au firmament des tableaux à l'encre de Chine. Le soir déroulait déjà sa traîne de velours, estompait les dernières lueurs du jour et masquait opportunément les arabesques rouges qui cernaient les pupilles noires de Coumba. Elle ne pouvait figer ces billes sous son front, qui oscillaient de gauche à droite, entraînées par la course désorientée de ses pensées. Parce qu'elle s'efforçait de retenir les perles qui écarquillaient ses yeux, elle osait à peine battre des cils. Suspendre ses larmes, cela demande autant de force qu'il faut pour soulever un menhir. Préférant abréger l'épreuve avant d'en perdre le contrôle, Coumba inspira profondément, souhaita bon voyage à son visiteur et lui remit les deux noix de coco qu'elle tenait dans un sac plastique. L'homme esquissa un sourire gêné, la remercia abondamment et s'évanouit dans le crépuscule, emportant avec lui ce qu'il n'avait pas osé avouer. « L'hypocrite ! Son silence est pire qu'un mensonge », murmura Coumba, lorsqu'elle vit l'homme tourner à l'angle de la première rue.

Ce soir-là, Coumba se sentit plus nerveuse que d'habitude. Que lui cachait l'émigré de passage ? Une inquiétude sourde s'était emparée d'elle. Au milieu de la nuit, une idée lui vint à l'esprit : une lettre ! Puisque l'émigré qui allait bientôt repartir verrait Issa, elle lui confierait une lettre à lui remettre. Ses paroles seraient ainsi plus solennelles et elle pourrait lui dire des choses qu'elle n'avait jamais eu la force d'évoquer au téléphone.

Elle avait étudié jusqu'au lycée, Issa aussi. Ils étaient de ces enfants laissés en rade par l'école, après avoir échoué au bac. Leurs parents n'avaient pas eu les moyens de leur payer une école privée et aucune formation publique n'était venue les secourir. Ils étaient de ces enfants détournés de la vie paysanne et trop mal outillés pour escompter un destin de bureaucrate. Ne voyant aucun chemin susceptible de les mener vers un avenir rassurant, les garçons se jettent dans l'Atlantique, se ruent vers l'Europe, comme un chasseur perdu se jette dans les buissons, en quête d'une nouvelle piste. Les filles, quant à elles, s'accrochent à ces forcenés de l'exil qui les entraînent dans une dérive où l'utopie sert de socle aux sentiments. La scolarité éveille les filles et nourrit chez elles d'autres aspirations. Horripilées par la désastreuse condition de leur mère, sans pouvoir compter sur elles-mêmes, elles imaginent leur salut auprès de quelqu'un qui ose l'aventure, quelqu'un à qui elles offrent leur cœur en viatique. « Parce que je t'aime, tu seras fort et parce que tu seras fort, tu iras en Europe réussir pour nous. » Ainsi avait sans doute raisonné Coumba. Mais la longueur désespérante de l'attente l'amenait maintenant à douter. Ses sentiments n'avaient point varié, mais ceux d'Issa commençaient sérieusement à l'inquiéter, surtout depuis le passage de cet émigré, qui à l'évidence n'avait pas dit tout ce qu'il savait. Cette nuit-là, Coumba rédigea une lettre qu'elle alla remettre, tôt le matin, à celui qui aurait l'immense privilège de voir son mari. Épuisée, après plusieurs moutures, elle avait élagué son propos, choisissant des mots simples mais puisés au plus profond d'elle-même, pour s'en tenir à ces quelques lignes :

Issa
Verrai-je encore les traits de ton visage ?
Que deviens-tu ?
Me reviendras-tu ?
Nos coups de fil me renseignent si peu sur ta vie là-bas.
Tu dis toujours que ça va.
Mais comment ça va ?
Et si vraiment tout va bien pour toi
Pourquoi ne reviens-tu pas au pays ?
Notre enfant grandit
Moi, je maigris.
Chaque jour s'envole avec un peu de moi,
Sans toi, je m'étiole.
Tous ces jours sans nous !
Maintenant, j'ai peur : le temps et la distance entre nous,
Je sens qu'ils vont me détruire
Et te priver de celle que j'étais, à notre rencontre.
Si tu m'aimes, reviens me délivrer de l'attente.
Sinon, je vais devoir te quitter

Parce que je t'aime
Et je ne voudrais pas t'offrir, un jour, les ruines
de moi-même.

Quitter ? Bien sûr, dans ses moments de colère, Coumba se disait qu'elle ferait mieux de reprendre sa liberté. Mais elle savait qu'au village elle aurait eu toutes les peines du monde à faire valoir un tel choix. Ni sa famille ni celle d'Issa n'envisageaient une telle éventualité. D'ailleurs, elle-même était loin de se l'imaginer. Elle avait glissé le mot *quitter* dans sa missive comme un navire en perdition lance une fusée de détresse au milieu de l'océan. Cette exceptionnelle correspondance, c'était son SOS d'amour, dont elle attendait le meilleur. Elle inciterait peut-être Issa à se souvenir, la nostalgie le guiderait peut-être vers son port de départ. Les bons marins ramènent toujours leur prise à quai. « Qu'il revienne, avec le peu qu'il a, et même s'il n'a rien, qu'il revienne quand même », priait Coumba, tant elle se languissait. Aux temps de l'animisme, elle se serait rendue au bois sacré, aurait immolé ses modestes biens en offrande et conclu un pacte avec les esprits, pour hâter le retour de son tendre Issa. Elle aurait tout accepté, même de verser son sang ou de retrancher quelques années de sa propre vie, si de mauvais esprits exigeaient d'elle un tel gage pour exaucer son vœu. Mais ni dieu ni démon ne semblaient entendre sa supplique. Terrassée par l'impuissance, elle tâchait de se raisonner pour garder bon espoir.

XVIII

Si Coumba avait goûté un court moment aux joies du couple et ruminait ses souvenirs, Daba, elle, n'avait connu qu'une chambre vide. Dans son domicile conjugal, elle se demandait encore, comme toutes les pucelles, quel est le secret caché dans les bras des hommes. Elle avait vite trouvé ses repères dans la demeure d'Arame, qui faisait tout son possible pour la mettre à l'aise. Elle avait la rare chance d'être accueillie par une douce belle-mère qui l'aimait sincèrement. À la surprise générale, Koromâk lui manifestait du respect et lui épargnait ses colères. Daba aurait même pu dire que tout allait bien, s'il n'y avait pas cette terrible tristesse qui l'étreignait le soir et le manque d'argent qui la privait de choses élémentaires. Elle, si coquette, devait parfois attendre des mois avant de pouvoir se procurer des effets de toilette. Elle assumait parfaitement les tâches ménagères à la place d'Arame et semblait même éprouver un certain plaisir à jouer les maîtresses de maison. Son rôle ne l'irritait que lorsque des courses trop maigres l'obligeaient à mijoter des plats dépourvus de fantaisie. Elle jonglait, tentait l'impossible, essayait de servir des repas convenables pour sauver sa réputation culinaire.

Consciente de sa bonne volonté et désolée de ne pouvoir rien lui offrir de mieux, Arame ne manquait jamais de l'encenser :

— Merci, ma fille, tu arrives toujours à nous régaler avec si peu de chose. Quand ton mari reviendra et qu'il t'allouera des ressources suffisantes, je suis sûre que tu nous prépareras des festins.

Ces félicitations, Arame les débitait d'une voix douce comme une consolation. Alléger le cœur de cette mariée sans mari, la rassurer, rendre son époux présent dans son esprit, c'était un devoir que la belle-mère s'était assigné. Daba s'en était bien rendu compte et ne lui disait rien quand Ansou, bon prince, lui envoyait du poisson. Une bru ne peut tout confier à sa belle-mère, celle-ci pourrait se montrer jalouse par procuration.

Ansou n'avait pas tout à fait digéré sa déception mais, convaincu qu'il n'avait pu être détrôné par le seul Lamine, il en voulait surtout aux parents de Daba auxquels il reprochait leur cupidité. Avec le recul, il avait mesuré combien la pression avait dû être forte sur la jeune fille et cela le remplissait de tendresse à son égard. Certain qu'ils partageaient un même drame, il l'en aimait encore davantage. À ses yeux, le mariage de Daba et Lamine n'était qu'une mauvaise épreuve à traverser, avant de prochaines retrouvailles. Au fait de la situation précaire dans laquelle vivotait la famille d'Arame, Ansou trouvait des astuces pour aider Daba. Il se servait de leurs amitiés communes pour lui faire parvenir divers cadeaux : le poisson, bien sûr, mais aussi du sucre, du lait, du savon, des laits hydratants, des parfums et même, parfois, quelques billets. À chaque livraison, le messager ou la messagère transmettait également une demande de rendez-vous, que Daba déclinait sagement. « Aller voir Ansou ? Mais enfin, que diraient les gens ? » Non, même si elle le désirait, elle ne le pouvait pas. Ils étaient observés par tous. Elle donnait toujours cette réponse argumentée, jamais un refus catégorique assumé. Ansou patientait, présumant que son jour viendrait, avec le temps. Ils ne s'étaient jamais dit qu'ils arrêtaient, qu'ils ne s'aimaient plus, tout s'était décidé rapidement et nul n'avait sollicité leur avis ; c'est pourquoi Ansou était persuadé qu'un jour leurs souvenirs, leur amour réciproque les réuniraient à nouveau. Et pour cela, il était prêt à attendre le temps qu'il faudrait.

Daba semblait plus fataliste et rien n'indiquait chez elle le dessein de quitter les rails que d'autres avaient tracés pour elle. « C'est le destin », disait-elle à ses copines, lorsqu'elles lui reprochaient à demi-mot de s'être accommodée à la situation du fait de la position récemment gagnée par Lamine. « Il était là quand tu t'es fiancée à Ansou, aurais-tu accepté de l'épouser, s'il n'était pas parti en Espagne ? », l'asticotait la plus véhémente d'entre elles. Daba ne rentrait jamais dans un tel débat. Même si personne ne pouvait le lui faire avouer, elle avait flairé dans cette union avec Lamine l'occasion d'une rapide ascension sociale. Il est vrai que sa mère avait murmuré à son oreille, mais elle n'eut pas besoin de la pousser trop vivement. Daba avait toujours eu de l'amitié pour Lamine, elle s'était donc vite ralliée à l'analyse maternelle et espérait voir ses sentiments évoluer en même temps que sa condition sociale. « Une femme finit toujours par aimer celui qui lui apporte gloire et richesse », la tançaient les camarades d'Ansou. Daba ne prêtait aucune attention à ces piques, puisque le malheureux que les médisants croyaient ainsi venger ne lui en voulait pas outre mesure ; mieux, il la chérissait encore. S'il lui survenait un accès de culpabilité, elle se dépêchait de juguler ses émotions. Au fond d'elle, elle était certaine que le jour où elle flancherait, elle se retrouverait dans les bras d'Ansou et ça, elle voulait l'éviter à tout prix. Elle se crut sauvée le jour où Arame, ne sachant plus où trouver de quoi subvenir aux besoins de sa maisonnée, la convoqua pour lui dire :

— Ma fille, les temps sont durs et les mandats de Lamine se font rares. Assurer les vivres reste un combat permanent. Je sais que tu as d'autres envies mais, malheureusement, je n'ai pas de quoi t'offrir toutes ces choses qui ravissent les jeunes femmes de ton âge. Ta garde-robe ne se renouvelle pas depuis que tu es ici. Cela m'attriste que tu te prives de tout. Je te propose donc d'aller passer quelques mois à Dakar, où tu pourras trouver un emploi. Tu logeras chez l'oncle qui t'hébergeait à l'époque où tu y travaillais. De toute façon, c'est aussi mon cousin, je le connais, c'est un homme bien en qui j'ai entière confiance.

Daba accepta la suggestion. Elle était ravie. Après son mariage, elle était restée coincée au village et, même si elle n'avait jamais osé s'en ouvrir à personne, la ville lui manquait. Elle y avait passé toutes les saisons sèches depuis qu'elle avait quitté l'école et se sentait presque citadine. La proposition inespérée de sa belle-mère lui offrait l'occasion d'une double évasion :

s'échapper un peu de la routine morose de l'île et s'éloigner de la tentation que représentait Ansou. Elle prévint sa mère, qui lui demanda si son mari était d'accord. Daba présuma que oui, car elle était sûre que la mère s'était entendue avec son fils avant de prendre une telle initiative. L'esprit tranquille, elle hâta ses préparatifs. Le linge lavé, repassé, elle prit quelques jours pour amasser des produits de l'île, cadeaux destinés à amadouer ses futurs hôtes, qui ne comptaient plus les intrusions dans leur vie. Daba allait trouver chez eux une noria de jeunes filles du village qui travaillaient comme domestiques dans les quartiers huppés de la capitale et rentraient, chaque soir, s'entasser chez ce ressortissant de l'île au nom de vagues liens de parenté. Grâce à sa mère et à sa belle-mère, Daba réunit beaucoup de noix de coco et remplit un vieux sac de fruits de mer séchés. Avec un tel présent, l'humeur de la maîtresse de maison lui serait favorable, songea-t-elle, en soupesant ses bagages. Soucieuse d'éviter les erreurs d'interprétation, elle préféra ne pas avertir Ansou. Mais elle n'avait pas prévu que le jour de son départ, c'était la pirogue d'Ansou qui devait assurer la traversée des passagers vers Djifère, selon la règle de rotation en vigueur chez les piroguiers de l'île. Celle qui croyait filer en douce eut la chance de ne pas payer son ticket, mais dut répondre aux questions pressantes d'Ansou auquel elle finit par avouer sa destination.

Après le départ de Daba, Arame se retrouva seule dans sa maison, comme auparavant, avec son geignard de mari et ses petits-enfants. Regard éteint, sourire façon rage de dents : elle se sentait mal. Lamine lui manquait plus que jamais et plus sa solitude lui pesait, plus elle pensait à lui. Elle regrettait d'avoir fomenté ce projet insensé qui la rendait maintenant si malheureuse. Soif ! La quête d'une source peut, parfois, pousser l'humain dans le gouffre. Le rêve n'est pas une solution, pire, sa persistance transforme les envies en supplices. Soif ! Mais que d'amertume ! Les tas de sel derrière le village racontaient tous une histoire d'eau, une eau qui n'abreuvait que les palétuviers. Le gosier en feu, on peut se déshydrater devant une immensité liquide. L'eau n'est pas toujours de l'eau. Tous les insulaires le savent. Au flanc du village, l'océan s'étalait et ne changeait rien à la soif. Tout était désespérément sec. L'ardeur du soleil suscitait un besoin d'air qui maintenait les lèvres ouvertes. Et les bêtes et les humains exhalaient leur peine. Soif ! Parce qu'elle avait soif d'une vie meilleure, Arame avait rempli, elle-même, son propre calice. La réussite que Bougna lui avait tant fait miroiter pour la convaincre de laisser partir son fils restait un rêve. Un rêve qui se muait, peu à peu, en châtiment. Certes, on flagelle, on se flagelle, mais les plus cruels fouets sont toujours invisibles. Secrètes, les grandes défaites de l'humain ont la conscience pour arène. Du matin au soir, du soir au matin, Arame se sentait mal, parce qu'elle avait tout fait pour marier Lamine et ramener Daba au logis. Avec une assurance qu'elle ne se connaissait pas jusqu'alors, elle avait détruit l'embryon de couple que formaient Ansou et Daba, persuadée que son fils avait mieux à offrir à la jeune fille ; et voilà qu'elle en était réduite à la pousser dehors, par manque de ressources. Abattue, elle se demandait ce que Daba pouvait bien penser d'elle.

Elle était également honteuse vis-à-vis de la famille de la jeune fille, qu'elle esquivait désormais. Si Lamine ne revenait pas avec une réussite éclatante, elle passerait pour celle qui aurait sacrifié la vie de leur fille à des chimères ! Si Daba devenait aussi malheureuse qu'elle, elle ne se le pardonnerait jamais ! Et si, et si... Et si Arame avait pu faire du soleil un pendentif, elle aurait moins redouté ce tunnel d'incertitudes qui n'en finissait pas de s'allonger. Seulement, il n'en était rien, le couvercle obstinément posé sur l'avenir de sa famille l'aveuglait. Quelque direction qu'elle envisageât, sa pensée se heurtait aux obstacles et tournait en rond. Telle une brebis au piquet, Arame s'agitait, chassait les moucherons et piétinait la même boue. Sur l'île, on s'abîme tous les pieds à patauger dans la même saumure du destin. Et comme tous pansaient les mêmes plaies, Arame n'avait personne chez qui aller pleurer. Retranchée chez elle, elle ruminait, culpabilisait, s'inquiétait d'un futur aux contours incertains. Et si Lamine ne revenait pas du tout ? Lorsqu'elle se remémorait les derniers jours qu'ils avaient passés ensemble et la révélation qu'elle lui avait faite, une sueur froide longeait son échine. Elle avait tellement de choses à lui expliquer encore pour étayer son aveu et regagner sa confiance. Accès d'adrénaline ou tentatives de dérobade à sa léthargie ? Parfois, saisie d'une soudaine agitation, Arame balayait, épousetait, lavait, rangeait tout ce qui pouvait l'être, mais ses centaines d'heures de ménage ne parvenaient pas à mettre de l'ordre dans le bazar de sa tête. Il gisait, sous son crâne, quantité de blocs de boue qu'aucune veinette ne pouvait lustrer. Éreintée, elle s'allongeait sous son manguier ou s'asseyait sur une chaise pliante en écoutant de la kora. Elle se vautrait dans la musique, comme on plonge sous une trappe pour semer une meute de loups. Lorsqu'un proche de passage la surprenait, elle éteignait aussitôt l'appareil, soulagée de ne plus être seule dans le noir. Malheureusement, ces répits ne lui apportaient pas souvent la récréation escomptée, les sujets dont elle souhaitait se distraire étant trop présents à son esprit pour ne pas alourdir ses conversations.

L'émigré en vacances était passé la saluer, lorsqu'il avait quitté la famille de Bougna. Courtois et consciencieux, il ne s'autorisait pas un retour en Espagne avant d'avoir accompli ses figures imposées. Comment aurait-il osé donner à Lamine des nouvelles fraîches du pays, sans avoir vu sa mère ?

Et comme Lamine n'était pas seul à attendre son compte rendu, il avait passé ses vacances à sillonner le village. Fatigué par une journée de salamalecs, il souhaitait écourter sa visite, mais ne put se soustraire aux sempiternelles questions. Partout, on l'avait soumis au même interrogatoire. Les mères d'émigrés semblaient avoir répété ensemble la même pièce et lui, mauvais comédien, était tenu de leur donner la réplique. Comme Bougna et beaucoup d'autres mères avant elle, Arame le scruta, le sonda, le consulta, s'inquiétant pour son fils, ensuite pour tous ses compagnons d'aventure.

— Ils ont dû tellement souffrir ! gémit Arame. Dans quel état sont-ils arrivés là-bas, après ce voyage au long cours ?

— Ils ont moins souffert que d'autres, tout s'est bien passé…

L'homme minimisa les épreuves de la traversée, pour la rassurer. Même si les limiers espagnols voyaient d'un très mauvais œil ces esquifs bourrés de zombies qui s'échouaient sans arrêt sur leurs côtes, la Croix-Rouge veillait.

— Ont-ils été bien accueillis ? insista Arame.

— Oui, ils ont été pris en charge, ils ont reçu des soins…

Il n'est pas toujours facile d'être dans la position de celui qui sait. Le vacancier était venu souffler au pays, s'aérer la tête et oublier, un temps, les contingences de l'exil. Évoquer des choses pénibles aurait bouleversé Arame et l'aurait immanquablement plongé, lui, dans la douleur inhérente à l'empathie. Il préféra édulcorer son récit, évitant certains détails pénibles qui auraient esquinté le cœur de cette mère. Soigneusement choisies, ses paroles tombaient, douces et vivifiantes ; à les entendre, Arame se ranimait comme une fleur sous la rosée du matin. Seuls ceux qui connaissent l'itinéraire pavé d'embûches des émigrants auraient pu remplir les nombreux blancs laissés par la délicatesse du conteur. « Tout s'est bien passé ! » Et Arame, qui buvait ses paroles, se détendit, presque apaisée. La berlue, c'est parfois un mot à la place d'un autre. L'homme s'était retenu d'ajouter : « Autant que le permettait un tel contexte. »

De fait, l'équipage de Lamine et Issa avait reçu le même traitement que tous les aventuriers qui accostent là-bas. Derrière les grilles de Ceuta et Melilla bat un cœur que l'Europe économique voudrait anesthésier. Mais, répondant avant tout aux consignes humanistes, les militants de diverses associations accourent, soignent, nourrissent, encadrent et consolent les enfants de la misère qui viennent se briser les ailes contre la vitrine européenne, comme des oiseaux happés dans les lames d'une girouette. Les lois contre l'immigration changent en permanence, tels des pièges sans cesse repositionnés afin de ne laisser aucune chance au gibier. Ainsi, dans cette chasse qui ne dit pas son nom, le chemin de la veille devient le guet-apens du lendemain, quand la mauvaise foi des politiques légitime tous les appâts. Mais que faire, quand, inconsciente ou suicidaire, la proie se montre aussi entêtée que le chasseur ? « Barcelone ou Barsakh ! » répètent hardiment les malheureux, prêts à jouer leur vie à la roulette russe. Les âmes sensibles se démènent, soucieuses du salut des infortunés : on s'agite, on râle, on s'époumone, on s'épuise en alerte. Affamés, les louveteaux mordent à tout, même au chiffon rouge. Qu'ils mordent donc ! S'ils ne se cassent pas les dents, ils finiront par comprendre que tout ce qui est rouge n'est pas viande.

— Où habitent-ils ? Lamine et Issa ont-ils pu se loger convenablement ? s'enquit Arame.

— Oui, oui. Euh… ils ont quitté la zone de rétention… Enfin, discrètement. Après, ils sont partis à Cadiz, puis à Séville… Mais ils sont revenus à Barcelone… Ils ont habité un moment chez moi, ensuite ils ont déménagé… Ils habitent maintenant près de chez moi.

Il s'arrêta net, le regard au sol. Voyant le silence se poser sur leur conversation, tel un hibou sur la branche, Arame s'agita. C'était dans sa nature de transformer ses malaises en mouvements.

— Attendez, dit-elle, j'ai quelque chose qui doit bien vous manquer là-bas...

Elle s'excusa, se rendit dans la cuisine et revint avec un plateau de petits gâteaux à la noix de coco, qu'elle servit accompagnés d'un jus de bissap. L'homme apprécia, en fin connaisseur, dégusta, sans vraiment lâcher la bride à sa gourmandise. Mais comme sa mère lui avait appris qu'on ne parle pas la bouche pleine, pendant que ses mâchoires dansaient délicatement, ses yeux s'accrochaient à son verre bientôt vide. Au moment où il jeta un discret coup d'œil à sa montre, Arame lui demanda :

— Tu crois qu'ils vont revenir bientôt ?

Le jeune homme, qui avait l'esprit ailleurs, sursauta légèrement et sourit à Arame ; elle lui resservit du bissap et répéta :

— Nos petits, tu crois qu'ils vont revenir bientôt ?

— Je pense qu'ils viendront dès qu'ils auront des papiers en règle.

— Depuis toutes ces années, ils n'en ont toujours pas ?

— Non, ils s'en occupent encore.

— Et s'ils n'y arrivent pas, tu crois que Sakoussy va les renvoyer ? On dit qu'il a déjà renvoyé beaucoup des nôtres !

— Non, enfin, je veux dire que lui, c'est en France, pas en Espagne. Cela dit, il a tellement démarché tous ses homologues que...

— Qu'ils sont maintenant tous d'accord pour renvoyer nos petits ?

— Malheureusement, oui.

Il y eut encore un petit moment de silence, interrompu cette fois par une quinte de toux du vieux malade, qui écoutait la conversation depuis le perron. Le muezzin appela à la prière du soir. Le visiteur se leva, alla serrer la main du patriarche, pour lui dire au revoir. Avant de raccompagner le vacancier jusqu'au portail, Arame lui offrit une énorme pastèque, qu'elle avait ramenée de son jardin le jour même. Elle projetait d'aller la vendre le lendemain, devant la boutique d'Abdou ou dans la rue centrale du village qui servait de marché chaque matin. Mais elle ne regretta pas son geste ; avant de la quitter, son visiteur lui avait donné un gros billet, qui représentait beaucoup plus que ne valaient toutes les pastèques de son jardin. Ce qu'Arame regrettait, c'était les pointillés dans le discours du jeune homme, elle sentait bien qu'ils ne relevaient pas tous du respect ou de la timidité. À l'instar de Coumba, Arame se demandait, elle aussi, ce que le vacancier n'avait osé ou voulu dire. Elle se promit d'en conférer avec Bougna : avec ses manières de sourcier, celle-ci avait peut-être réussi à confesser le bonhomme.

XIX

À la première occasion, les deux amies se firent un compte rendu réciproque de leur entrevue avec le *venu d'Espagne* avant de se rendre à l'évidence : aucune n'en avait appris davantage que l'autre. D'ailleurs, aux mères, aux épouses et à tous ceux qui l'avaient interrogé sur leur proche, il avait délivré ce même récit, trop sommaire pour être honnête. Et si, de prime abord, tous avaient été ravis à l'idée d'obtenir des informations de sa part, tous maintenant doutaient de lui. Il l'avait compris, étant assez fin pour surprendre l'ombre de la frustration sur le visage de ses interlocuteurs, mais cela ne déplaça point les limites qu'il s'était fixées en arrivant au village.

Comment aurait-il pu avouer à Coumba, Bougna et Arame qu'à leur retour à Barcelone, Issa et Lamine avaient d'abord erré, squatté et, las d'errer, s'étaient incrustés chez lui ? Il les avait généreusement hébergés, certes, mais, comme il vivait, lui, chez Blanca, sa petite amie espagnole, la solidarité traditionnelle s'était vite heurtée aux bornes de la réalité. Prétextant la gêne, tout occidentale, de sa chérie, il les avait gentiment poussés vers la porte, mais non sans dotation. Bon frère, il leur avait glissé quelques munitions pour affronter la rude réalité des villes européennes. Un soir, alors qu'ils prenaient un thé sénégalais après avoir dégusté une délicieuse paëlla, il profita de la bonne ambiance et du retrait de Blanca, qui était allée se coucher, pour leur parler :

— Les gars, vous avez certainement remarqué la tête que nous fait Blanca ces jours-ci : elle trouve que l'appartement n'est pas assez grand pour… pour euh… Et puis, je suis désolé, mais la grande famille, tout ça… ce n'est pas son mode de vie, quoi. Enfin, vous me comprenez, il va falloir trouver une solution. Sans papiers, vous n'aurez pas d'emploi déclaré et sans emploi déclaré, vous ne pourrez jamais prendre un logement dans ce pays. Alors, soyez malins : éviter les flics, bossez au noir pour la gamelle, continuez à vous battre pour la paperasse, mais si vous le pouvez, trouvez-vous des copines pour vous héberger. Attention, vos nanas au village, chut ! Ici, elles ne partagent pas, disons pas ouvertement. Mais avec elles, surtout si vous réussissez à leur passer la bague au doigt, vous serez sauvés… Moi, c'est Blanca qui m'a tiré d'affaire…

Issa et Lamine basculèrent alors dans les sordides coulisses d'un théâtre qu'ils avaient rêvé magnifique. Depuis qu'ils fréquentaient ce couple, ils n'avaient songé qu'à la beauté d'une rencontre fortuite, la minute idéale où deux cœurs purs, poussés par la main du destin, se jettent à l'eau et voguent ensemble dans la barque de l'amour. Pour s'expliquer les baisers qui ponctuaient les discussions de ce couple mixte, les nouveaux venus s'étaient imaginé une passion irrésistible et partagée. Maintenant, deux questions se disputaient leur esprit : Blanca était-elle amoureuse ? Savait-elle ce qui avait poussé cet homme dans ses bras ? Mais ils n'osaient interroger l'intéressée et, de toute façon, une énigme, encore plus coriace, requérait leur attention. Comment trouver un toit au plus vite ? Face à la difficulté de leur situation, les garçons ne dédaignaient aucun conseil. Et pour étrange qu'il fût, celui de leur hôte leur parut plus que sagace. Beaux gosses, aucun d'eux n'avait jamais pensé à la valeur de son regard, de son sourire, de ses pectoraux. Ils avaient l'habitude de soigner leur apparence, mais n'avaient jamais usé de leur corps comme d'un appât. Pourtant, une fois leur objectif fixé, ils se mirent à cultiver toutes les attitudes qui les rendaient naturellement séduisants. Désormais, en tous lieux et en toutes occasions, ils bombaient le torse et promenaient une apparente bonne humeur, comme on déplace sa canne à pêche. Ils constatèrent très vite que les clichés colportés à travers l'Europe depuis des siècles, au sujet de la virilité noire, les rendaient irrésistibles auprès de la gent féminine. Multiplier les conquêtes devint leur sport favori, le dérivatif qui les protégeait de la rue et du mortel blues de l'exil. Parfois, une vieille Espagnole leur offrait le gîte et le couvert, par compassion ou en échange de quelques massages, aussi exotiques que le shiatsu, mais qui allaient largement au-delà. Venus d'une culture où l'homme est toujours plus âgé que son épouse, ils avaient perdu leurs tabous en même temps que leurs papiers. En regard de certaines de leurs amantes, leur propre mère eût passé pour une jeune fille. Au fil du temps, se réveiller à poil dans le lit d'une dame à dater au carbone quatorze ne les effrayait plus. Ils surpassaient allègrement le grand frère qui leur avait appris à transformer leur patrimoine génétique en fonds de commerce. Lui, au moins, n'avait que dix ans à gravir pour atteindre la couche de Blanca, dont il avait fini par être sincèrement amoureux. Maintenant que ses élèves pêchaient les cœurs au filet épervier et se comportaient en véritables mercenaires des sentiments, comment pouvait-il faire un récit fidèle à leur mère ou épouse ? En vacances au village, il était condamné à se censurer. Petit, on lui avait bien expliqué que les sages ne rapportent pas tout ce qu'ils ont vu en forêt. Et puis, si les marins se mettaient à décrire toutes les péripéties de leur navigation, ils n'auraient plus ni le temps ni le courage de retourner en mer.

Lorsque Lamine et Issa retrouvaient le grand frère, ils lui racontaient leurs aventures et, dès que celui-ci haussait le sourcil, ils se bricolaient une philosophie de circonstance : la vraie consolation de l'expatrié, ce n'est ni l'emploi ni la richesse, mais l'étreinte d'une femme !

La jouissance, c'est le feu d'artifice où les exilés incinèrent les immenses douleurs amassées en chemin. Et dans le murmure de l'amante comblée, l'enfant en eux perçoit la douce et chaste berceuse d'une mère. C'est à cet instant, où les caresses font oublier les plaies jadis dévorantes, que le retour cesse d'être une évidence, parce qu'il promet une nouvelle déchirure. Entre partir et revenir, on panse, on cautérise, on profite de la vie comme on savoure le répit d'une rémission. On fait semblant d'être bien-portant, manière délicate de rassurer ceux qui accueillent comme ceux qui attendent à demeure. Les uns et les autres proposent leur présence, comme remède idéal quand, ballotté, le cœur errant déjoue toutes velléités d'emprise.

Parce qu'ils pensaient encore à leur chère mère, à leur tendre épouse, à leur beau pays, Issa et Lamine se méfiaient des lassos qui menaçaient de les enserrer, surtout lorsqu'ils sortaient avec des femmes encore jeunes. *Mi amor, te quiero* : ils gloussaient, posaient leurs valises pour un moment. *Te quiero, quiero un niño* : là, ils prenaient la poudre d'escampette, sans trop s'expliquer. La dulcinée, croyant prouver l'intensité de son amour en réclamant un enfant, sonnait le glas de l'idylle. Issa et Lamine passaient d'une amourette à l'autre, se volatilisaient dès que les sentiments menaçaient de les ligoter au pied du lit d'une belle Espagnole. Mais, parfois, le mystère d'une élégante les ensorcelait, les enlaçait dans la douce tyrannie d'un lien que ruptures et réconciliations ne faisaient que renforcer. Hypnotisés, ils s'abandonnaient et la relation durait assez pour que l'Espagnole se dise fiancée à un beau Sénégalais. Assez pour qu'elle s'approprie l'injuste sort de son aimé et se jette, à corps perdu, dans la bataille pour les papiers. À ce stade, la vie devenait supportable, agréable même aux aventuriers. Ainsi entourés, ils feignaient la sincérité d'un amour réciproque et se délivraient pour un temps de la pensée lancinante de leur terre natale. Une terre qu'ils se retenaient d'évoquer, pour ménager la susceptibilité de leur bienfaitrice. Car les autochtones qui aiment les étrangers ne redoutent rien de plus que l'appel du pays. Aussi Blanca s'abîmait-elle dans la tristesse chaque fois que son homme partait au pays, et son angoisse était plus que justifiée, car là-bas, une légitime épouse et tout un clan rêvaient de le retenir.

Tiraillé entre deux rives, le destin de l'immigré l'inscrit toujours dans un double désir : ceux qu'il a laissés souhaitent le revoir ; ceux qu'il rencontre tentent de le garder. Aux deux extrémités de son itinéraire persiste la frustration d'une emprise contrariée, dont il profite et souffre à la fois, car cet amour empêché devient inévitablement excessif : il vire à l'acrimonie pour ceux qui peinent à cerner le nouveau venu et tourne en dévotion pour les autres restés au pays, dont le souvenir magnifie celui qu'ils attendent désespérément. Habitué à ce grand écart entre les deux continents, le vacancier se donnait pour mission de rassurer les parents de tous les natifs du village qu'il avait vus en Espagne. Mais Arame, Bougna, Coumba et les autres ne savaient à quel point leurs questions l'avaient remué. Ses moments de silence, qu'elles avaient attribués à sa supposée timidité, contenaient tout autre chose. Des douleurs qui sédimentaient mal lui remontaient maintenant à la gorge et chargeaient la dernière tranche de son séjour d'amertume.

En longeant les ruelles du village, après chaque visite, il se rappelait tout ce qu'il avait entendu et vu à la télévision. Comme tous ceux de sa condition en Europe, il avait suivi attentivement tous les débats sur l'immigration. Il avait tiqué sur des mots, bloqué sur certaines expressions qui lui hérissaient le poil. Puis il avait passé de longues soirées à s'insurger, à refaire le monde avec ses camarades. Quand l'hiver faisait regretter aux Sahéliens les chaudes caresses de l'harmattan, ils se regroupaient chez lui, prolongeaient les séances de thé et les débats rebondissaient. « L'immigration choisie », même les analphabètes parmi eux avaient leur idée sur la question : les immigrés, cheptel de l'Occident ! disaient-ils, une idée qu'un honnête énarque ne pouvait contredire. Et quand, à la télé, les barons de l'extrême droite éructaient, pestaient, tempêtaient, pêle-mêle contre les immigrés, les banlieues et les aides sociales supposées engraisser les étrangers, le petit groupe, qui ne comptait pas d'analyste politique parmi ses membres, n'était pas pour autant à court de répliques. Ils se référaient tous à leur situation réelle et à la sagesse de leur village pour évaluer leur place sur l'échiquier de l'économie mondiale.

Ces hordes d'affamés qui arrivent en rafiot, si l'Europe de Schengen, avec ses navires de guerre, ses radars et ses avions de chasse les laisse fouler son sol, c'est qu'elle en tire parti : plus ils sont nombreux, plus il est aisé de les asservir. On reconnaît la fortune du Peuhl au nombre de ses bêtes ! Son avenir et celui des siens, l'éleveur l'envisage en évaluant son troupeau. Pour le marché comme pour l'abattoir, il trie, choisit, sélectionne d'un regard affûté. Et s'il nourrit ses bêtes, se préoccupe de leur enclos, ce n'est guère par souci de leur bien-être, mais bien parce qu'il ménage les mamelles destinées à étancher sa propre soif. On a toujours besoin d'une bonne monture, quand ses propres jambes ne suffisent pas à rallier la destination désirée. Don Quichotte ne serait rien sans l'âne de Sancho Pança ! On nous bassine avec l'aide à l'Afrique. Mais même si le tas de foin mis à sa disposition impressionne, ce n'est pas la monture qui compte mais la satisfaction de celui qui trouve intérêt à la bichonner. Louer l'attention que le peuhl accorde à son bétail ou s'en étonner, c'est perdre de vue les intérêts qui motivent chacun de ses actes. L'amour qui mène à l'abattoir se trompe de nom. Comme l'éleveur, qui décide lesquelles de ses bêtes vont survivre ou mourir, celui qui applique le mot « choix » aux êtres humains ne peut nier l'existence d'une motivation secrète expliquant sa démarche. Alors, quand on entend « immigration choisie », on ne peut que se demander : qui choisit qui, comment et pour quoi faire ?

Répondre à ces questions, même partiellement, c'est jeter une lumière crue sur les rapports Nord/Sud de notre époque. L'Occident réorganise son emprise impérialiste qui ne s'est jamais desserrée sur l'Afrique. *Immigration choisie* pour la guerre ! Pauvres tirailleurs, choisis pour la mort. *Immigration choisie* pour l'industrialisation ! Seules les mines et les usines se souviennent encore des étrangers venus porter l'Europe sur leurs échines, pour la sortir de sa misère d'après-guerre. *Immigration choisie*, aujourd'hui, pour les besoins d'une main-d'œuvre compétente et peu coûteuse, d'où ce tri sélectif parmi les nécessiteux, priés d'arriver avec la qualification requise ou de déguerpir. Le rejet est criant : une fois le gâteau constitué, les humbles, les pas rentables qui n'ont que leur faim à faire valoir sont sommés de quitter la table occidentale. Et les jeunes africains, poussés par leur détresse et l'inaptitude des gouvernants censés leur tracer un avenir, affluent, inconscients de ce qui les attend et résignés à leur nouveau statut de cheptel de l'Occident. On nous endort à coups d'aide humanitaire ; se réveiller, c'est réaliser que l'Occident n'a pas intérêt à ce que l'Afrique se développe, car il perdrait alors son vivier de main-d'œuvre facile. D'autre part, si elle veut garder son poids face aux États-Unis et à la Chine, l'Europe a besoin d'une Afrique vassalisée. Si, géographiquement et économiquement, les pays africains pèsent peu, à la table des négociations internationales, leurs voix permettent à l'Europe de garder la main dans la partie d'échecs mondiale. Les pays européens ont donc intérêt à maintenir l'Afrique tout juste en état de fonctionnement, assez pour rendre disponibles ses matières premières et ses jeunes forcenés de l'immigration, si nécessaires à la survie d'un continent vieillissant à la démographie moribonde.

Dans leur minuscule taudis en Espagne, Issa et Lamine savaient à quoi s'en tenir, mais ne voyaient pas comment sortir du rouleau compresseur de la politique internationale, qui se souciait peu de leur devenir. Alors ils se révoltaient, rêvaient de résistance. Devraient entrer en résistance tous ceux qui sont d'accord pour dire qu'il n'est pas éthique de vider l'Afrique de sa force humaine. Que l'Europe, avec ses cyniques accords de partenariat, fasse de l'Afrique sa bétaillère de réserve n'est pas acceptable ! Et même si, gouvernée par l'économie, la politique se soucie peu de morale, nul n'a le droit de considérer un peuple comme un cheptel exploité au bénéfice d'un autre. L'aide humanitaire ne rachètera jamais la conscience de l'Occident. Aider quelqu'un, c'est l'aider à ne plus avoir besoin de vous. Entre un passé mal soldé et un présent abandonné aux illusionnistes, l'Afrique et l'Europe sont comme deux enfants devant un miroir déformant. Au lieu de se regarder et de se reconnaître pleinement, elles persistent dans leur jeu de dupes et comptent sur des reflets mensongers pour dessiner leur avenir commun.

Maintenant que leurs fils se débattaient dans une nasse plus vaste que leurs désirs, Arame et Bougna mesuraient l'immensité de leur erreur : rien ne se passait comme prévu. De son côté, Bougna aussi dépérissait.

Pendant qu'Issa, en Espagne, incarnait de moins en moins son espoir, les enfants de sa coépouse, eux, s'en sortaient de mieux en mieux, exacerbant sa jalousie. Le fils aîné avait maintenant plusieurs enfants et passait toutes ses vacances auprès de sa femme au village, ce qui faisait le bonheur de sa mère et lui assurait le respect de son père. Fonctionnaire dévoué, il avait obtenu des promotions successives qu'il était venu fêter en famille. Ses deux frères, qui avaient bénéficié de bourses d'études, étaient revenus surdiplômés de l'étranger et travaillaient maintenant à la capitale où on les disait très bien lotis. Bougna aurait pu s'incliner, vaincue par l'injuste distribution des faveurs du sort, mais l'arrivée d'une troisième épouse dans son ménage porta sa détresse à son paroxysme. Quand on se croit mort, c'est qu'on n'est pas encore mort ! Nanti des largesses de ses fils, Wagane, le mari de Bougna, retrouva un peu d'éclat et s'enticha d'une jeune veuve qu'il s'empressa d'épouser. La dame serait mieux assortie à l'un de ses fils, mais elle était trop pauvre pour dédaigner le soutien d'un papy prêt à tout pour elle. Déjà incapable de rivaliser avec la première épouse, Bougna, vieillissante, vécut ces épousailles comme l'ultime outrage. En d'autres temps, elle aurait plié bagage et quitté le village en criant au déshonneur. Mais où pouvait-elle aller avec sa nombreuse marmaille ? Et de quoi vivrait-elle ? Elle, ses enfants, sa bru et son petit-fils dépendaient tous du ravitaillement qu'apportaient les fils de la première épouse. Issa n'appelait pas souvent et ses petits mandats étaient trop rares pour combler leurs besoins. Revenue de l'euphorie du microcrédit, stressée par les versements mensuels qu'elle peinait à respecter, Bougna parait au plus pressé et Abdou admettait de moins en moins ses créances.

Si de son côté Arame n'avait pas de coépouse à jalouser, elle n'en était pas moins envieuse du sort de quelqu'un qui s'épanouissait sous ses yeux et alimentait ses regrets. Ansou, l'ex-ami de Lamine et l'ex-fiancé de Daba, vivait toujours au village. Il vaquait à ses occupations et n'avait rien changé à ses habitudes, même si les salutations qu'il adressait à Arame, lorsqu'il la croisait, étaient devenues un tantinet moins chaleureuses. Sur l'île, le jeune homme marchait, fier. Il est vrai qu'il ne manquait pas d'arguments pour se faire respecter. Au village, l'ombre de Lamine l'avait un temps éclipsé, mais les vents avaient tourné et l'encensoir ne soufflait plus du même côté. Appâté par une hypothétique couronne, on peut changer de prince, mais on gagne un trône de regrets quand le couronnement tarde à se concrétiser. À l'annonce de l'émigration de Lamine, Ansou était passé pour un blaireau ; maintenant, on admirait son pelage bien lustré. Car le jeune homme ne manquait pas d'avantages. Marin aguerri, il ne prétendait à rien d'autre qu'au statut garanti par son courage. Opiniâtre, il marchait sur les traces d'un père qui venait de prendre sa retraite en lui laissant le capitanat de son unique pirogue. Avec quelques copains, Ansou transportait des voyageurs et toutes sortes de marchandises indispensables au ravitaillement de l'île. Astucieux, il multipliait les sources de revenus. Parfois, avec ses matelots, il récoltait du sel, qu'il allait vendre en Gambie. Au retour, ils rapportaient des vivres et beaucoup d'autres produits moins onéreux dans ce pays voisin. Braver l'océan Atlantique avec de si lourdes charges, c'était une véritable épreuve, mais le bénéfice qu'ils en tiraient les préservait d'un cauchemar encore plus redoutable : la pauvreté. Car, même s'ils n'étaient pas riches, ils avaient tout de même gagné un standing assez honorable dans leur milieu. Leurs parents, qui ne connaissaient que ce mode de vie, croyaient qu'ils bravaient les périls marins de manière atavique, mais une autre raison confortait leur détermination. La motivation qui les tenait debout, ils n'en discutaient qu'entre eux : sachant l'aura qui entourait les émigrés de retour et la prétention qui les caractérisait habituellement, les jeunes restés au village s'étaient lancés dans une compétition à distance. Les vacanciers revenaient, se mariaient, construisaient, équipaient leurs villas, se pavanaient avec leurs jeans de luxe, leurs boubous brodés, leurs lunettes de soleil, leurs montres, leurs téléphones portables et tout ce qui attestait une soi-disant réussite. Ansou et ses camarades les observaient, évaluaient leurs possessions et, comme le marché planétaire s'étendait jusqu'à leurs pieds, ils cédaient à la tentation, à la hauteur de leurs moyens. Aucun d'eux n'achetait plus ses affaires aux puces, comme bien des villageois qui ne pouvaient faire autrement. Tout en assurant le nécessaire à leur famille, ils bâtissaient, s'équipaient petit à petit, s'entouraient de tous les gadgets qui démontraient qu'ils avaient bien pris place dans le train de la modernité. Aucun d'entre eux n'entendait s'en laisser conter par un camarade de retour d'Europe.

En réalité, le retard et le dénuement ne sont pas du côté que l'on pense. Pendant que les expatriés souffraient du froid, logeaient dans des squats miteux, couraient les soupes populaires, risquaient leur vie pour des emplois de forçats, dribblaient les pandores lancés à leurs trousses, hantaient les zones de rétention, s'adonnaient aux amours de circonstances, larmoyaient devant les avocats commis d'office qui leur obtenaient des délivrances momentanées, les jeunes restés au village, portés par une liberté qu'on ne sent que chez soi, travaillaient vaillamment et contribuaient à l'essor du pays. En regardant Ansou et son groupe de copains évoluer, améliorant petit à petit leur vie et celle des leurs, Arame et Bougna finissaient par trouver alléchant ce qu'elles avaient dédaigné pour leurs fils. Et même si elles n'en discutaient pas souvent, elles se doutaient bien que leurs brus, fatiguées d'attendre, partageaient ce sentiment. Les jeunes femmes ne cachaient plus leur dépit : elles vivaient moins bien que leurs camarades mariées avec des hommes restés au pays. Entre ses tours de cuisine, Coumba continuait à décrasser des tonnes de linge, pour une broutille. Elle était même devenue la lingère attitrée du village, car les quelques fonctionnaires de l'île faisaient tous appel à ses services. Quand sa belle-fille se fanait au soleil, devant sa rangée de bassines, Bougna entraînait Arame hors du village. Partir, couper du bois ou chercher des fruits de mer, au-delà de la nécessité de ces activités, c'était leur manière de fuir les questions lancinantes, les coépouses que Bougna abhorrait et les regards affectés des villageois. À défaut de joie et de quiétude, leur vie n'était plus que labeur et endurance.

XX

Une aurore, Bougna, fureteuse comme un chien truffier, s'était ruée chez Arame. Celle-ci était en train de rafistoler le pantalon d'un de ses petits-enfants, sous le manguier ; à la vue de son amie, elle suspendit son geste. Bougna était arrivée, le rictus prononcé, les narines battantes, les yeux en boules de billard roulant dans tous les sens. Déterminée à ne pas se laisser submerger par cette marée haute, Arame reçut son amie comme à l'ordinaire. Après les salutations un peu décousues de Bougna, elle l'invita placidement à venir partager sa natte.

— Assieds-toi, lui dit-elle, d'une voix tiède.

Constatant que son amie faisait tout pour la contenir, Bougna saisit une chaise qu'elle planta devant elle. Cette invitée autoproclamée savait prendre ses aises ; elle avait préféré s'installer ainsi afin d'obliger Arame à lever la tête, à lui faire face lorsqu'elle lui parlerait. Arame devinait le but de la manœuvre mais, n'étant pas d'humeur prolixe, elle replongea le nez dans sa couture. Son petit-fils viendrait bientôt réclamer son pantalon pour sortir avec ses copains.

— Han ! Seigneur, nos oreilles nous torturent, toutes ces mauvaises nouvelles qui nous parviennent ! lança Bougna.

C'était sa première tentative de dialogue mais Arame, obstinément penchée sur son ouvrage, fit mine de n'avoir rien entendu, opposant à l'impétuosité de son amie un front aussi impénétrable qu'une boule d'onyx. Et puis, Bougna avait l'habitude de prendre des galets pour des montagnes ; aussi, lorsqu'elle criait à l'avalanche, Arame ne s'affolait plus. La bouche pleine de dépêches, Bougna trépignait. La veille, elle avait rendu visite à quelques parentes, depuis ses oreilles bourdonnaient de suppositions qu'elle souhaitait vérifier fissa fissa.

— Dis-moi, Arame, ce que j'ai entendu…

— On entend tellement de choses dans ce village, l'interrompit Arame qui savait déjà où elle voulait en venir.

— Oui, mais Daba ? Est-ce vrai ce qu'on raconte à son sujet ?

— Je n'en sais rien !

— Mais enfin, Arame, personne ne peut inventer une chose pareille, si cette information fait jaser tout le village, c'est qu'elle doit être vraie, non ?

— Je te répète que je n'en sais rien ! Après tout, j'ai toujours entendu parler de sorcières qui s'envoleraient sur des balais et traverseraient nuitamment le village, sans jamais en avoir vu aucune. Alors, comment savoir si c'est vrai ou pas ?

— Sauf que ta petite Daba, elle, ne sort pas d'un conte de fées, même si je lui reconnais volontiers sa qualité de sorcière. Quand je pense à sa tête d'ange !

Mais où se camouflait le Diable en elle ? Elle nous a sacrément roulées dans la farine ! Alors, vas-tu te renseigner ?

— Me renseigner sur quoi ?

— Du reste, tu as sûrement raison de ne pas t'agiter, ma chère Arame. Cette chose-là, c'est comme la bosse du zébu, on ne la dissimule pas sous un pelage lisse. Ouvrons les yeux, on verra bien.

Arame arborait son masque des jours hostiles. Comme Bougna feignait de ne pas le remarquer, elle lui décocha quelques coups d'œil qui la renvoyèrent aussitôt chez elle. Bougna et son bavardage, parfois si déplacé. Cette femme avait la délicatesse d'une éclaboussure, nul ne pouvait la canaliser. Même sa conciliante amie en perdait parfois son flegme. Ce jour-là en tout cas, elle n'était pas d'humeur à laisser renifler son linge sale. « Sorcière, Diable, bosse, zébu, pelage, et puis quoi encore ? » Si sa fidèle amie en était déjà à ce langage fleuri, le reste du village devait faire circuler les pires médisances au sujet de Daba. Au train où allait la dégradation de l'image de sa belle-fille, Arame préférait ne pas en rajouter. L'opprobre qui frappait sa famille ne requérait pas ses mots. Elle savait que sa bru serait bientôt le repoussoir du village. Même les moins vertueux parmi les insulaires en feraient leur crachoir. Car ceux qui se retiendraient d'afficher leur adhésion à cette réprobation généralisée paraîtraient suspects, on les accuserait de cautionner le comportement indigne de la jeune femme. Pressentant la mise au ban à venir, certains soulignaient ostensiblement l'outrage. Indexer la victime expiatoire et légitimer la répulsion collective, c'était leur manière, lâche mais efficace, de se ranger du bon côté. Les commères, à l'instar de Bougna, tenaient leur sujet et le mâchaient jusqu'à plus de saveur. Rien ne bornait leur jactance, pas même l'avenir incertain de leurs propres filles exposées aux dangers inhérents à leur déluge hormonal. La rumeur enflait, Arame se contentait de fuir les réunions publiques, mais elle n'en pensait pas moins. Vengeresse, elle songeait au futur qui ne manquerait pas de rabattre le caquet à certaines qui, en son absence, dénigraient Daba sans nulle retenue. Cependant, elle ne se faisait aucune illusion, la guigne avait gagné sa demeure et pour longtemps. Même son mari, pessimiste notoire et rancunier, ne cessait de la houspiller :

— Malédiction ! Je t'avais prévenue ! Ce mariage était mal engagé, maintenant, il nous couvre de déshonneur. C'est de ta faute !

Arame serrait les dents pour ne pas hurler. Daba s'était salie, plus rien ne pouvait la laver. Arame gardait sa désolation pour elle, persuadée que ce serait peine perdue de chercher à mettre un frein à la hargne prolixe des censeurs autoproclamés.

Au village, un doute de principe subsistait quant au fauteur de la grossesse de Daba. « La ville, zone amorale, haut lieu de la débauche où le lucre est prompt à vicier les âmes simples ! La pauvre oie blanche s'était peut-être laissé séduire par la gouaille d'un beau citadin », supputaient les anciens. Aucun d'eux n'imaginait son fils mêlé à cette affaire. Les jeunes, surtout ceux de la bande d'Ansou, souriaient de les entendre se perdre en élucubrations. Eux, ils savaient et applaudissaient de voir l'amour triompher des plans machiavéliques des aînés. Leurs amis s'étaient retrouvés et avaient rétabli leur droit à disposer d'eux-mêmes. Pour une fois, les sentiments avaient vaincu l'obéissance traditionnelle.

Sachant où se trouvait sa chère Daba, Ansou avait multiplié les séjours à la capitale. En vérité, il ne lui déplaisait pas de savoir l'élue de son cœur éloignée de l'île, où l'œil de la censure l'empêchait d'agir ouvertement. Il se rendait souvent à Dakar, se faisait héberger par des copains dans la même banlieue de Thiaroye où habitait Daba et enchaînait de prétendues visites de courtoisie chez la jeune femme. Il arrivait chaque fois chargé de cadeaux. Au bout d'une fine observation, l'oncle de Daba le trouva trop généreux pour être désintéressé, le jugea suspect et lui interdit l'accès de sa maison. Durant ses jours de congé, Daba s'ennuyait, elle voulait sortir, se promener, s'amuser comme les jeunes de son âge. Ce n'était pas à Lamine qu'elle pensait : quelle joie pouvait-il apporter à ses week-ends, depuis l'Espagne ? Ce qui manquait à Daba, c'était sa complicité avec Ansou. Lorsqu'elle n'y tenait plus, elle prétextait une virée avec des copines pour aller le retrouver. Ce nouveau jeu de cache-cache pimentait leurs rendez-vous. Daba se persuadait qu'il ne se passerait rien de plus qu'un partage d'amitié, mais chaque rencontre les poussait un peu plus au pied du volcan. Ils s'échauffaient délicieusement et se quittaient à temps, comme un enfant espiègle retire promptement sa main avant de se brûler à la flamme d'une bougie. Mais, chaque fois ils s'approchaient encore un peu plus du feu, ce qui mettait leur résistance à rude épreuve. « Non, ça n'arrivera pas, je ne peux pas faire ça », se convainquait Daba, en rentrant chez elle. « Patience, ça arrivera bientôt », se rassérénait Ansou en la raccompagnant. Et le Diable soufflait sur le brasier, liquéfiait leur sang, accélérait sa course, dilatait leurs veines, les emplissait de désir. Il fallait que la peau des amants brûle jusqu'à leur faire oublier l'emprise de la morale. À ce moment et seulement à ce moment-là, ils se consumeraient et réduiraient en cendres et leur frustration et le qu'en dira-t-on.

Ce moment avait fini par arriver. Dans la torpeur tiède d'une après-midi, ils s'étaient réveillés, enlacés et silencieux, sur le lit défait du jeune homme. Ils n'étaient pas comateux, bien au contraire ; jamais la vie n'avait autant pulsé en eux. Ils étaient silencieux, parce qu'ils avaient sauté depuis le sommet de leur désir ; maintenant, ils tombaient dans la réalité, au ralenti. Que se passerait-il ? Que feraient-ils ? Il se passa ce qui devait se passer : ils s'étaient revus et avaient recommencé, encore et encore. Quelques mois plus tard, Daba augmenta la taille de ses robes. Vain camouflage. La rumeur prit place dans un car rapide, roula jusqu'à Djifère, traversa en pirogue, déferla sur l'île, passa d'une maison à l'autre et s'engouffra dans toutes les oreilles : Daba était enceinte ! Bougna avait simplement manqué de tenue, mais personne n'avait besoin d'elle pour distinguer l'odeur de la brise, qui charriait des relents de poisson pourri n'épargnant aucune narine.

Les mois s'écoulaient, les huîtres s'accrochaient aux racines des palétuviers. Les mois s'écoulaient, les carpes grandissaient dans les bras de mer qui enlaçaient l'île. Les mois s'écoulaient, les tas de sel grossissaient dans les marais salants adossés au village. Les mois s'écoulaient et tous ceux qui revenaient de la capitale confirmaient, sans exception, la grossesse de la jeune fille. Ses proches vivant à Dakar, qui voyaient d'un mauvais œil le fait qu'elle persistât à fréquenter Ansou, l'avaient pressée de retourner au village, sans succès. Sa mère, n'y tenant plus, était partie la rejoindre pour la convaincre de revenir avec elle, en vain. Mais, après son accouchement, son oncle la congédia, prétextant le manque de place. Depuis son retour sur l'île, Daba se terrait dans sa chambre, avec son bébé, pour qui personne n'avait osé organiser la moindre fête. Au village, on ne met pas un prix à la tête des bébés, mais nul ne fête les naissances jugées illégitimes. Ansou aurait aimé célébrer son enfant, mais il préféra s'abstenir, sachant que les parents et les sommités du village n'autoriseraient pas un tel scandale. Cette contrariété dépassée, il menait sa vie comme si de rien n'était. Évitant de choquer inutilement, il envoyait à Daba, par l'intermédiaire de leurs amis communs, tout ce qu'il fallait pour elle et son bébé. Les considérations des uns et des autres ne semblaient pas l'atteindre, bien au contraire. Sans être fanfaron, il promenait un air victorieux : ceux qui l'avaient jugé perdant en étaient maintenant pour leurs frais. Ses amis saluaient sa belle revanche et ceux qui lui en voulaient déversaient leur acrimonie loin de ses oreilles. Laisserait-il l'enfant au mari de sa mère ? Oserait-il revendiquer la paternité légale ? se demandait-on. Beaucoup prédisaient un combat inévitable entre les deux anciens amis, Ansou et Lamine.

Arame, quant à elle, perdait tous ses repères. Elle ne savait pas si elle devait ou non se considérer comme la grand-mère du nouveau-né. Chaque fois que ses petits-enfants s'éloignaient, la laissant seule sous son manguier, elle sombrait dans de longs monologues. Bouleversée par la conduite de sa belle-fille, elle n'était pourtant pas de ceux qui lui jetaient l'anathème. Elle souffrait pour son fils, dont elle craignait la réaction, mais cette seule raison n'expliquait pas la gravité de sa meurtrissure. En fait, la mésaventure de Daba avait ravivé ses souvenirs les plus douloureux, des souvenirs qu'elle n'avait jamais osé dévoiler à son fils.

Arame se doutait bien que les téléphones portables des copains avaient déjà alerté Lamine, tant le silence de ce dernier était assourdissant. Depuis plusieurs mois, il n'appelait plus. Après avoir longtemps hésité, Arame se résolut à tout raconter elle-même à son fils. Mais lorsqu'elle tentait de comprendre, de mettre en mots son présent qui partait en vrille, le passé la submergeait comme une coulée de boue. Elle comprit alors qu'elle ne pourrait relater la situation de Daba sans bifurquer dans sa vie labyrinthique. Convaincue que Lamine devait tout savoir des arcanes de son histoire familiale pour mieux décider de son avenir, Arame était maintenant disposée à tout lui dire. Elle ignorait quand Lamine daignerait l'appeler, et redoutait d'aborder certaines choses au téléphone. À la réflexion, elle considéra que, de toute manière, un coup de fil serait trop bref pour lui permettre d'aller au bout de son récit. Une lettre lui sembla plus indiquée et présentait un indéniable avantage : un coup de fil peut s'avérer expéditif pour les conversations délicates, alors qu'un courrier peut toujours se relire à tête reposée et permet de laisser mûrir sa réponse.

Un soir, elle se rendit à l'autre bout du village, sur les hauteurs de l'île, solliciter l'instituteur pour la rédaction d'une très longue lettre. Un voisin ou un neveu aurait pu le faire pour elle, mais les choses qu'elle souhaitait apprendre à son fils étaient trop intimes pour être confiées à quelqu'un dont on croise le regard chaque jour. Pour livrer ses secrets, Arame s'était rendue chez un scribe étranger, comme on choisit un gynécologue hors de son cercle privé.

« Ah, si seulement j'avais fait des études ! », regrettait-elle, en cheminant, vers la demeure de l'instituteur. Il faisait noir, elle se faufilait entre les cocotiers, n'allumait sa lampe torche que par intermittence. Arame, c'était l'accusation vivante adressée aux dirigeants des pays africains, qui n'ont toujours pas évalué, à sa juste mesure, le frein que constitue l'analphabétisme dans la marche au développement. Tout intelligente qu'elle fût, elle se sentait perdue lorsqu'il s'agissait de courrier. On ne peut déchiffrer le monde quand on ne possède pas les codes qui inscrivent la loi dans l'espace public. Elle avait beau savoir qu'un handicap partagé par beaucoup finit par devenir une normalité, elle ne s'en consolait pas. Elle regrettait amèrement son manque d'instruction et n'était pas la seule. « Ah, si seulement j'avais fait des études ! », cette phrase, elle l'avait souvent entendue dans la bouche de ses camarades, chaque fois que l'impossibilité de déchiffrer ou de remplir des documents limitait leur autonomie. Dans ce pays, où le chef de l'État et ses acolytes ne cessaient d'expliquer à la télévision leurs diverses entreprises pour réduire la fracture numérique, elles constataient avec tristesse que l'avenir qu'on entendait ainsi préparer se souciait peu de leur pauvre existence. Pourtant, point n'est besoin de sortir d'une école normale supérieure pour comprendre que sur ce continent, où le retard des femmes demeure criant dans tous les domaines, alphabétiser les filles, surtout en zone rurale, serait leur ouvrir, dans le mur des archaïsmes traditionnels, une brèche salvatrice. Dans la vie agreste de ces femmes, gratter quelques lignes et glisser discrètement sa propre lettre dans une enveloppe relevait encore d'une modernité à conquérir. À quand le développement ? devait s'interroger Arame, en poussant le portail de l'instituteur.

L'enseignant était connu sur l'île pour sa courtoisie et sa présence jamais intrusive. Il entretenait avec les habitants des rapports chaleureux, tout en maintenant une subtile distance, qui attestait de sa volonté de ne pas abuser de leur hospitalité. Entre l'intellectuel et les pêcheurs de l'île, il y avait des parties de cartes, des échanges de bons procédés et quelques plaisanteries pour les rapprocher. Mais, des deux côtés, personne n'était dupe, ils appartenaient à deux mondes bien distincts, un océan de choses les séparait, sur lequel aucun pont ne tenait. Contenir les relations et les discussions dans les bonnes limites permettait à l'instituteur de garder son autorité pendant les réunions avec les parents d'élèves. Cette attitude réfléchie lui garantissait également le respect et la sympathie de tous, si bien qu'il ne comptait aucun ennemi sur l'île. Affable, il se montrait disponible chaque fois qu'on avait besoin de ses services. Lorsque Arame débarqua chez lui, sans prévenir, il interrompit sa lecture, l'accueillit avec moult salutations et accéda à sa demande. Arame était venue seulement avec une enveloppe, sûre de trouver du papier chez l'enseignant. Celui-ci sortit un grand bloc-notes et se mit aussitôt à l'œuvre. Autour de la table, où trônait une lampe tempête, Arame parlait, il écrivait. De temps en temps, il détachait une feuille, en numérotait une autre et continuait. Ce n'était pas un roman, c'était le fleuve Sénégal qui se déversait des lèvres d'Arame et rien ne semblait pouvoir l'endiguer. Elle expliquait, commentait, moralisait, se flagellait, le scribe l'écoutait, captait et consignait l'essentiel. Mais, malgré ce tri, Lamine allait, enfin, tout apprendre du forfait de Daba, mais surtout de la part insoupçonnée du passé de sa propre mère.

Depuis son mariage, Arame avait cherché dans tout ce qu'elle entreprenait une possible consolation. Mais plus elle réfléchissait aux événements, plus le paradoxe de sa quête lui sautait aux yeux. Parce qu'il faut identifier, dans le mur, les fissures que l'on désire combler, la quête de consolation réitère nécessairement le souvenir doulou-reux ; or, à force de circonscrire la blessure, on peut la rendre plus béante qu'elle n'était auparavant. Il arrive que le pansement rouvre la plaie, de sorte que la consolation attendue devienne aussi dure à supporter que la peine qu'elle avait pour mission d'alléger. Pour Arame, les chélo-ïdes de la mémoire n'attendaient qu'une éraflure pour se remettre à saigner. On ne guérit totalement de rien, on ne fait que juguler les hémorragies successives qui, tôt ou tard, nous débordent. C'est l'âge qui est décompté, mais c'est bien la capacité d'endurance qui détermine la lon-gueur du parcours. Ni les années ni les jambes ne font la qualité du marathonien, c'est le souffle qui vient à bout des distances. Arame n'en avait plus assez pour se lancer sur une autre piste. Sa vie était engagée, celle de Lamine et Daba aussi. Comme elle ne voyait pas ce qu'elle pouvait y changer, elle passait son temps à se faire des reproches. Comment avait-elle pu arranger le mariage de Lamine et Daba, alors qu'un tel stratagème avait saccagé sa propre vie ?

Captive de sa mémoire, Arame sentait encore, sur sa joue, les gifles de son père. Elle avait les oreilles encore pleines des sanglots de sa mère. Koromâk, cet homme grognon, qu'elle subissait depuis plusieurs décennies, on le lui avait imposé à coups de gifles et de pressions. Non, elle n'était pas faible, en se laissant ainsi écraser par la volonté des autres ; elle s'était pliée comme une liane, parce qu'elle ne savait pas comment tiennent les bâtisses sans piliers. Un tuteur, il lui en fallait un, à l'époque et pour toujours, car on l'avait programmée pour la dépendance et la soumission. Son éducation avait toujours été centrée sur son obligation d'alignement aux diktats de la famille, du clan, du village. Dans ce système traditionaliste, jamais on n'avait laissé le moindre interstice à ses propres envies. Petit à petit, mais irrémédiablement, on avait dressé autour d'elle un mur de dogmes contre lequel sa volonté se fracassait et tombait en ruine. Nul ne lui avait parlé de ses droits, encore moins d'épanouissement personnel. Ainsi, lorsqu'elle avait tenté de résister à ses parents au prix d'un effort surhumain, elle en éprouva très vite une profonde culpabilité, convaincue d'avance qu'exprimer ses choix de jeune fille relevait de la plus condamnable indiscipline. Dans sa bouche, *non* était toujours un réflexe qui attestait de son mal-être, rarement l'aveu d'une conviction ancrée. La liberté, elle en rêvait mais quelque chose en elle demeurait au piquet. Bref, elle agissait comme ces brebis attirées par les verts pâturages, mais qui ne s'éloignent jamais longtemps de l'enclos. Elle était une fille sage, disait-on d'elle, alors que son mutisme traduisait son impuissance. Quand il ne reste plus qu'à répéter ce que les autres ne veulent pas entendre, se taire fait partie du respect de soi. Savoir prendre sur soi, dans ces cas-là, ce n'est pas une démonstration de force, mais une preuve d'humilité. Une telle acceptation permet de saisir une évidence : quand on n'a plus l'emprise sur les choses, on peut continuer la route, comme un fleuve persiste à couler, même lorsqu'il n'arrive plus à faire flotter les barques enlisées. Vivre, dans un tel état de conscience, c'est acquérir la souplesse d'une corde qui repose en spirale sur elle-même, en attendant que la vie veuille bien s'en servir pour, un jour, sauter encore. Une nuit de sommeil, un instant de répit, une pause dans la lutte existentielle ne fait jamais de mal à personne ; cogner contre les murs, si.

Arame n'était pas démissionnaire, elle avait simplement accédé à ce vaste territoire intérieur où tous ceux qui l'écrasaient quotidiennement perdaient leur poids. Elle s'était mariée comme on va à l'échafaud, sans offrir ses larmes à ses bourreaux. À l'époque, elle prenait rendez-vous avec elle-même pour s'écrouler et sangloter, à l'écart de ceux qui, de toute manière, auraient dévalorisé sa détresse en la qualifiant de caprice. Daba pleurait-elle ainsi, en secret ? Arame espérait que non, sa conscience ne le supporterait pas. Comme Daba, Arame aimait un autre homme, avant que les siens eussent décidé de la marier. Arame n'était pas seulement devenue une épouse, mais un service rendu à un homme de l'âge de son père ! À l'époque, elle n'était pas fiancée, mais ses parents savaient bien que son cœur battait pour un garçon du voisinage. Koromâk, proche de la cinquantaine, venait de répudier ses deux épouses, pour cause d'infertilité. On n'interrogea point les compétences du mécontent, bien au contraire : les siens, famille et alliés, se mirent en ordre de bataille pour lui trouver une pucelle susceptible de combler ses attentes. On passa le cousinage au peigne fin et, à son grand dam, Arame fut choisie pour sa docilité et ses formes déjà pleines de promesses. Elle signifia son refus, évoquant son amour pour un autre. On lui ordonna de l'oublier. La demoiselle l'ignorait encore, mais d'autres raisonnements expliquaient la résolution de ses parents : dans ce terroir guelwaar matriarcal où l'on est noble par sa mère, son amoureux, dont la mère avait des origines multiples, suscitait beaucoup de réticences pour une future alliance. Arame s'obstina à faire valoir son choix de cœur, mais ses parents lui rétorquèrent que ce n'était là que des enfantillages et les choses suivirent leur cours.

Comme Daba, Arame, mariée, avait essayé de se comporter convenablement. Comme sa cadette, elle avait fini par céder à l'appel de son cœur, revoyant son amoureux en cachette. Elle eut deux enfants, son mari cria victoire et célébra leur baptême dans une mémorable bombance. Lui qui, pendant de longues années, avait jalousé ses copains et désespérait d'avoir une descendance, avait maintenant deux fils. Les mauvaises langues ne tardèrent pas à noter la ressemblance des petits avec l'amour de jeunesse d'Arame, qui lui aussi s'était marié et vivait toujours au village. Au début, Koromâk, tout à sa joie, fit la sourde oreille, mais plus les enfants grandissaient, plus la ressemblance devenait flagrante. Ils n'avaient ni les traits ni le teint noir foncé de leur père officiel. Très élancés, les yeux en amande, la peau un peu plus claire que la norme de l'île, on les confondait avec d'autres enfants du village, dont le père avait une mère d'origine peuhle. Et ce père, dont on chuchotait le nom, c'était l'amour de jeunesse d'Arame : son grand-père maternel était peuhl, mais sa grand-mère maternelle était bien une Sérère de l'île. « Celui qui vole de l'huile de palme se trahit par sa bouche rouge », disaient les commères, au passage d'Arame.

À son tour, Daba était devenue la voleuse découverte et Arame ne pouvait s'empêcher de souligner une cruelle répétition du sort, un terrible cycle auquel, pensait-elle, quelqu'un devait absolument mettre un terme. Mais comment ? Arame se demandait quelle serait la réaction de Lamine. Si son fils exigeait le divorce, elle ne se relèverait pas d'avoir organisé un mariage finissant en fiasco ; surtout, elle s'en voudrait d'abandonner Daba au moment où celle-ci aurait besoin de soutien. Mais comment supplier Lamine d'accepter l'inacceptable, de garder une épouse l'ayant trompé en son absence et qui l'attendait maintenant à demeure, avec l'enfant d'un autre ? Lui, seulement lui, pouvait décider. Arame, qui avait trop à se faire pardonner, se rangeait déjà à son avis. Laisser Daba et Lamine orienter leur barque à leur guise, c'était la première concession qu'Arame s'imposait pour expier sa faute, mais elle était prête, désormais, à en faire beaucoup d'autres.

XXI

Cela faisait maintenant plusieurs mois que le vacancier était reparti en Espagne, emportant avec lui une pile de lettres à distribuer. Depuis, aucune nouvelle n'était venue rassurer Arame et Bougna sur un éventuel retour de leurs fils. Daba, calfeutrée dans son drame, préférait ne pas s'agiter mais Coumba, elle, se sentant dans son bon droit, saisissait toutes les occasions pour adresser à Issa des courriers de plus en plus pressants. Si la plupart d'entre eux restaient sans réponse, elle avait pourtant reçu, grâce à l'adresse de son beau-frère fonctionnaire installé dans la capitale, quelques cartes postales envoyées de différentes villes européennes. Lors de ses rares appels, Issa l'informait de ses déambulations et ne dévoilait jamais rien de sa vie privée. Pour freiner les questions de Coumba, il lui disait : « T'inquiète, je n'oublie pas ma petite femme. » Et si ses modestes mandats prouvaient qu'il n'oubliait ni sa mère ni sa petite femme, rien dans ses propos ne laissait augurer sa venue. On savait seulement que lui et Lamine n'étaient plus des jumeaux d'itinéraire, chacun étant parti poursuivre la chance de son côté. Cette séparation ajouta aux soucis de celles qui les attendaient au pays, qui les croyaient plus forts ensemble. Arame et Bougna se réconfortèrent en s'en remettant à la sagesse de leur village : le gibier pousse parfois les chasseurs à se disperser en forêt, mais cela ne change rien à leur amitié.

Loin de tels conciliabules, Coumba se languissait de son mari, mais au fond d'elle, elle ne savait plus à quoi s'en tenir. Son fils allait maintenant à l'école et, en dehors de quelques photos jaunies, il ignorait tout du visage de son père. Pourtant, toute la lumière du soleil se réfléchissait dans ses yeux pétillants lorsqu'il en parlait. Il est vrai qu'il lui arrivait de mentir à l'école, de dire que son père était parti piloter des avions ou apprendre la pêche aux Blancs qui habitaient très, très loin. Parfois, à l'approche des fêtes importantes, il disait à sa mère comme à ses camarades que son père allait venir en lui rapportant moult cadeaux. « Une pirogue pleine de cadeaux ! » disait-il. Et tout le monde riait, sauf Coumba. Chaque fois, il était le premier déçu, bien sûr, mais il recommençait. Peut-être était-ce sa manière à lui de consoler sa mère, qui se décomposait littéralement quand le village bruissait de festivités. Quelque chose en Coumba ne supportait plus les réjouissances. Mais l'extraordinaire vitalité de son enfant la redressait, comme le blé fait tenir un sac de jute. Le gamin n'était que beauté et joie de vivre. Certains le regardaient avec la tendresse due aux orphelins mais lui n'en savait rien. Entre sa mère et sa grand-mère, sa vie courait, bondissait, s'esclaffait. Entre l'aurore et le crépuscule, sa réalité coulait limpide, paisible bras de mer, à la saveur d'un jus de bissap. Parce que dans les rêves d'enfant, l'Atlantique n'est qu'un immense verre de diabolo menthe, le fils de Coumba s'endormait, toujours heureux, dans la fraîcheur du soir. Et parce que ses grands yeux en amande magnifiaient le quotidien, Coumba, du fond de sa mélancolie, se disait que le monde n'était pas si moche que ça. Il n'est pas vrai que les enfants ont besoin de leurs père et mère pour grandir. Ils ont seulement besoin de celui qui est là, de son amour plein et entier. Coumba était là, femme sans mari ni amant, son cœur ne battait que pour donner à son fils tout ce qui lui manquait à elle, l'amour.

Issa appelait encore, mais trop rarement. Elle ne lui en voulait même plus. Elle avait dépassé les phases de dépit, de colère et de lamentation. Le râle-mourir n'a jamais changé le sel en sucre. À quoi bon hurler son amertume ? Toute la détresse de Coumba tenait entre ses paupières. Pour le reste, elle se voulait effacée, transparente, inexistante à elle-même et aux autres. « Ceux qui nous oublient nous assassinent ! » c'était sa certitude. Issa porterait un jour sa mort sur la conscience, se disait-elle, quand elle ne trouvait pas le sommeil. Pourtant, elle ne tentait rien pour s'évader de sa geôle. Elle restait simplement là, dans la grande concession familiale où elle ne savait plus ce qu'elle attendait. Un homme, un divorce ou un décès ? À coup sûr, l'une de ces trois éventualités la guettait. Elle laissait donc le temps choisir pour elle. Et même si elle soutenait qu'elle ne voulait pas, un jour, offrir à Issa les ruines d'elle-même, elle n'avait plus rien d'autre à préserver. Les paupières qui couvent un amour inassouvi se flétrissent plus vite que les autres. Avec ses cernes porte-savon, Coumba ne se maquillait plus. Peut-être qu'en Espagne, là-bas, à Barcelone ou ailleurs, une autre se maquillait pour Issa. Une autre, toute frétillante, qui, à chaque battement de cils, effaçait de la mémoire d'Issa le visage de Coumba. « Ceux qui nous oublient nous assassinent ! » Se souvenait-il de son sourire, de ses petites fossettes qui accentuaient l'ovale de ses joues, de ses dents blanches, alignées pour accueillir le bonheur ? Se souvenait-il de toutes ses petites dunes, qu'il ne se lassait pas d'explorer nuitamment ? Se souvenait-il encore de tout ce qu'il lui avait demandé de garder précieusement, rien que pour lui ? Se souvenait-il d'elle ? Coumba avait son idée, mais elle la ravalait comme une arête de poisson. *Barcelone*, dans sa bouche, ce nom gonflait et s'affaissait comme une baudruche. *Barcelone,* ça sonnait aussi long que ses soupirs, mais surtout, c'était la boëte qu'elle avait gobée et qui l'avait entraînée jusqu'au mariage. Maintenant, elle lui restait en travers de la gorge. Si elle se mettait à vomir, il ne resterait rien d'elle. C'est pourquoi elle serrait les dents. Seule cette main qu'elle posait sur son cou décharné, lorsqu'elle était assise, exprimait sa douleur. La carpe bâille et se débat, elle ne braille pas. Lorsque la tristesse l'étranglait, Coumba restait muette ; même les facéties de son fils ne parvenaient plus à la détendre. Ceux qui nous oublient nous assassinent !

Alors qu'elle n'y croyait plus, Coumba reçut un coup de fil. Les jours suivants, elle mixa des herbes, fabriqua du thiouraye, un encens à vous rendre un mort priapique, acheta quelques bëthios, ces petits pagnes coquins qui blanchissent les nuits des amoureux.

Ensuite, elle fit coudre de nouvelles robes et se para de la dernière coiffure en vogue. Quelques bijoux et du maquillage jetèrent une lueur de bien-être dans son regard.

Le sorcier n'avait pas besoin d'éparpiller ses cauris pour annoncer l'arrivée imminente d'Issa. On ne lui demanda donc rien. Pourtant, de son propre chef, il conseilla une offrande : de la bouillie de mil au lait caillé, à servir dans trois grands bols, pour trois groupes de sept enfants chacun, et ce, afin que le retour d'Issa soit paisible. Bougna et Coumba s'exécutèrent. Elles offrirent quelques noix de cola au sorcier, qui savait bien que le revenant le gâterait bien davantage, car non seulement il apprendrait ce qu'il venait de faire pour lui, mais il lui devait une certaine somme, pour l'amulette qu'il lui avait procurée à son départ. Personne ne peut dire si l'offrande avait eu un effet bénéfique sur les compétences du pilote qui posa le vol d'Issa sur le tarmac de l'aéroport international Léopold-Sédar-Senghor, mais son action fut indéniable sur le transit intestinal des enfants. Gagnées par l'euphorie, Bougna et Coumba avaient exagéré le dosage des ingrédients. Plus il y avait de bouillie, de lait caillé, de vanille, de fleur d'oranger et de sucre, plus le voyage de l'inespéré serait agréable et serein, avaient-elles imaginé. Les enfants s'étaient régalés, réjouis, mais ils n'avaient pas tardé à payer le prix de leur gourmandise à la tinette. À part ce désagrément qui ne concernait que les loupiots, une joie impatiente se propageait. Bougna et Coumba n'étaient pas les seules à compter les jours. Au village, l'absence ne fait pleurer que les proches, mais les retours sont attendus par tous.

Et puis, on avait vu débarquer, chez Coumba qui l'attendait avec l'unique enfant de leur union, après sept ans d'absence, Issa flanqué d'une dame à la peau de porcelaine et de trois petits métis qui avaient peur des poules. Issa était parti pour l'Espagne, mais on avait reçu de lui des cartes postales d'Italie, des mandats de Suisse et des lettres de France, d'où il revenait avec une nouvelle famille. On en perdit le Nord ! Le Nord devenu un gros village où les quartiers ont la taille d'un pays. « Et là-bas, c'était comment, là-bas ? Tu as visité tous ces pays ? Mon *wiyeu* ! C'est incroyable ! » Au lieu de lui reprocher son immense trahison, on le regardait, le scrutait, l'admirait, comme on se laisse ébahir par ceux qui ont marché sur la Lune. Un parfum d'Europe, ça vous hypnotise les sédentaires de la savane.

Coumba et son fils reçurent plein de cadeaux, bien sûr, pas de quoi remplir une pirogue comme en rêvait le fiston, mais des cadeaux à la hauteur de la culpabilité paternelle. On aménagea une jolie chambre pour l'intruse et ses petits, loin des poules. Issa donna beaucoup d'argent à chacun de ses parents et plus encore pour la dépense quotidienne. Coumba retroussa ses manches. « Pour garder un homme, il faut le tenir doublement par le ventre », lui avait soufflé une grand-mère le soir de ses noces ; elle ne l'avait pas oublié. Le sexe et la nourriture, c'est avec ça qu'elle comptait retenir son émigré de retour, qui ne songeait plus à fêter comme promis leurs noces reportées. Le mariage religieux suffisait, avait-il déclaré, l'argent servirait à autre chose. Malgré sa rancœur, Coumba mitonna tout un été ses meilleures spécialités. La dame de porcelaine se serait brisée au contact des fourneaux et la fumée du feu de bois aurait troublé le bleu de ses yeux. Seule Coumba ruisselait de sueur en cuisine, quand Madame et ses enfants s'éclipsaient avec Issa. Ils partaient visiter le village et ses environs, quand ils n'effectuaient pas une sortie en mer. Lorsqu'ils revenaient, affamés, Coumba leur servaient leur repas. Madame dégustait, en faisant des commentaires que la cuisinière ne comprenait pas. C'était également Coumba qui lavait leur linge, allait chercher de l'eau au puits pour les innombrables douches qui sauvaient Madame et ses enfants de la canicule.

Madame appréciait cette généreuse hospitalité : « Coumba est très mignonne et même pas jalouse », minaudait-elle, la pauvre idiote. Comme s'il existait une seule femme capable d'imaginer une autre dans les bras de son mari sans avoir envie de l'étriper ! « Tu es ma coépouse, comme on dit ici, mais nous serons comme deux sœurs, susurra-t-elle à Coumba. Désormais, nous viendrons chaque été, et tu auras Issa pour toi toute seule, pendant tout un mois. Cela ne me gênera pas. Et tu verras, tu ne manqueras de rien. » Laisser Issa dormir dans le lit de Coumba un mois sur douze, elle appelait ça partager, moyennant quoi elle affichait une posture de coépouse accommodante. Sûr, elle ne voyait de l'Afrique que ce qui tenait dans le périmètre de son téléobjectif. « La polygamie n'est pas si terrible que ça ! » Seule une repue, qui s'était payé son étalon comme son dernier sac Prada et le tenait fermement par la bride, pouvait dégoiser pareilles sornettes. Que savait-elle des rivalités, transmises de génération en génération, capables d'hypothéquer l'avenir de toute une descendance ? Que savait-elle des longues nuits d'ascèse, de l'angoisse de l'attente et de la frustration, elle qui disposait de son gros nounours onze mois sur douze et le cédait comme on offre une location saisonnière ? Lui avait-on parlé de la propagation du sida, accélérée par le partage de routoutou ? À quoi lavait-elle sa foufounette, pour se sentir hors de danger ? Son ramoneur enfilait-il un scaphandre avant de plonger dans son lac Tanganyika ? Avec les trois marmots attestant de l'efficacité de leur gymnastique nocturne, on se doutait bien que si scaphandre il y avait, son étanchéité ne dupait que les poissons. « La polygamie n'est pas si terrible que ça ! » C'était la pire insulte jamais faite aux martyres de cette pratique d'un autre âge.

Madame se disait *tolérante* ! La pauvre chèvre sautillait hardiment sur un champ de mines qu'elle prenait pour des patates douces ! Ses clichés sur la polygamie, la supposée grande famille solidaire, aggravaient sa berlue et la rassuraient, quand toutes les femmes du village ne souhaitaient que sa disparition. Elle, l'Européenne, qui venait saboter le maigre espoir laissé par les âpres luttes féministes. Elle, qui avait le choix, venait en traîtresse dire à celles qui étaient obligées de se soumettre que ce dont elles se plaignaient était très supportable. Quand la dernière des paysannes soulignait sa bêtise, cette aveuglée de l'exotisme clamait son soi-disant amour de la culture africaine et se déclarait ravie d'avoir été acceptée par la famille d'Issa. Indigne héritière de Simone de Beauvoir, sa cervelle d'escargot ne lui permettait pas de se rendre compte que seul son argent la rendait supportable au sein de cette famille dans le besoin. Pour amadouer Coumba, Issa, dans le secret de leur chambre, lui susurrait : « Ne sois pas jalouse, ma femme, c'est toi ; regarde, je suis revenu. Celle-là, nous avons besoin d'elle. » Mais ça, la joyeuse coépouse européenne ne s'en doutait pas. Elle photographiait les gens, les ânes, les cocotiers, les palmiers et même le cimetière lui semblait plein d'attraits. Au débarcadère, un capitaine, un espadon ou deux langoustes lui arrachaient des cris orgastiques : « Wâââw, c'est magnifique ! » Elle filmait tout et tout le monde, même une poule levant une patte l'émerveillait. Quand les gamins de la concession tuèrent une vipère, elle les morigéna en leur expliquant sentencieusement qu'il fallait préserver la nature ! Et ces insulaires, qui, eux, ont sacralisé la nature depuis des siècles, se demandaient si elle pensait aux humains ? Elle photographiait, filmait, rangeait chaque journée dans une boîte, ne remarquant même pas les coups d'œil et les sourires en coin qui s'échangeaient sur son passage. « Ce n'est pas une belle-famille, c'est vraiment ma famille africaine ! », s'extasiait-elle. Issa ne fit rien pour la détromper. Était-ce sa dépendance économique qui le condamnait au cynisme ou l'amour qu'il portait à ses enfants qui le muselait, quand l'inconsciente débitait ses fadaises ? En Europe, Issa s'en sortait peut-être grâce à elle ; au village, il faisait d'elle la reine d'un été. Elle l'avait extrait des tristes foyers pour travailleurs immigrés, sa reconnaissance était, depuis, sans borne. Était-il amoureux d'elle ? Lui seul le savait. Mais on le voyait la promener et se comporter avec elle comme avec une cousine. Si le jeune homme, avec son corps sec, ciselé au scalpel, inspirait des veillées d'ivresse, la dame, avec sa taille jaqueline et ses gambettes adipeuses, avait le sex-appeal d'une lotte.

Elle ne se gênait pas pour exposer son corps : « Il paraît que les Noirs aiment les femmes rondes ! » ricanait-elle, pour se dispenser de toute décence. On riait de la voir parader ainsi, autour d'Issa, mais personne n'était prêt à parier un centime sur leurs nuits torrides.

Après avoir passé plusieurs jours à les observer, Bougna bouillonnait. En tête-à-tête avec son fils, elle lui avait confié ce qu'elle pensait de cette épouse qui prenait sa coépouse pour sa bonne à tout faire et ne se donnait même pas la peine d'éplucher un oignon lorsqu'elle exigeait une omelette. Et puis, ses malheureuses jupes, qu'elle portait au ras des fesses, ses shorts avec lesquels elle traversait le village en exhibant ses vergetures, cette poitrine molle qu'elle dissimulait à peine, sa manière de harceler n'importe qui de questions, sans aucune retenue, dans ce terroir où la pudeur se contente d'ellipses, tout ça exaspérait Bougna. Y a pas à dire, sans une once de xénophobie, elle préférait nettement la gazelle Coumba, la bosseuse polie et discrète, qui lui offrait ce qu'elle attendait d'une belle-fille.

Pour parler à son fils, elle avait d'abord esquissé son discours. Issa s'était dérobé. Elle reformula avec tact, Issa s'échappa comme une carpe saute hors du filet. Alors, profitant d'une visite où elle l'avait accompagné chez le chef du clan maternel, elle le coinça. Il acquiesça à tout mais, à la fin, se contenta de hausser les épaules. Le chef du clan abonda dans le sens de Bougna, mais Issa resta de marbre. « Les enfants obligent parfois leur père à supporter, chez une femme, ce qu'il n'aurait jamais toléré auparavant », lui avait lancé Bougna, dépitée, sur le chemin du retour ; elle avait compris qu'elle ne pourrait rien changer à l'attelage. L'été se poursuivit, Coumba dompta ses humeurs, enchaîna les plats jusqu'à la lisière des vacances. Elle était la femme au foyer, l'autre, la femme amoureuse qui s'était arrogé les promenades et les conversations avec Issa. Coumba allait déverser sa bile chez sa mère : elle n'avait pas reçu celui qu'elle attendait ; celui à qui elle adressait des lettres passionnées, elle l'avait perdu. Après l'irritation des premiers jours, elle ne savait même plus si elle en voulait à la dame de porcelaine ; d'ailleurs, elle aimait bien les petits métis, qu'elle trouvait mignons, et les choyait autant qu'elle pouvait. Celle qu'elle haïssait vraiment, sa véritable rivale, celle qui lui avait volé son mari, c'était l'Europe. La fin des vacances sonna la fin de ses dernières illusions. Un matin, on avait vu Issa repartir avec sa clique européenne. Coumba jugea toute supplique inutile. Il s'était contenté de lui assurer qu'il reviendrait tous les ans. Personne n'y croyait, même pas lui.

Au village, après l'étonnement et les jacasseries, le bon Dieu remit sa montre en marche, la routine reprit son cours. On jardinait, on défrichait, on sarclait, on bêchait, on semait toujours le même espoir, mais on avait compris que le cœur déteste la jachère. Partis à l'âge ardent, les jeunes du village ne pouvaient que s'enflammer et le feu qui les dévorait ne pouvait attendre le bois stocké au pays. À défaut d'ébène, on brûle de la porcelaine, il s'agit de tromper l'hiver de l'exil. « Mon fils, mon mari, mon amour ! », disent les malheureuses qui attendent au pays. Mais on ne récupère pas un homme parti à l'aventure comme on récupère une calebasse prêtée. Et même la calebasse ne garde pas éternellement l'arôme du mets précédent, lorsqu'elle s'imprègne chaque jour d'un nouveau repas. « Mon fils reviendra ! Il travaille, accumule de l'argent pour sa femme et son fils, mais il reviendra ! », claironnait Bougna à qui voulait l'entendre, mais l'homme qui lui était revenu avait laissé le fils qu'elle attendait en cours de route. Coumba restait dans son foyer conjugal, où elle n'espérait plus de mari mais simplement de quoi vivre. Avait-elle cessé d'aimer Issa ? Il lui manquait la force de se poser cette question ; ce qui était certain, c'est qu'elle aimait son fils plus que tout et qu'elle était prête, pour lui, à tous les sacrifices, y compris celui de rester mariée à un homme qui appartenait maintenant à une autre. Quelque temps après le départ d'Issa, son corps lui signifia une autre bonne raison de rester. Coumba attendait son deuxième enfant. Lorsque l'infirmier lui confirma sa grossesse, elle pleura comme s'il venait de lui diagnostiquer une grave maladie. Elle pleurait parce que, cette fois encore, elle n'aurait personne pour masser ses jambes lourdes ou déchiffrer avec elle toutes les devinettes que la vie lui adresserait, en grandissant en son sein. Coumba était une de ces nombreuses femmes qui attendent Ulysse à quai en restant fidèles à leur chambre vide.

XXII

Une semaine venteuse : les pêcheurs restaient à quai, retenus par les bourrasques. Hors de toute menace, lottes, bars, barracudas, capitaines, espadons, mulets, murènes, rougets, rascasses, carpes rouges, daurades grises ou roses orchestraient leur ballet sans fin dans les flots. Même les raies, qui se traînaient à plat ventre contre la vase, savouraient cette tranquillité momentanée. Les turbots et les thons fendaient leurs paisibles sillages, en ignorant les dauphins. Les soles n'avaient pas à se sauver d'un filet et les seiches, à défaut de cracher leur colère contre les marins, gardaient leur encre pour un autre usage. Au village, les cuisinières ne trouvaient pas une darne de thiof à farcir pour le thiéboudjène et même les sardinelles, d'ordinaire abondantes, restaient invisibles au marché. Par une après-midi d'accalmie, Arame et Bougna, qui voulaient de quoi égayer leur repas du lendemain, profitèrent de la marée basse pour aller à la recherche de coquillages.

Depuis qu'Issa était reparti, c'était la première fois que Bougna s'était sentie assez légère pour retrouver son amie. Malgré sa déception, elle s'estimait plus chanceuse qu'Arame, qui n'avait toujours pas revu son fils. Elle tentait de la soutenir à sa manière. Malheureusement, elle ne réussissait qu'à l'irriter, en lui exposant ses nouvelles idées avec sa fougue habituelle :

— Ma chère Arame, depuis quelque temps tu vis comme une dame sans bru, attelée à tes tâches domestiques. Daba reste cloîtrée, ne s'occupant que d'elle-même et de son bébé, et toi, tu lui passes tous ses caprices. Quand je pense que tu lui portes ses repas dans sa chambre !

— Comment faire ? Je ne vais pas la laisser mourir de faim.

— Mais elle n'a qu'à sortir, reprendre ses activités, cuisiner, aller au puits… comme toutes celles de son âge. Toi, tu lui garderais l'enfant, c'est tout de même ainsi que cela se passe, ici, entre une bru et sa belle-mère.

— Oui, je sais, mais elle ne veut pas sortir, elle a honte. Aller au puits et au marché l'exposerait aux médisances.

— Ah ça, oui, mais elle devait y penser avant de commettre sa bêtise ! Tu ne vas tout de même pas la couver éternellement. D'ailleurs, cela m'étonnerait que Lamine la garde à son retour. Je pense que tu devrais entreprendre des démarches pour trouver une seconde épouse à ton fils, une qui lui fera des enfants bien à lui.

— Hors de question ! J'en ai assez fait comme ça et quand je vois le résultat… On peut se tromper de chemin, c'est une erreur, mais, lorsqu'on s'en rend compte, persister à s'enfoncer dans les buissons, c'est de la bêtise. Non, ce sera à Lamine désormais d'orienter sa vie.

— Il n'a répondu à aucune de tes lettres, c'est une manière de te signifier quelque chose, non ? Son silence, à mon avis, traduit sa grande colère.

— Certes, il ne m'écrit pas, mais il nous envoie toujours un peu d'argent. D'autre part, il m'a appelée récemment, au télécentre, et même s'il n'a pas voulu parler de Daba, j'ai bon espoir. Il m'a dit que l'Espagne procédait à une régularisation massive, qu'il avait enfin obtenu ses papiers à cette occasion. Il a maintenant un emploi sûr et compte venir au pays dès qu'il aura suffisamment économisé.

— Si tu le dis. Je m'étonne tout de même que Daba soit encore chez toi, après ce qu'elle a osé faire ; j'imagine que même ses parents s'attendent à ce que Lamine la répudie.

— Les parents de Daba ne sont pas sans vergogne ; ils ont voulu reprendre leur fille, mais je leur ai dit d'attendre le retour de Lamine. Cette fois, laissons les enfants décider eux-mêmes de l'avenir de leur couple. Après tout, nous ne serons pas toujours là pour les accompagner, souhaitons-leur assez de sagesse et de courage pour affronter leur propre sort.

Bougna s'était tue, mais à la façon dont elle avait roulé les yeux avant de pousser un soupir, Arame avait deviné ce qu'elle s'était retenue de dire : « Tant pis ! » ou peut-être pire : « Finalement, tu n'as que ce que tu mérites ! » Silence. Les regards qui se fuient évitent souvent à la bouche de provoquer un drame. Chut ! Pendant un moment, chacune prolongea son discours dans sa tête. Bougna mettait son grain de sel dans tout mais, cette fois, elle avait compris qu'Arame n'était plus disposée à la laisser touiller sa marmite. Entre les deux amies, un décret tacite venait d'être signé : « On cherche les fruits de mer ensemble, mais chacune assaisonne sa sauce à son goût. » On peine à l'admettre, mais les amitiés vieillissent à l'instar de nos veines ; on souhaite qu'elles tiennent le coup, mais il arrive qu'elles se nécrosent.

Le disque rouge d'un soleil finissant plongeait à l'horizon, lorsque Bougna et Arame, revenant de leur pêche, se faufilèrent dans les premières ruelles du village. Leur panier rempli de coquillages en équilibre sur la tête, elles discutaient maintenant de choses légères, à voix basse. Cependant, un écho lointain les intriguait. Plus elles se rapprochaient de leur quartier, plus une clameur inquiétante leur parvenait : c'étaient des cris de femmes, annonciateurs de mauvaise nouvelle. Alors qu'elles longeaient la grande rue du village, elles croisèrent Wagane, le mari de Bougna, qui allait à leur rencontre.

— Que se passe-t-il ? avaient-elles lancé en chœur.

— Dieu l'a voulu, *bihismilahi rakhmani rahimi*, lâcha Wagane, essoufflé.

— Mais quoi ? s'impatienta Bougna, pendant qu'Arame retenait son souffle.

— Arame, reprit Wagane, Dieu fait toujours ce qui est le mieux pour nous : ton mari nous a quittés. Il est tombé en sortant de la chambre ; Daba, le voyant inanimé, est venue me chercher. Nous avons envoyé quelqu'un chez l'infirmier, qui est venu mais n'a rien pu faire.

Comme Arame restait immobile, sans réaction, Wagane lui posa une main sur l'épaule, la secoua doucement en répétant.

— Arame, ton mari nous a quittés, mais Dieu fait toujours ce qui est le mieux pour nous. Remercie ton Seigneur.

Wagane déchargea Arame de son panier, qu'il porta sur sa tête. Comme les deux femmes restaient figées, il mit un bras autour des épaules de la veuve, jeta un regard à Bougna et tous trois hâtèrent le pas. À leur arrivée chez Arame, la demeure grouillait déjà de monde : parents, alliés et voisins, alertés par les cris, affluaient de tous les coins du village. Même si l'annonce d'un décès représente toujours un choc, celui-ci n'avait guère surpris les habitants, tant la maladie de Koromâk était ancienne et connue de tous. Même ceux qui ignoraient de quoi il souffrait le savaient en très mauvaise santé et mettaient son état sur le compte de la vieillesse. Depuis des années, on s'étonnait de le voir tenir, quand des mieux-portants que lui succombaient à la grippe ou au paludisme. On se dépêcha de rendre à Dieu celui qu'il avait réclamé. Cette nuit-là, on enterra le vieux, avant la dernière prière du soir. Dans le tohu-bohu généralisé, Daba, un peu perdue, pleurait, reniflait, mais prenait sur elle et courait dans tous les sens pour apporter une réponse adéquate aux sollicitations les plus diverses. Arame, encore interloquée, gardait le silence, essuyant de temps en temps quelques larmes dont elle ignorait la provenance. Ses petits-enfants, qui avaient toujours eu peur du vieux grognon, furent inconsolables en la voyant ainsi.

Ce fut le lendemain, entourée de sa parentèle venue lancer le rituel du veuvage, qu'Arame sanglota, submergée par une tristesse à laquelle elle ne s'attendait pas.

Maintenant qu'elle était débarrassée de celui qu'elle avait toujours considéré comme le boulet de sa vie, elle se rendait compte qu'elle était malgré tout attachée à lui. Au fond d'elle, une petite fille hurlait à l'abandon, une petite fille qui trouvait que Dieu n'avait pas fait le mieux pour elle. Pourquoi Dieu n'avait-il pas attendu que Lamine revienne, prouver à celui qui le traitait de vaurien qu'il s'était trompé sur son compte ? Arame se souvenait des quolibets, des ragots qui n'avaient cessé d'incriminer la naissance trouble de ses fils. Elle se souvenait surtout des injures de son mari, qui avait toujours lié le sort de ses enfants à la conduite de leur mère. Arame aurait voulu laver son honneur grâce à la réussite de Lamine, montrer à Koromâk qu'elle n'avait pas engendré un fils indigne. En entamant les trois mois et dix jours de réclusion pour veuvage que la religion musulmane exigeait d'elle, période où elle était censée prier pour le repos de l'âme de son époux, Arame ne pensait qu'à cela : pourquoi ? Pourquoi Dieu n'avait-il pas attendu que Lamine revienne ? Non, elle n'était pas d'accord avec le fatalisme de Wagane, Dieu n'avait pas du tout fait le mieux pour elle.

Après l'affluence des jours d'obsèques, un calme plat régnait dans la demeure. Retranchée chez elle, Arame appréciait la sollicitude de Bougna et de quelques proches qui lui rendaient souvent visite. Lamine sut la mauvaise nouvelle avant même qu'Arame eût songé à l'en informer. Au village, comme partout dans le monde, on met moins de temps à vous apprendre la perte de vos parents que les infidélités de votre conjoint. À peine le vieux avait-il rendu l'âme qu'un copain de Lamine l'avait appelé sur son téléphone portable : « Lamz, il faut que tu reviennes dès que possible, ta mère va avoir besoin de toi… » Lamine avait promis. L'indiscret n'avait pas osé prévenir Arame et pensait comme beaucoup que Daba n'était plus concernée par le retour de son mari.

N'ayant plus le choix, depuis le veuvage de sa belle-mère, Daba était sortie de sa léthargie et tenait vaillamment la maison. Elle allait au puits, au marché et partout où les nécessités quotidiennes la dirigeaient. Au début, elle fit la sourde oreille, ignora les piques et bavardages que déclenchait son passage. Mais, la fuite n'étant pas un refuge idéal, elle finit par marquer le pas et tenir tête aux provocations de ceux et celles qui la blâmaient. Un matin, au puits, une dame d'une cinquantaine d'années, encouragée par les commérages qui avaient précédé l'arrivée de Daba, lui balança ouvertement ce que murmuraient les autres :

— Bonjour Daba ! Ta fille est certainement aussi jolie que toi, mais espérons qu'elle sera plus sage, même si nous ignorons encore le nom de famille que nous devrons chanter le jour de son mariage. Sans doute lui donnes-tu le nom de son vrai père, dans tes berceuses. Alors, pourquoi ne pas nous le dire ? Nous pourrions nous mettre à inventer de belles chansons pour ta princesse !

Devant le groupe de bonnes femmes qui, toutes, guettaient sa réaction, Daba posa ses deux mains sur les hanches et rétorqua sèchement :

— Et toi, es-tu sûre de porter le nom de ton vrai père ? Les anciens racontent qu'il n'a pas succombé à un banal accident de pêche, mais qu'il s'est suicidé à cause d'un matelot qui lui disputait la paternité de ses enfants. Alors, de qui es-tu la fille ? Quel est ton nom ?

Après cette violente riposte, l'audacieuse, blessée, accusa Daba d'être trop susceptible et de mal se prêter à la pratique traditionnelle du cousinage à plaisanterie. Surtout, la dame hurla à l'impolitesse, soulignant qu'elle avait le même âge que la mère de Daba ; mais les alentours du puits restèrent muets, aucun soutien ne se fit entendre. En un éclair, les femmes, médusées, se dispersèrent comme des chats surpris par l'averse. Aucune d'elles n'avait jusqu'alors imaginé Daba capable d'aller si loin dans l'affrontement. Elles avaient compris que la jeune femme, malgré son accident de parcours, ne se laisserait jamais piétiner. Elles devraient trouver une autre à qui accrocher la livrée, Daba ne serait pas la risée du village, elle avait trop de caractère pour leur servir d'exutoire collectif.

Sur l'île, la tradition orale demeure une source ouverte à tous, on gagne donc à connaître ses propres secrets de famille avant d'insulter les autres. Depuis des siècles, la mémoire transmise de génération en génération reste la rondache qui préserve la dignité des clans. Et si les anciens lèguent volontiers gloires et fiertés, ils n'oublient jamais d'offrir, en même temps, les armes qui mettront à terre tous ceux qui s'aviseraient de ternir l'éclat de leur descendance. À chaque bourde commise au sein d'une famille, les aînés déterrent ce qu'il y a de nauséabond chez les autres pour permettre à leurs enfants de parer à toute attaque. Ainsi, une tare d'hier peut ressurgir pour humilier celui qui se croit irréprochable et l'obliger à plus de retenue face à celui que le présent condamne. Solidaires en tout, dans leurs clans respectifs, les gens partagent les triomphes comme les affronts. Et même lorsqu'une famille a tout perdu, il lui reste toujours assez d'orgueil pour faire face aux tiers. Même coupée, la mangrove garde son goût salé ! « Les Guelwaars ne perdent jamais leur noblesse, c'est quelque chose qu'ils tètent avec le lait maternel », soutiennent les anciens, lorsqu'ils pressentent un moment de faiblesse chez les plus jeunes. C'est après avoir discuté avec sa mère et sa grand-mère que Daba avait redressé la tête. Rassérénée par cet accrochage, d'où elle était sortie victorieuse, elle retrouva un meilleur confort mental. Même si elle se sentait encore gênée aux entournures, elle vaquait à ses occupations, traversait le village sans plus raser les murs, convaincue que les annales de l'île regorgeaient de fautes plus lourdes que la sienne. Elle ne fuyait plus le regard de sa belle-mère, elle s'était même rapprochée d'elle. Lorsqu'elle avait fini ses travaux, quand les enfants étaient à l'école ou partis jouer avec leurs camarades et que les visiteuses n'encombraient plus la chambre d'Arame, Daba venait lui tenir compagnie, sa fille dans les bras. Un jour, alors qu'elle ne savait plus comment consoler la petite qui pleurait pour on ne sait quelle raison, Arame lui proposa son aide. Oubliant qu'elle était censée rester dans le recueillement et la prière, la veuve se mit à chantonner à l'oreille de la gamine une fameuse berceuse sérère qui lui rappelait son fils :

— *Ayo, ayo, Lamine Yandé ! Nanyo ké ndidné laya no makholé mbiné ! Thiora Mbaye thiora diéga ké lolona ! Yalanam oyalo mbélane, Famara Diamé ! Doudou mame, gati mbiné eh ! Kôr né néwa !* Ce qui veut dire : « Ayo, ayo, Lamine Yandé ! Écoutez l'oiseau chanter à l'entrée de la maison ! Thiora Mbaye, Thiora, tu as des raisons de pleurer ! Chante-moi une belle berceuse, Famara Diamé. Doudou Mame revient à la maison ! Un homme, ce n'est jamais insignifiant dans une demeure ! »

Après quelques minutes passées à écouter Arame chanter, Daba fondit en larmes. L'air enjoué ne dissimulait pas la teneur mélancolique de cette berceuse, qui porte en elle la complainte de toutes celles qui attendent, désespérément, un fils, un mari ou un père. Alors que la petite, s'étant calmée, s'était mise à gazouiller, Arame remarqua les larmes de sa belle-fille qui pleurait en silence. Elle s'assit à côté d'elle et lui saisit la main.

— Et maintenant ? Quelle berceuse dois-je trouver pour toi, ma grande ?

À ces mots, les sanglots secouèrent tout le corps de Daba. Ses épaules montaient et s'affaissaient, obéissant à un mécanisme qu'elle ne pouvait plus contrôler. Tenant le bébé contre elle, d'un bras, Arame passa l'autre autour des épaules de sa bru et lui murmura, d'une voix étranglée par l'émotion :

— Je sais pourquoi tu pleures, ma grande. Mais ne t'en fais pas, il ne se passe rien qui ne puisse tenir dans une vie. Continue à mener ta barque du mieux que tu peux, et n'aie pas peur de l'avenir. Aucun banc de sable ne t'attend à l'horizon, mais deux bras de mer : ou Lamine te pardonne et tu restes ici avec nous, ce que je souhaite de tout cœur, ou il te rejette et Ansou sera ravi de te récupérer, avec ta fille. Quoi qu'il advienne, ta navigation va se poursuivre auprès de quelqu'un qui t'adore. Pardonne-moi d'avoir fait de toi l'épouse d'un absent, car tous tes soucis découlent de là. Pardonne-moi, ma grande.

Daba ne répondit pas, mais la manière dont elle avait serré Arame en posant sa tête contre son épaule valait tous les pardons. Elles étaient encore silencieuses, collées l'une à l'autre, quand des voix saluèrent dans la cour. Daba se détacha d'Arame, inspira profondément, et reprit son bébé. Avant de sortir de la chambre elle se retourna, posa un regard tendre sur sa belle-mère et lui dit simplement :

— Merci.

Sur le perron, elle croisa Bougna qui accompagnait des dames, appartenant à la parentèle du défunt. Des dames venues de Dionewar, l'île voisine, avec leurs calebasses de sucre, de riz et de mil, apporter leur soutien à la veuve. Daba, qui connaissait l'opinion peu amène de Bougna à son égard, n'eut pourtant pas besoin de forcer son sourire pour accueillir les visiteuses. Si ses yeux étaient encore rouges, une lueur de sérénité toute nouvelle auréolait son visage. Elle s'éclipsa quelques minutes dans sa chambre, puis réapparut, portant sur un large plateau une cruche de jus de bissap pour Arame et ses invitées. Après le service, elle regagna sa chambre. Allongée sur son lit, elle pensait à Arame, pendant que son bébé babillait. Ce que les gens appellent l'éternité, qu'ils imaginent telle une ligne de mire lointaine, n'existe pas. La véritable éternité, c'est un bref instant, volé à la vacuité du quotidien, où, soudain, une intense beauté se concentre et s'ancre si profondément en nous que le temps à venir ne peut en éroder le souvenir. L'éternité, c'est cette pleine présence à soi et aux autres lors de ces moments inoubliables. Si le corps se laisse ruiner par le temps, il existe en nous des endroits où la beauté ménage un espace hors d'atteinte. Partager la sincérité d'une émotion, c'est transmettre l'essence de ce que nous sommes. Daba savait que, quoi qu'il arrive, elle n'oublierait jamais Arame ni ce moment qu'elles venaient de vivre ensemble.

Les jours et les semaines qui suivirent, Arame prit l'habitude, lorsqu'elle n'avait pas de visite, d'éplucher les légumes ou de nettoyer le poisson, pendant que Daba cuisinait. Mais ce qu'elle aimait surtout, c'était garder le bébé. Arame était heureuse de donner des conseils à la jeune maman, lorsque celle-ci sollicitait son expérience pour mieux prendre soin de son enfant. Le temps filait, leurs échanges s'étoffaient. Le temps filait, leurs regards et sourires tissaient des liens. Bref, il se passait sous leur toit la même chose que dans tous les autres foyers du village, une vie de famille. La vie, c'était simplement une barque où elles appréciaient le bonheur de ramer ensemble. Comme toutes les femmes de l'île, elles savaient qu'affronter la houle faisait partie de leur sort. Arame et Daba tentaient de dompter les courants à leur manière.

XXIII

Un soir côtier, douceur ! La vie n'aurait été que cela, sans les chalumeaux diurnes pour lécher la peau. Seigneur ! Certes, les humains voulaient de la lumière, mais pourquoi tant de feu ? Après une journée à s'éponger, à s'hydrater, à se brûler narines et rétines, on ne peut qu'apprécier la clémence des îles sérères de Gandoune. Là-bas, le soir, dans les maisons alignées entre les cocotiers, les rideaux s'envolent et laissent entrer la vie que l'on croyait perdue. À l'instant d'expirer, voilà qu'on respire le bonheur d'une fraîcheur qui sauve le cœur de l'ébouillantement. Dire que les Français associent le mot chaleur à une impression de bien-être ! Faut-il que l'hiver soit cruel pour leur insuffler ce terrible désir d'*avoir chaud au cœur*. Il faudrait acclimater le dictionnaire, afin qu'il rende heureux pareillement, sous toutes les latitudes, sans perdre la boussole.

Ce soir-là, sur la belle île de Niodior, à l'ombre de toute pénombre survivait ce que le soleil n'avait pu tuer. Les hérons, les flamants roses et les pélicans avaient cessé leur ronde pour veiller la mangrove. Vautrées dans la fraîcheur, les dunes du village reposaient sur elles-mêmes et glissaient des rubans de soie entre la plante des pieds et la semelle des sandales. Quelques ombres passaient, promeneurs bénis d'un paradis qui narguait l'enfer du jour. La douce caresse de l'air sur la peau faisait oublier le soleil irascible qui, dès l'aube, cramait tout de son mauvais œil. Loin de la capitale, de ses embouteillages, de ses klaxons et de ses foules pressées, on respirait l'iode à pleins poumons. C'était l'un de ces soirs dont les insulaires, trop habitués aux merveilles de leur environnement, ne remarquent plus la beauté. Ils crieraient même à la banalité, si on leur parlait du souffle de la brise dans la cime des cocotiers, de ces embruns qui vous prennent par le nez pour vous balader sous le clair de lune et du murmure ininterrompu des vagues, qui couvrent d'innombrables confidences semées nuitamment au bord de mer. C'était une soirée insulaire tranquille, la nuit courait sur l'Atlantique et n'éclaboussait personne. Durant son veuvage, c'était le moment de la journée où Arame sortait, discrètement, se dégourdir les jambes. Accompagnée de Bougna ou d'une parente proche, elle allait jusqu'au débarcadère, longeait le rivage, contournait le premier quartier de l'île et rentrait, ravie d'avoir élargi son périmètre de liberté. Son retour sonnait souvent l'heure du coucher pour la maisonnée, car Arame, qui se levait tôt pour la première prière du matin, n'aimait plus à prolonger les veillées. Ses petits-enfants ne rechignaient jamais, même lorsqu'ils n'avaient pas fini leur conte, ils allaient au lit dès qu'on leur en donnait le signal. Depuis qu'ils voyaient leur grand-mère retranchée de tout, ils semblaient éprouver à son égard une empathie qui se traduisait par une obéissance accrue et moins de débordements dans leurs jeux. Ce soir-là pourtant, ils se montrèrent plus gais et même agités. En rentrant de sa promenade, Arame s'en étonna.

— Hey ! Cessez de courir partout ! Hey ! Mais qu'avez-vous à ricaner ainsi, sans arrêt ? Allez, au lit !

Mais les petits s'amusèrent de cette remontrance, qui manquait de fermeté. Malgré ses interjections, Arame chuchotait presque, sa situation de veuve lui interdisant de hausser le ton.

— Hey ! J'ai dit au lit ! insista-t-elle.

Les gamins se précipitèrent, quittèrent la cour en file indienne et se dirigèrent vers le bâtiment. Leurs rires traversèrent le perron ; à peine étaient-ils entrés dans leur chambre qu'on vit des fronts dépasser de l'embrasure de la porte. Ils se bousculaient et riaient de plus belle.

— Daba, viens m'aider, fais entendre raison à ces petits filous ; au moins, toi, ils t'écoutent, plaisanta Arame, en frappant à la porte de sa belle-fille.

Daba vint à sa rencontre avec un sourire timide et lui expliqua la raison de ce tapage inhabituel.

— Ils ont appris quelque chose et brûlent d'envie de te l'annoncer. Mais comme je leur ai dit que j'attendais de voir qui, parmi eux, ne saurait pas tenir sa langue, ils en ont fait un pari et se surveillent mutuellement, d'où ces rigolades.

Pendant que Daba s'expliquait ainsi, les enfants étaient revenus s'attrouper autour de leur grand-mère, épiant sa réaction, lorsqu'elle recevrait l'information qu'ils peinaient à garder pour eux.

— Bravo, vous avez tous tenu ! les félicita Arame. Allons, Daba, maintenant, à toi de me renseigner. Quelle est donc cette nouvelle qui les excite tant ?

— La gérante du télécentre est venue te voir, mais tu étais à ta promenade. Elle m'a dit de te transmettre un message de Lamine : son avion s'est posé ce soir à Dakar, il arrive demain au village.

— Demain ? Demain ? interrogea Arame, bouche bée.

— Oui, demain, confirma Daba.

Le cœur de la mère palpitait, mais Arame fit un effort pour maîtriser son émotion. Daba avait débité le message d'un ton monocorde, les yeux rivés au sol. De sa fine oreille, Arame avait discerné dans le dernier murmure de sa bru une légère modification de sa voix. La tristesse et l'inquiétude se disputaient le cœur de la jeune femme. Arame chassa gentiment les enfants.

— Maintenant, je sais, bande de cachottiers. Allez, cette fois, au lit !

Comme elle ne souriait plus, la petite bande, soudain assagie, suivit le mouvement de son index. Restée seule avec sa belle-fille, Arame essaya de la réconforter.

— Mais, Daba, c'est une bonne nouvelle que tu viens de m'apprendre. Ne sois pas triste. Te souviens-tu de ce que je t'ai dit ? Ton avenir…

— Ce n'est pas ça, l'interrompit Daba, qui avait le regard perdu.

— Alors, qu'y a-t-il ?

— Lamine. Il sait bien que tu ne peux pas aller au télécentre, à cause de ton veuvage. Il aurait pu m'appeler ; mais au lieu de cela, il a préféré t'envoyer son message par un tiers. Il doit vraiment me détester pour agir ainsi. Je pense que je ne dois pas l'attendre ici.

— Bien sûr que si ! Tu vas l'attendre ici. Après tout, tu ne sais pas ce qu'il va te dire. Alors, demain, tu vas préparer un vrai festin pour ton mari. Hein, ma grande ? Tu cuisines si bien ; tu nous feras une de tes meilleures spécialités, nous allons accueillir mon fils dignement. Et pour le reste, inutile de supposer l'orage, on a toujours le temps de voir la couleur du ciel. Allez, va te coucher et passe une bonne nuit, tu dois être en forme pour ta journée de demain.

La nuit fut courte. Certaines nouvelles sont plus fortes que le sommeil et plus encombrantes qu'une nuée de moustiques. Arame avait passé sa nuit à prier pour son fils, à supputer le visage qu'il aurait après tant d'années. Daba, elle, n'avait pas quitté des yeux sa fille qui dormait à ses côtés. Comment réagirait Lamine, devant cet enfant qui ignorait tout des erreurs adultes ? Jusqu'à l'aube, Daba s'était imaginé un scénario, sans cesse modifié, mais chacune de ses versions fut pire que la précédente. Lorsqu'elle saisit sa bassine en plastique pour se rendre aux puits, sur les dunes encore désertes, elle ne savait toujours pas quelle attitude adopter lorsque Lamine franchirait le seuil de la maison.

Daba avait déjà rempli tous ses canaris, quand les premiers groupes de femmes, qui montaient vers les dunes avec leurs bassines multicolores, passèrent devant chez elle. Elle balayait la cour et se trouvait près de la clôture, lorsque des bribes de discussion lui parvinrent. Elle s'arrêta et tendit l'oreille.

— Il paraît que le fils d'Arame arrive aujourd'hui, dit l'une des femmes.

— Eh ben, on va voir ce qu'on va voir ! Notre journée risque d'être animée ! clama une deuxième.

— Et Ansou ? Il est là, Ansou ? interrogea une troisième.

— Bien sûr ! Je crois que mon cousin va bientôt récupérer sa chérie…

Puis les plaisanteries grivoises et les ricanements s'éloignèrent. Daba resta immobile, pensive. Ni elle ni Arame n'avaient annoncé à personne l'arrivée imminente de Lamine, mais, au village, la brise emporte les confidences et les disperse à sa guise. La veille, lorsque Lamine avait appelé la gérante du télécentre, des dames qui attendaient leur tour avaient tout entendu. Dans la soirée, la même phrase avait effleuré toutes les lèvres et n'avait contourné aucune oreille : « Il paraît que le fils d'Arame… » Le lendemain, tout le village focalisait son attention sur le foyer d'Arame. Parents et alliés, amis et ennemis guettaient le retour du fils prodigue et soupesaient l'ampleur du scandale, que tous croyaient inévitable. Au bout d'un instant de réflexion, Daba se remit en action : trop de tâches l'attendaient et le soleil cognait déjà.

Après le petit déjeuner, Arame cassa sa modeste tire-lire depuis son veuvage, certains visiteurs, pour la soutenir, lui donnaient quelque argent. Économe, elle en gardait une partie dans une petite bourse en coton. Ce matin-là, elle en sortit deux gros billets qu'elle remit à Daba.

— Tiens, achète vraiment tout ce qu'il faut, en grande quantité : c'est un jour exceptionnel et nous risquons d'avoir de nombreux visiteurs. J'ai demandé aux enfants d'attraper trois coqs, les plus gros de notre poulailler.

Ce jour-là, Daba fut l'une des toutes premières à choisir ses légumes au marché. À son retour, avec son panier rempli à ras bord, Arame, assise devant la cuisine, le bébé sur le dos, plumait déjà les volatiles qu'elle avait trempés dans de l'eau chaude. En rejoignant sa belle-mère, Daba remarqua un trou fraîchement bouché, qui rompait l'harmonie des stries que son balai avait laissées sur le sable blanc. Libations ! En pays sérère, malgré l'islam et le christianisme, rien d'important ne se passe sans libations. Comme il n'y avait aucun homme adulte chez elle, Arame avait envoyé un de ses petits-enfants appeler le mari de Bougna, qui était venu tuer les coqs. Respectueuse des traditions animistes, cette veuve, voilée au nom de l'islam, avait recueilli un peu du sang des coqs, l'avait versé dans un trou creusé à quelques mètres du manguier qui servait d'arbre à palabres. Elle y avait ensuite ajouté du lait caillé et quelques poignées de mil avant de reboucher, en psalmodiant des prières. Ce rituel était censé apaiser les ancêtres et attirer leurs bonnes grâces sur toute la famille. Daba regardait les poules picorer les restes de graines autour du trou. Elle devinait que sa belle-mère avait pratiqué ce rituel qu'elle-même connaissait bien, mais semblait perplexe. Arame lui ôta le dernier doute qui la retenait près du manguier.

— Eh oui, je n'ai pas oublié… Nos ancêtres sont nourris et veillent sur nous. Tout se passera bien, ne t'en fais pas.

Daba, qui avait du mal à partager sa conviction, se contenta d'un sourire poli. Elle s'approcha, déposa son panier et lui prit le bébé qui s'agitait dans tous les sens depuis qu'il avait aperçu sa mère. Pendant que Daba, assise sur un banc, allaitait sa fille, Arame scrutait son visage. Pour dissiper la mine maussade qu'elle lui trouvait, elle provoqua une discussion.

— Y a-t-il des choses intéressantes au marché, aujourd'hui ?

— Oui, oui, beaucoup de légumes frais. J'ai fait les courses pour un poulet yassa. Et comme il y avait du thiof, j'en ai pris pour le thiéboudjène. J'ai également acheté de belles daurades.

— Et finalement, qu'est-ce que tu comptes nous mitonner ?

— Je vais préparer un poulet yassa, mais aussi un thiéboudjène rouge et comme tu m'as dit que Lamine adore le couscous de mil au poisson, j'ai prévu d'en faire, avec les daurades. Ainsi, il pourra choisir le plat qui lui manque le plus et s'il arrive tôt, le déjeuner et le dîner seront prêts. Je vais faire des pastels aussi, je me souviens qu'il aimait beaucoup ces petits beignets farcis au poisson, quand nous participions aux fêtes de notre groupe...

Daba s'arrêta nette, le sourire qui s'était tantôt dessiné sur son visage avait disparu.

— Oui, c'est une bonne idée ! enchaîna Arame, qui faisait mine de n'avoir pas vu la gêne de son interlocutrice. Lamine aime beaucoup les pastels. Et pour les boissons ?

— J'ai déjà trempé du bissab et là, j'ai rapporté du bouille. Je vais faire un jus de bissap et un autre de bouille et, afin qu'ils soient bien frais, j'ai commandé deux blocs de glace que les enfants iront chercher plus tard chez Abdou. Et comme on a du lait caillé, je vais faire du ndiar, bien sucré. J'ai de la farine aussi, s'il me reste assez de temps, je ferai des petits gâteaux à la noix de coco.

— Bien ! conclut joyeusement Arame, je crois qu'avec tout ça il nous faudra deux ventres à chacun.

La jeune cuisinière n'exultait pas, mais elle était contente de voir ses initiatives appréciées. Après avoir plumé, découpé les poulets, épluché les légumes, Arame s'installa sous le manguier avec la fille de Daba. Enfin seule dans sa cuisine, la jeune femme engagea une course contre la montre. Les pirogues qui partaient le matin à Djifère, d'où elles embarquaient les passagers en provenance de la capitale, revenaient habituellement entre quatorze et dix-sept heures. Rentrée du marché un peu avant neuf heures, Daba souhaitait tout terminer en cuisine avant midi. Avec deux foyers suralimentés en bois de palétuviers, l'un pour le yassa, l'autre pour le thiéboudjiène et un fourneau malgache devant l'entrée de la cuisine, pour les pastels, elle avait réussi à respecter son horaire. Elle dut même attendre le retour des enfants de l'école pour servir le déjeuner. Quant à elle, elle ne ressentait pas la faim ; plus la journée avançait, plus la boule d'angoisse dans son ventre grossissait. Après le déjeuner, elle nettoya sa vaisselle et rangea sa cuisine. Conditionnées avec soin, les différentes nourritures n'attendaient plus que l'hôte de marque. Daba alla s'occuper d'elle et de sa petite fille.

Il était quatorze heures, le muezzin appelait à la prière quand Daba, bien habillée et maquillée, sortit de sa chambre, avec sa fille dans les bras. La petite aussi était lavée, très bien habillée et entourée d'un beau pagne de tisserand. En descendant du perron, la jeune maman croisa sa belle-mère qui, une bouilloire à la

295

main, se préparait à la prière. Stupéfaite, Arame l'interrogea.

— Daba, où vas-tu comme ça, avec la petite, en plein soleil ?

— Je reviens de suite, dit-elle, sans ralentir le pas.

Arame la regarda sortir de la maison. En faisant ses ablutions, elle regretta de n'avoir rien fait pour la retenir. Pendant qu'elle priait, son esprit courait après Daba et les hypothèses qu'elle formulait se mélangeaient aux sourates qu'elle massacrait. Elle recommença plusieurs fois, mais il lui fut impossible de rester concentrée, elle entamait une sourate et la terminait par les bribes d'une autre. Finalement, elle demanda pardon au Dieu qui n'avait rien fait pour résoudre ses soucis et quitta sa chambre. Dehors, Arame fut très agréablement surprise et ne put retenir un cri de soulagement.

— Ah, Daba, tu es là !

Daba était bien là, assise sur une chaise sous le manguier, mais sans son enfant. Mutique, elle balançait nerveusement une jambe et, malgré les questions appuyées de sa belle-mère, elle refusa de dire ce qu'elle avait fait de sa fille. Les enfants étaient déjà repartis à l'école, les deux femmes se faisaient face dans un huis clos inattendu. On aurait dit que tous les villageois s'étaient passé le mot : il fallait se tenir à l'écart, laisser Lamine retrouver les siens et réagir en fonction de ce qui allait se passer. Dans une hypocrite neutralité, on se promettait de venir, plus tard, calmer la bagarre ou participer à la fête. Aucune des visiteuses habituelles n'était venue déranger le tête-à-tête de la veuve et de sa belle-fille ; pas même Bougna. L'après-midi avançait, le silence devenait de plus en plus pesant ; soudain, Arame eut des sueurs froides. Elle bondit, saisit Daba par les épaules et se mit à lui crier dessus, tout en la secouant :

— Qu'as-tu fait du bébé ? Hein ? Dis-le-moi ! Qu'as-tu fait du bébé ?

— Mais rien ! dit Daba en se dégageant, rien du tout, ma fille va bien, je t'assure.

Arame la regarda droit dans les yeux, se ressaisit et s'excusa : d'une part, rien ne l'autorisait à s'arroger le statut de grand-mère pour la petite d'autre part, elle regrettait déjà d'avoir eu de mauvaises pensées au sujet de sa bru. Avec sa journée fatigante et pleine d'angoisse, Daba avait peut-être été confier sa fille à sa mère ou à l'une de ses sœurs, comme elle le faisait parfois. Arame essaya de se rasséréner mais son imagination la tourmentait encore. Plusieurs fois, elle avait entendu à la radio des informations, remontées de différentes régions du pays, des histoires sordides concernant des femmes d'émigrés ayant eu des aventures en l'absence de leur mari. Des aventures, facturées ou pas, mais dont l'issue terrifiante dépassait l'entendement. Après avoir accouché en cachette, une femme avait jeté son bébé dans un puits sec ; une autre avait tué et enterré son nouveau-né derrière chez elle, où des chiens errants l'avaient déterré. Une autre encore avait emballé son bébé dans un beau pagne et l'avait abandonné au marché Sandaga de Dakar, où un commerçant l'avait recueilli. Ces faits divers s'étaient propagés à travers le pays et Arame ne cessait d'y penser, depuis qu'on lui avait annoncé la grossesse de Daba. Au-delà de l'affection qu'elle portait à sa belle-fille, elle s'était engagée à veiller sur elle et son enfant, convaincue que toutes ces malheureuses, fragilisées par la vie, n'auraient peut-être pas commis ces crimes si elles avaient bénéficié du soutien de leurs proches. Après quelques minutes d'analyse de la situation, Daba, comprenant d'où venait l'inquiétude de sa belle-mère, esquissa un sourire. Pour détendre l'atmosphère, elle alla chercher deux verres de bissap, qu'elles burent en silence. En posant son gobelet vide, Arame croisa le regard de Daba et pensa qu'elle voulait être rassurée sur la qualité de ce breuvage qu'elle avait mis tant de soin à préparer.

— Hum, c'est délicieux ! Outre la fleur d'oranger et cette touche de noix de muscade, je détecte encore un autre ingrédient, que je ne parviens pas à identifier.

— J'y ai ajouté un peu de jus d'ananas, pour obtenir une petite onctuosité.

— Hum ! En tout cas, c'est vraiment très fin. Tiens, tu entends le muezzin ? C'est l'heure de la deuxième prière de l'après-midi.

Arame saisit sa bouilloire et, avant de s'en aller, suggéra à Daba d'aller se reposer, en attendant l'arrivée de Lamine.

Sous les cocotiers, les ombres mangeaient les derniers rayons du soleil ; l'attente et la fatigue devenaient insupportables pour les nerfs. Assises dans leur cour, Arame et Daba avaient déjà perçu des bruits de moteur autour du village. Dans l'entrebâillement du portail, elles avaient vu une charrette passer, à deux reprises, avec sa cargaison de bagages : des sacs, des valises, des caisses de savon et un fatras d'objets qui trahissait l'arrivée de voyageurs venus de la ville. Les deux pirogues, dont celle d'Ansou, parties du village le matin pour ramener les passagers, étaient revenues sans Lamine. Au débarcadère, où se trouvait plus de monde que d'habitude, les langues s'étaient déliées dès qu'Ansou avait accosté. Les hommes en palabre avaient vu la première pirogue arriver sans aucune trace du célèbre revenant. Persuadés qu'il était en retard, certains avaient parié qu'il serait obligé de rallier l'île dans la seconde, celle d'Ansou. L'idée d'une telle confrontation entre les deux rivaux les stimulait et alimentait leurs conversations. Mais leurs pronostics furent déjoués. Lorsque tous les passagers se furent dispersés, l'un des curieux se mit à taquiner le piroguier.

— Hey, fiston ! Capitaine Ansou ! Es-tu sûr d'avoir ramené tout le monde ?

Ansou sauta de sa pirogue avec l'énergie d'un lutteur victorieux, souleva son moteur Yamaha quarante chevaux flambant neuf, le porta sur l'épaule sans l'aide de personne et, gagnant le rivage, lança d'un air narquois :

— Je ne sais pas, mais celui qui reste n'a qu'à me suivre à la nage, s'il a du souffle !

— Et des reins solides ! ajouta l'un de ses copains.

Un rire guttural traversa le wharf et chacun ajouta sa blague virile. Après leur vaine attente, les guetteurs rentraient chez eux en débitant de ces plaisanteries graveleuses dont les hommes se targuent entre eux et qu'ils n'osent jamais devant une femme distinguée. Ansou ne se formalisa point, il saisissait les sous-entendus, mais tous s'arrangeaient pour ne pas le heurter. Depuis le décès du père de Lamine, Ansou pressentait que son rival n'allait plus tarder à revenir. Aussi la récente rumeur n'avait-elle été pour lui qu'une simple confirmation. Et, comme tout le monde, il se disait que

Lamine ne garderait pas une épouse avec l'enfant d'un autre sous son toit. Pressé d'accueillir Daba et sa fille le moment venu, le piroguier s'organisait à grands frais. Il ne s'était pas contenté de repeindre la maison de ses parents ; agissant tel un futur marié, il avait également changé l'ameublement de sa chambre et de son salon. Dans ce terroir où les Guelwaars se jaugent, se pèsent et se soupèsent, on est un homme ou on ne l'est pas, et cela tient à peu de chose. Désireux de battre l'émigré sur tous les plans, Ansou avait acheté une grande pirogue dotée d'un moteur surpuissant. Ajoutées au bébé, ces dépenses onéreuses et spectaculaires constituaient, à ses yeux, les uppercuts qui lui garantiraient la victoire par KO pour son dernier round sentimental : lui, au moins, travaillait, réussissait et cela se voyait. En quittant le wharf, il ne confia ses états d'âme à personne, mais regrettait de voir prolongée son attente.

Chez Arame, quoiqu'aucune des deux femmes ne se l'avouât, la déception pointait déjà son nez. Lorsque les enfants furent rentrés de l'école, Daba se traîna mollement pour leur servir le goûter, le fameux *ndiogonal* qui permet de patienter jusqu'au dîner ; puis elle regagna sa chambre. Arame, après une courte sieste, était restée dans la sienne et refrénait sa nervosité en égrenant son chapelet. Si elle avait pu attraper le bon Dieu par le collet, elle lui aurait intimé l'ordre de lui ramener immédiatement son fils.

XXIV

Les ombres nappaient maintenant toutes les ruelles du village. Posté sur les dunes, on pouvait encore apercevoir, étendu à l'horizon, un tableau à l'huile de palme. Les vagues déferlaient, rousses, et ne promettaient plus de retrouvailles pour cette journée finissante. Pourtant, un bruit de moteur se faisait de plus en plus perceptible. « Ce doit être un groupe électrogène, quelque part dans le village, songea Arame. Quel fils du pays, sachant tout des vents du soir, oserait encore braver l'Atlantique à pareille heure ? » Allongée sur son lit, Daba, qui ne craignait plus de froisser sa toilette, avait pensé de même. Mais le bruit se réduisit peu à peu et cessa complètement. Une bonne demi-heure s'écoula. Seules les voix fluettes des enfants, qui profitaient de la dernière lueur du jour pour jouer à cache-cache, rompaient de temps en temps le calme du crépuscule. Les petits semblaient encore plus remuants que la veille, mais la cour était à eux, car personne ne venait mettre de limite à leur frénésie. Leur grand-mère était trop abattue pour sortir les sermonner et Daba, qui se demandait où trouver la force d'aller réchauffer le dîner, avait l'esprit occupé de choses plus importantes que leurs chamailleries. Partout et jusqu'au fond du perron, ils couraient, riaient, criaient et couraient encore. Soudain, le silence se fit. Deux hommes étaient entrés dans la cour, l'un portant un sac en bandoulière, l'autre tenant une petite valise noire. Les nouveaux venus étaient suivis de près par une horde de porteurs et une charrette qui croulait sous les bagages. Après un moment d'hésitation, les enfants se ruèrent vers l'un des messieurs et se mirent à clamer leur joie à tue-tête.

— *Fapa La-mine a gata ! Fapa La-mine a gata* ! Tonton Lamine est arrivé ! Tonton Lamine est rentré !

Arame fit irruption. Dans sa précipitation, son voile était tombé, mais elle avait encore, bien attaché sur la tête, le joli foulard assorti à son grand boubou en teinture traditionnelle.

— Wouyô ! Mon fils ! Mon fils ! répétait-elle, en courant comme une jeune fille, les bras tendus vers son messie.

Lamine posa le gros sac qu'il portait en bandoulière, fit quelques pas, intercepta sa mère et la serra très fort.

Debout, une main appuyée sur le rebord de la balustrade, Daba les observait, sans bouger. Alertée par les enfants, elle avait surgi, mais une fois hors de sa chambre, quelque chose l'avait immobilisée sur la marche supérieure du perron. Elle n'osait pas descendre, sous peine de voir exploser la grosse boule d'angoisse qui lui donnait des douleurs à l'estomac. Après les effusions, Lamine fouilla dans ses poches et gratifia les porteurs, qui remercièrent abondamment en se retirant, tandis que les enfants et le compagnon transportaient les bagages à l'intérieur du bâtiment.

Mais avant d'entrer, Lamine s'arrêta près de Daba, la salua et plaisanta.

— Bonsoir, Daba. Alors, c'est ainsi qu'on accueille son mari ?

Daba sourit, gênée, le débarrassa d'un sac et se dirigea vers leur chambre. Elle fit un effort pour suivre le mouvement, mais le ton enjoué de Lamine n'avait pas diminué son inquiétude. En son for intérieur, elle se disait que l'orage viendrait plus tard, quand le copain serait parti. Mais au moment où celui-ci voulut prendre congé, Lamine, à qui Arame avait déjà vanté les mets succulents qui l'attendaient, l'invita pour le dîner. Le garçon n'avait pas prévu de rester un tel jour, mais Lamine insista si gentiment qu'il finit par céder. Nombreuses étaient les raisons de remercier cet ami fidèle. C'était lui qui lui avait annoncé le décès de son père, lui qui prenait régulièrement de ses nouvelles. Aussi avait-il volé au secours de Lamine lorsque celui-ci, qui désirait arriver discrètement au village et souhaitait éviter les pirogues de transport en commun, l'avait appelé de Dakar pour lui faire part de son projet. « Je viendrai t'attendre avec ma propre pirogue, avait-il immédiatement proposé, et je te ramènerai au village au crépuscule. » Afin de tromper la vigilance des autres piroguiers, ils s'étaient donné rendez-vous, non à Djifère, mais à Ndangane Sambou. Cet ami était de ces gens qui font de la mémoire une passerelle et permettent aux voyageurs de renouer des liens avec une terre qui ne les attend plus. Retrouver un ami, c'est toujours retrouver un monde.

Avant d'aller réchauffer le dîner, Daba servit les pastels et les cocktails faits maison, bien frais. Arame n'avait pas oublié d'envoyer les enfants chercher les blocs de glace que Daba avait réservés chez Abdou. Le dîner fut gargantuesque. Lamine préféra le talali, le couscous de mil au poisson, plat traditionnel du village, quand son ami, Arame et les enfants n'avaient d'yeux que pour le poulet yassa. Prétextant les différents services pour faire diversion, Daba feignait de goûter à tout sans rien manger. Le dîner terminé, elle se lança dans une séance de thé, qu'elle espérait faire durer, afin de retenir encore le copain de Lamine et retarder le moment où la famille se retrouverait en privé. Mais dès qu'il eut bu son premier verre et grignoté un gâteau à la noix de coco, l'invité jeta un œil à sa montre et jugea qu'il était temps de laisser Lamine seul avec les siens. Alors que son fils raccompagnait son ami, Arame envoya les enfants au lit et, avant de gagner sa chambre, elle souffla à Daba :

— Il n'a pas eu le temps de se laver, chauffe une grande marmite d'eau, de quoi diluer une bonne bassine pour la douche et propose-lui… Et puis, essaie de te détendre, il m'a l'air de bien prendre les choses. Il commence à se faire tard, la petite…

Mais, déjà, se faisait entendre le pas de Lamine. Arame lança un regard de connivence à sa belle-fille et disparut dans sa chambre. Lamine, ne la retrouvant pas au salon, la rejoignit ; mais elle l'éconduisit tendrement.

— Va te reposer, mon fils, je vais m'endormir en remerciant le Seigneur de t'avoir ramené sain et sauf. Nous discuterons demain.

Pendant que Lamine prenait sa douche, Daba mit un peu d'ordre dans la chambre. Impeccable, le lit aurait inspiré autre chose qu'une nuit de sommeil à un couple normal, mais, compte tenu de l'étrangeté de la situation, Daba se dispensa de toute pensée coquine. Elle enchaînait ses gestes comme on exécute ses gammes. Debout, elle jeta un coup d'œil dans tous les sens et se dit qu'il manquait quelque chose. Elle se rendit dans la cuisine et revint avec une petite jarre de terre cuite, à moitié remplie de cendres, au milieu desquelles rougeoyaient des braises. Ayant délicatement posé le fragile récipient dans un coin, elle ouvrit un bocal, en tira deux pincées de thiouraye qu'elle versa sur les braises. Après son bain vespéral, Lamine apprécierait ; mais il s'éternisait, comme si sa douche devait le laver de la douleur de l'absence et des peines d'errances incrustées dans sa peau. Daba ajouta une pincée de thiouraye, se laissa choir sur le rebord du lit et regarda les volutes d'encens monter en spirales. Pendant qu'elle humait le suave parfum qui avait envahi la pièce, ses yeux continuaient à inspecter les lieux. Soudain, elle remarqua la pile de linge propre qu'elle avait plié et déposé sur une chaise dans l'après-midi. Elle avait oublié de la ranger et on y voyait surtout des habits de sa fille. Paniquée, elle se précipita, ramassa chaussons, bonnets, langes, jouets, toutes les affaires susceptibles de rappeler l'existence de son enfant et les fourra dans un sac aussitôt refermé. Elle fit deux fois le tour de la chambre : plus rien ne traînait, mais une tornade s'était déclenchée en elle, qu'elle n'arrivait plus à calmer. Le cœur battant, elle se mit à quatre pattes, tira une valise poussiéreuse de dessous le lit et la posa, grande ouverte, sur les draps propres qu'elle venait d'agencer avec soin. Elle y fourrait, pêle-mêle, ses vête-ments et ceux de sa fille, lorsque Lamine souleva le rideau de la porte, sa trousse de toilette à la main.

— Mais, que fais-tu ? interrogea-t-il.

Daba semblait saisie d'une transe et s'agitait sans lui prêter aucune attention. Il laissa tomber sa trousse, l'attrapa par les épaules et martela :

— Hey, Daba ! Qu'est-ce que tu fais ? Réponds-moi !

— Ma fille… Ma fille…

— Quoi ta fille ?

— Elle est chez ma mère. Elle m'attend là-bas. Je sais que tu ne voudras pas d'elle, de nous… Alors, j'y vais. Je rentre chez mes parents.

Lamine se mit à rire, la lâcha le temps de soulever la valise et de la déposer par terre. Puis il s'assit sur le lit, attira Daba contre lui et, tout en lui souriant, il lui dit :

— Mais, t'es vraiment folle, toi ! Cet enfant, je vais le chérir ! Ta fille, c'est la meilleure chose qui m'atten-dait dans ce pays. Tu m'entends ? C'est ma fille, enfin, si tu es d'accord, bien sûr.

Daba le dévisagea ; elle ne s'agitait plus, mais ne savait pas comment réagir non plus. Pleurant de joie, elle força un sourire et bredouilla.

— Mais… Mais comment peux-tu…

— Accepter l'enfant d'un autre ?

Devant l'expression indéfinissable de Daba, il rit encore et reprit :

— Ce n'est pas l'enfant d'un autre, c'est l'enfant de la femme que j'aime ! Tu es ma femme, non ? Tout ce qui pousse dans la ferme appartient au fermier, disent les anciens. Et puis, si j'avais eu un enfant toutes les fois que je t'ai trompée en Europe, franchement, j'aurais ramené de quoi peupler ce village ! Mais comme tu vois, je n'ai ramené personne parce que, là-bas, c'est contraception avant fornication ! Et pendant toutes ces années, je pensais aux copains qui faisaient des enfants au village, à toi qui attendais, en voyant toutes les filles de ta classe d'âge pouponner. Alors, tu comprends, quand j'ai appris que... que... Euh ! Enfin, quand j'ai appris, j'ai bien réfléchi et me suis dit que, finalement, c'était bien ainsi. Nous avons, nous aussi, un enfant. Et puis, si la petite tient de toi, elle doit être sacrément jolie. Allez, je m'habille et on va la chercher.

Pendant qu'il se préparait, se peignait, se parfumait, Daba le dévorait des yeux et réajustait l'idée qu'elle avait de lui. Elle le connaissait depuis toujours, l'avait trouvé charmant à l'école, serviable en tant qu'ami, mais, même dans ses rêves les plus fous, elle n'avait jamais imaginé que Lamine reviendrait dans de telles dispositions. Elle ne pensait pas à Ansou, mais à toutes ces commères qui ne lui prédisaient que désastre. Le village attendait une eau-forte, c'est une aquarelle rose d'un amour tendre que Lamine déployait. Daba rêvassait, une douce lumière brillait dans ses yeux. Ce soir-là, lorsque Lamine donna le top du départ, ils n'allèrent pas seulement chercher leur fille ; en cheminant, côte à côte, sous le clair de lune, ils coordonnaient leurs premiers pas vers l'avenir.

Chez les parents de Daba, la petite dormait sur le dos de sa grand-mère, qui faisait anxieusement les cent pas. Les gens veillaient dans la cour, mais dès que le couple fit son entrée, le silence fut total. Après de longues salutations, embrouillées et empreintes de componction, Lamine, n'ignorant rien des raisons d'une telle solennité, se pressa de briser la glace.

— Bon, vous nous rendez notre princesse ? Il est temps pour elle d'aller au lit. Nous reviendrons vous voir prochainement.

Un rire gêné emplit la cour et chacun respira plus à l'aise. La grand-mère, qui osait à peine lever la tête vers son gendre, lui sourit timidement et détacha le bébé. Daba récupéra la petite et la déposa aussitôt dans les bras de Lamine. Quelques formules de politesse plus tard, le couple s'en alla, laissa derrière lui une belle-famille médusée. Une seule phrase avait suffi pour désamorcer la crise que tous redoutaient.

Au retour comme à l'aller, ils passèrent à proximité de la boutique d'Abdou. Sous l'éclairage jaunâtre d'un groupe électrogène, un jeune homme préparait le thé près des joueurs de cartes qui s'égosillaient. Tous suspendirent leurs gestes à la vue des passants. Après une brève halte pour les salutations, Daba et Lamine avaient tranquillement poursuivi leur chemin. Mais ils n'avaient pas besoin de lire dans les astres pour comprendre ce qui se raconta derrière eux. Abdou, lui, ne se mêla point aux commentaires. Pendant que ses hôtes s'ébahissaient, claquaient une phrase avec chaque carte, maillant potins et proverbes, il se lissait la barbe, les yeux au ciel. Allongé sur sa chaise pliante, le commerçant se réjouissait d'avance, en évaluant la somme que Lamine lui verserait bientôt pour effacer l'ardoise d'Arame et Daba. Abdou n'escomptait aucun cadeau de la part des émigrés de retour, mais leur arrivée le soulageait et lui redonnait la foi en sa modeste épicerie.

— Le voyage s'est-il bien passé ? avait-il seulement demandé à Lamine, avant d'ajouter : la paix soit avec toi et avec nous tous ! À bientôt ?

— Oui, Abdou, à bientôt, avait répondu Lamine.

Initié au langage du village, où les non-dits tiennent parfois dans l'amplitude d'une voyelle, Lamine, qui n'avait pas oublié ses tympans en Europe, avait tout saisi dans l'intonation du boutiquier, derrière l'apparente cordialité de ses propos.

En route, Daba ne dit rien de l'ardoise qui attendait le jeune homme. Leur promenade était trop magique pour qu'elle y invitât des palabres dépourvues de poésie. À part les quelques mots de Lamine, le souffle de la brise dans le feuillage des cocotiers était un accompagnement suffisant. Elle ne parlait pas, elle préférait l'éloquence muette des choses qui se révèlent d'elles-mêmes. À l'entrée de leur chambre, Daba perçut un claquement de porte, à l'autre bout du salon. Elle se retourna, Lamine aussi.

Lorsqu'ils avaient quitté la maison, Arame n'avait pas pu rester impassible, ayant distinctement perçu un bruit de pas et la fermeture du portail. N'y tenant plus, elle était venue devant leur chambre, sur la pointe des pieds, avait appelé son fils pour lui demander ce qui se passait. Aucune réponse ne lui parvenant, elle avait jeté un œil dans la pièce : les affaires de Daba étaient toujours là, mais ce constat ne la rassura qu'à demi : souvent les femmes répudiées quittent le domicile conjugal dans la nuit, laissant à leur famille le soin de venir le lendemain récupérer leurs bagages. Soucieuse, Arame s'était postée au fond du perron. Sentinelle tapie dans le noir, elle avait regagné sa chambre dès qu'elle avait vu le couple arriver, Lamine portant la petite dans ses bras. Elle était heureuse, bien sûr, mais presque gênée de surprendre une telle scène.

Daba et Lamine ne virent personne dans le salon, mais ils se doutaient du manège. Une fois dans leur chambre, ils échangèrent un regard et pouffèrent de rire. Ils avaient dépassé l'âge de croire aux fantômes et dans la seule présence qui hantait la maison, tous deux voyaient un ange gardien.

Le lendemain matin, lorsque Lamine alla dire bonjour à sa mère, l'enfant de Daba serré contre lui, Arame les accueillit comme si les choses avaient toujours été ainsi. Elle s'était enfin sentie pleinement grand-mère de la petite et pour remercier son fils, elle avait seulement dit, en essuyant des larmes de joie :

— C'est bien, mon fils. La vie est compliquée, mais beaucoup de choses deviennent simples, quand on a du cœur. Et tu as du cœur, mon fils.

La journée s'ouvrait sur un beau tableau : une grand-mère, son fils et sa petite-fille. En effet, c'était simple : une famille, la leur, avec des spécificités, certes, mais des spécificités qui étaient leur normalité à eux.

Ce jour-là, en mitonnant le déjeuner, Daba fit le bilan de ses sentiments. Dans son monologue intérieur, il était question d'Ansou, de Lamine et de l'amour en général : l'amour, ce grand cirque qui émerveille tant, mais où on se brise si facilement les os. L'amour, un accident, au sens latin du terme, quelque chose qui survient à l'improviste, vous causant joie ou peine, souvent les deux. L'amour, un vent qui s'abat et vous surprend en pleine mer, propulse votre barque ou la fait chavirer. Le danger est grand, peut même s'avérer mortel, lorsque celui auquel on est livré, nu et sans défense, se passe de bienveillance. Mais comment distinguer le berger du chasseur derrière la cuirasse des apparences ? Daba savait qu'Ansou retenait son souffle, prêt à bondir dans l'arène pour prendre sa revanche. Un homme blessé est pire qu'un lion affamé. Elle pouvait le rejoindre, sa fille grandirait auprès de son vrai père et les jacasseries seraient estompées par la normalité reconstituée. Un tel choix semblait plus logique, mais l'être humain est beaucoup trop complexe pour faire de la conformité un gage de bonheur. Daba avait mûri et prenait maintenant en compte l'ensemble des paramètres dont l'addition constitue le véritable amour. S'envoler à l'appel du rouge-gorge, c'est bien, mais comme on ne reste jamais en apesanteur, il importe de s'aménager une base. Elle creusait en elle-même et, à mesure qu'elle fouillait, elle se découvrait des sentiments plus profonds que les émois de jeunesse qui l'avaient jetée dans les bras d'Ansou. On connaît mieux son homme, quand on a traversé des épreuves avec lui. Qui serait Ansou, en cas de coup dur ? Daba l'ignorait. Cependant, sa conviction que Lamine rejetterait Daba avait révélé le redoutable visage qui aurait été le sien, s'il s'était trouvé à la place du cocu. Or Lamine venait de gagner, par sa clémence, la confiance et la gratitude de la jeune femme. Elle éprouvait du respect, de l'admiration et une immense tendresse pour cet homme, dont elle avait pourtant attendu le retour dans la crainte. Pour lui avoir pardonné ce qu'elle avait fait en son absence, Daba considérait maintenant Lamine comme le meilleur des hommes. Il l'avait séduite par son attitude exemplaire, elle ne voulait plus rien faire qui pût lui déplaire. Et comme il tenait à la garder à ses côtés, sa décision était prise, définitive.

XXV

Surpris de ne pas voir se concrétiser la catastrophe annoncée, ceux et celles qui la prédisaient furent obligés de se rendre à l'évidence : la paix régnait dans la demeure d'Arame. Bougna et les autres visiteuses recommencèrent leurs allées et venues. Discrètes les premiers jours, elles laissèrent au soleil le temps de balayer les ombres froides de la gêne, avant de reprendre leurs aises. Et même si la situation les décoiffait, une sagesse toute nouvelle leur posait un doigt sur la bouche : aucune d'entre elles n'osait remettre en question la structure de cette famille, qui ne manquait pas d'aspérités mais paraissait plus solidement soudée que d'autres. Arame et les siens étaient toujours accueillants et chaleureux mais, après les épreuves qu'ils avaient traversées, ils ne permettaient plus à quiconque de fourrer son nez dans leur vie privée. Quelque temps après la fin de la période de veuvage de sa mère, Lamine se lança dans des travaux et prouva aux villageois qu'il n'était pas rentré d'Europe les poches vides. Il rénova et meubla le bâtiment familial, où ne demeuraient plus qu'Arame et ses petits-enfants, installés beaucoup plus confortablement. Pour lui, Daba et leur fille, Lamine avait construit un bel appartement en face du logement de sa mère. Depuis son perron, il gardait toujours un œil paternel sur ses neveux quand ils jouaient dans la cour centrale. Il était heureux de taper dans leur ballon en passant et les orphelins semblaient voir en lui le père qui leur manquait. Amoureux de sa femme et soucieux du bien-être de toute cette maisonnée qui gravitait autour de lui, Lamine n'envisageait plus de s'éloigner. Il avait conservé une part de ses économies, de quoi lancer un projet viable sur place et répondre aux besoins de sa famille élargie. Mais avant de commencer une activité lucrative, il souhaita enfin célébrer dignement son mariage, comme il l'avait promis, et le baptême de sa fille par la même occasion. Une lumière brillait en lui que plus rien ne pouvait éteindre et la perspective de cette cérémonie n'en était pas le seul motif.

À la fin des travaux, sa mère lui avait donné ce qu'il considéra comme le meilleur cadeau de sa vie. Un soir, Arame avait convoqué son fils et lui avait dévoilé le seul secret qu'elle n'avait pas osé livrer dans sa longue lettre : l'identité exacte de son géniteur, qui était également celui de son frère défunt. Dans sa lettre, Arame n'avait relaté que son parcours, les circonstances dans lesquelles on l'avait obligée à quitter son amour de jeunesse pour épouser Koromâk dont elle était maintenant la veuve. Elle n'avait confessé que ce qui pouvait aider Lamine à comprendre la haine de son père officiel. Maintenant que celui-ci était mort, la donne avait complètement changé : l'amour de jeunesse d'Arame, le vrai père de Lamine, était toujours au village et, quelques semaines après la fin du veuvage, il était venu lui demander sa main. À leur âge respectable, plus personne ne pouvait ajourner leur volonté. Mais avant de donner sa réponse, Arame avait voulu tout expliquer à son fils et obtenir son aval. Jamais le mot *oui* ne fut aussi franc et délicieux dans la bouche de Lamine. Oui, il voulait rencontrer son père, qu'il avait souvent frôlé sans rien savoir de lui. Oui, il voulait voir ses parents enfin réunis. Et, surtout, il entendait accomplir, le plus tôt possible, toutes les démarches nécessaires pour recouvrer son vrai nom. Il était comme celui qui a longtemps jeûné malgré lui, et qui entrevoit soudain une table couverte de bonne nourriture. Ce n'est pas sa raison qui acceptait, c'est son cœur qui s'ouvrait à tout.

La facilité avec laquelle Arame avait obtenu l'accord de son fils ne la conduisit pas pour autant à ébruiter son projet de remariage. Elle voulait que les noces de Lamine précèdent les siennes. Elle ne se confia qu'à Bougna et à quelques proches parentes, qui ne manquèrent pas de la taquiner gentiment. Dans une ambiance bon enfant, elles avaient improvisé une sorte de *khakhar*, un chant de noces assez coquin, lui reprochant de chiper un mari : la cinquantaine bien sonnée, elle allait être une troisième épouse et découvrir la polygamie ! Arame, gaie comme une adolescente amoureuse, riposta que les deux épouses du monsieur n'avaient manifesté aucune hostilité, lorsque leur mari les avait informées de son galant projet. Bougna, hilare, souligna qu'ayant grandi au village les dames savaient qu'Arame les avait précédés dans le cœur de leur époux. Et pendant que les autres riaient, Arame ajouta qu'elle ne les dérangerait pas, puisqu'elle n'irait pas se battre dans un foyer conjugal polycéphale et qu'elle aurait l'immense plaisir de rester chez elle, où elle recevrait son chéri pour leurs rendez-vous amoureux. Bougna, qui menait toujours sa guerre contre ses coépouses et n'espérait plus grand-chose d'Issa, n'était pas la seule à l'envier. L'avenir sourirait enfin à la brave Arame.

Au moment où le messager de Lamine parcourait le village, s'arrêtant dans toutes les maisons pour annoncer la date des festivités, une pirogue complétait sa liste de passagers pour l'Espagne. Lamine, qui avait maintenant des papiers en règle pour circuler en Europe, mais n'imaginait plus quitter les siens, s'indignait : l'Europe ! La faim, le froid, le racisme, la solitude, les petits boulots, l'esclavage économique ! Les barbelés administratifs autour de la zone grasse Euro. Les antipathiques mâchoires carrées en uniforme, ces petits potentats des frontières qui vous traitent moins bien qu'un chien abandonné à la SPA. La peur au ventre devant les flics de Sarkoland, sommés de tenir les infâmes chiffres du ministère Briceric Nettoyeurs. Lamine fulminait ! Si les jeunes savaient vraiment ce qu'il avait vécu là-bas, affirmait-il, aucun d'eux ne partirait. Néanmoins, échaudé, il ne faisait plus rien pour les raisonner. Il savait d'avance que personne ne l'écouterait, car les jeunes n'embarquaient pas faute d'informations : ils connaissaient chacun, personnellement, au moins l'un des nombreux fils du village qui avaient péri lors de ces périlleuses traversées. Et parmi ceux arrivés à destination par miracle, certains s'étaient retrouvés menottés et bredouilles, sur le tarmac de Dakar, vomis par un vol plein d'« amoureux de l'Afrique » qui endurent sans protester, bien calés dans leur fauteuil, les cris de ses enfants. Non, les jeunes n'ignoraient rien de ces périls,

ils bravaient l'océan avec la claire conscience de ceux qui parient leur propre vie et trouvaient des phrases imparables pour bâillonner ceux qui tentaient de les retenir. « Je n'ai rien ! Que sais-tu de ma douleur ? Que me proposes-tu ? » Pour avoir souvent reçu ces claques en pleine figure, Lamine ne se risquait plus à jouer le frère averti. En outre, les plus retors n'hésitaient pas à le mettre en contradiction avec lui-même : le peu qu'il avait rapporté ne laminait-il pas ses propres arguments ? L'avant-veille de la cérémonie, Lamine fut triste d'apprendre qu'une pirogue de clandestins avait levé l'ancre dans la nuit, lestée de certains de ses amis. Il était déçu, mais rien ne devait ternir son jour de gloire, sa mère et Daba y veillaient. Lamine n'était pas Gandhi, ni Senghor, ni Obama, l'impuissance faisait partie de son fardeau existentiel. Parce qu'il connaissait la violence de ses propres souffrances, il portait dans sa chair celles des autres et devait s'en accommoder.

Finalement, le jour venu, il se laissa porter par l'ivresse de l'événement. Mais d'avoir été longtemps loin du village et de ses coutumes avait aiguisé son regard. Avec une certaine distance, il observait, analysait. Des détails qu'il n'aurait pas remarqués auparavant lui sautaient aux yeux. Les dames, tantes, cousines auxquelles revenait l'intendance de la fête prenaient leur rôle très à cœur. Malheureusement pour Lamine, elles confondaient abondance et gaspillage. Pour épater les convives, leur montrer que le marié, leur cousin ou neveu, rentrait d'Europe et ne manquait de rien, elles dépensaient sans compter. Les griottes s'époumonaient, enchaînaient les louanges et chaque fois qu'elles vantaient la lignée des conjoints, on les couvrait de billets de banque et de rouleaux de tissu. Lamine jugeait de telles pratiques indécentes dans une société où les problèmes à résoudre s'amoncellent. Il voulait fêter son mariage, gâter son épouse, sa famille et ses proches, certes, mais un tel niveau de gabegie le révoltait. Dans ce pays où, dès qu'on vous suppose nanti, les gens viennent vous réclamer de l'aide et vous rendent responsable de leur survie, les excès festifs provoqués par les mariages, les baptêmes et d'autres cérémonies coutumières font regretter toute sollicitude aux plus compatissants. Ceux-là mêmes qui déclarent manquer de quoi vivre, qui regimbent devant l'ordonnance de leur mère et rechignent à financer la scolarité de leurs enfants, s'avèrent capables, les jours de cérémonie, de dépenser avec l'arrogance des princes pour défendre publiquement leur rang. Mais où est l'honneur ainsi revendiqué, s'il faut, après avoir fait montre de tant de vanité, aller quémander, mendier, emprunter nuitamment une simple ration quotidienne ? Ici, on a perdu le pouvoir et les moyens des cours royales d'antan, mais les noms résonnent et on préserve à tout prix le train de vie ostentatoire qui les caractérisait. Les inconscients foncent dans le mur, car, en pays guelwaar, la dignité se suffit à elle-même, elle ne courbe pas l'échine et ne tend pas la main. « On nous tue, on ne nous déshonore pas ! », c'est leur devise. Avant de percer le secret des adages, tous les enfants savent réciter leur arbre généalogique et les chants qui colportent la légende de leur nom. On ne réussit pas pour soi, on ne cherche à briller que pour propager l'éclat d'une lignée, si bien que les jalousies d'aujourd'hui prennent leur source dans les hiérarchies d'hier. Chacun se situe sur l'échelle imaginaire des valeurs, en fonction des victoires et des déconvenues qui hantent la mémoire collective. À défaut de savoir qui on est, on sait toujours à quelle famille on appartient.

Lamine savait tout maintenant de sa famille. Il en était fier, mais malgré la musique entêtante – des jeunes installés sous les cocotiers devant la maison avaient mis le volume à fond –, il ne parvenait pas à se départir d'un petit fond de tristesse. Pendant que la fête battait son plein, il était certain que la majorité des garçons qui mangeaient, buvaient, dansaient ne se souviendraient ni des mets succulents ni des belles toilettes des mariés, mais retiendraient seulement qu'il avait construit un bel appartement et fait un grand mariage à son retour d'Europe. Car même si les visages rayonnaient, loin d'estomper les jalousies, la fête les exacerbait. Pour Lamine, Daba et Arame, parents, amis et alliés de l'île et des environs avaient fait le déplacement. Même les ennemis d'hier étaient là, profitant de l'ambiance joviale pour arrondir les angles. Bougna, en amie fidèle, s'occupait de la délégation de la classe d'âge d'Arame. Coumba avait rejoint les jeunes femmes qui virevoltaient, guillerettes, chouchoutaient la mariée, perfectionnaient ses toilettes. Lamine était surpris par la foule d'hommes venus lui rendre hommage. Seuls Ansou et les siens manquaient à l'appel. Ansou était absent du village, depuis l'avant-veille. Lamine et sa famille s'abstinrent de tout commentaire mais, entre les mains pleines de beignets et les verres de bissap, les ragots allaient bon train. Du côté des femmes comme des hommes, tout ce qui était vraisemblable était concevable. Les uns soutenaient que, certain d'avoir définitivement perdu Daba, Ansou, écœuré, avait préféré fuir le village, qu'il était peut-être le capitaine de la pirogue qui venait de partir pour l'Espagne. D'autres gageaient qu'Ansou n'était pas homme à quitter si facilement l'arène, qu'il avait émigré pour se hisser à la hauteur de Lamine et reviendrait à l'assaut. Les villageois se passionnaient pour la rivalité amoureuse entre Lamine et Ansou autant que pour les combats de lutte entre Yakhya Diop Yékini et Mohamed Ndao Tyson. Chacun avait son champion et n'en faisait aucun mystère. En toutes circonstances, les deux camps s'affrontaient verbalement.

Dans l'animation de la fête, on n'entendait plus le vrombissement des moteurs de pirogue, qui d'habitude scandent les silences du village. D'ailleurs, il n'y avait aucune raison de tendre l'oreille, puisque tous les pêcheurs avaient pris une journée de congé pour se présenter chez Arame. Pendant que les plus vieux discutaient, en attendant leur part du festin sous l'arbre à palabres d'une maison voisine, les jeunes écoutaient de la musique, sous les cocotiers, et dans une amicale compétition, exécutaient fièrement leurs dernières trouvailles en matière de pas de danse. Dans la cour, des femmes tapaient sur des calebasses, chantaient ; d'autres, en cercle, reprenaient en chœur et tapaient des mains. De temps en temps, les plus délurées, galvanisées par les polyphonies, sautaient au milieu du cercle et dansaient énergiquement. Même Bougna et Coumba y allèrent de leurs modestes évolutions. C'était la fête, tout le monde s'ébrouait. Polygamie ou pas, mari absent ou pas, les femmes riaient, heureuses. De minces nuages clairsemés couraient sur un immense fard à paupières bleu, le soleil butinait dans les décolletés et la journée était aussi légère qu'un tagal. Un joyeux tintamarre étouffait tous les gémissements et tout bruit extérieur. Aussi personne n'entendit-il le moteur de la pirogue qui avait accosté au wharf. Quand, soudain, tout devint calme, les gens se regardèrent, surpris. Bougna venait d'ordonner une petite pause, le temps d'un repas tranquille pour tous. Les tam-tams viendraient après le déjeuner, faire monter la température et accélérer la digestion. Les papilles comblées, on danserait bien mieux et puis, il fallait que les bassines de cocktails divers fussent appréciées à leur juste valeur. Elles ne devaient pas seulement désaltérer, mais aussi sauver de la déshydratation ceux et celles qui laisseraient leur force devant les *pélinguères*, ces tam-tams taquins qui éperonnent la fougue des danseurs. Après l'effort, toute boisson a meilleur goût. Le pouls de la fête avait momentanément chuté et chacun reprenait son souffle, en attendant l'explosion d'adrénaline de l'après-midi. Les cuisinières avaient commencé à servir le déjeuner, quand deux messieurs saluèrent à l'entrée de la maison : c'étaient Ansou et son père.

Dans la cour, les discussions s'interrompirent, des femmes tressaillirent et manquèrent de renverser les plateaux de nourriture qu'elles tenaient en main. Certains hommes portèrent leur main à la barbe, même lorsqu'ils n'en avaient pas. Le sol se dérobait sous les pieds, comme une fausse certitude. Ansou était bien là, en chair et en os, devant leurs yeux exorbités, accompagné de son père. Si les jeunes hallucinaient devant cette apparition, les anciens et ceux qu'Arame avait mis dans la confidence savaient déjà à quoi s'en tenir. Prévenue par l'une des cuisinières, Bougna était venue au-devant des deux hommes pour les conduire jusqu'à Arame, qui les accueillit dans sa chambre. En bonne complice, sûre de ce qu'elle avait à faire, Bougna ressortit pour aller chercher Daba et Lamine. Dehors, les esprits restaient en alerte. Les mots se firent rares et ce n'était pas seulement pour éviter de parler la bouche pleine. Ils ne disaient rien, parce que la surprise avait aspiré et tari le flot de leurs pensées. L'imagination ne sert à rien quand la réalité dépasse l'entendement. Or la réalité qui se jouait dans la chambre d'Arame déjouait les conjectures les plus affûtées.

Ce que beaucoup ignoraient, c'est que dès l'annonce de la date du mariage de Lamine et Daba, Ansou était sorti de ses gonds. Hurlant, vitupérant, il jurait que, le jour de la cérémonie, il irait revendiquer publiquement la paternité de sa fille. Mais l'avant-veille du mariage, son père lui avait demandé de l'emmener en pirogue à Sangomar. Ansou s'étonna, cela faisait des années que son père ne partait plus en mer.

— Mais que vas-tu faire à Sangomar ? s'enquit-il, dis-moi ce que tu veux aller chercher là-bas et je te l'apporterai.

— Non, mon fils, avait objecté le père. Je dois y aller avec toi, il y a des courants marins que tu ne connais pas encore et je dois t'apprendre à les affronter.

— Mais, papa ! s'insurgea gentiment Ansou en souriant. Depuis le temps que je conduis ma pirogue, je suis l'un des meilleurs capitaines du village, à ce qu'on dit.

— Oui, mais ceux qui le disent ne t'ont pas formé à la navigation ; c'est moi qui t'ai tout enseigné et je sais bien ce que je ne t'ai pas encore appris.

C'est ainsi qu'Ansou s'était rendu sur la petite île de Sangomar avec son père. Une fois sur place, le vieux l'entraîna jusqu'à la dune la plus haute qui surplombait la baie et là, sous un baobab, il l'invita à s'asseoir près de lui. Pendant longtemps, ils restèrent silencieux, regardant les oiseaux, les rares pirogues et bateaux qui passaient à intervalles irréguliers. Au bout d'un certain temps, Ansou, qui commençait à s'ennuyer, interrogea son père.

— Papa, de quels courants voulais-tu me parler ?

— Des courants qui éloignent ce qu'on croit proche et rapprochent ce qu'on croit loin. Ces courants surprennent toujours les marins.

— Et ces courants se lèvent en quelle saison ?

— Toute la vie durant.

— Papa, je ne te comprends pas.

— Je veux dire que ta fille n'est pas si loin de toi, puisqu'elle portera ton nom.

— Oui, sûr qu'elle portera mon nom, je compte bien me battre pour la faire reconnaître.

— Non, il ne s'agit pas de cela. Elle portera ton nom, parce que Lamine est ton frère. Je t'ai emmené ici pour te parler des courants de la vie, car la plus complexe des navigations c'est la vie. Et quand nous quitterons ce lieu, tu seras devenu un marin complet, parce que tu auras découvert le secret de ton père…

Et l'homme avait tout raconté à son fils, y compris son intention d'épouser celle qu'il croyait avoir perdue pour toujours, Arame. Ils avaient embarqué en père et fils, ils rentrèrent en hommes égaux. Ils savaient maintenant tout l'un de l'autre et partageaient la même expérience d'avoir souffert d'amour. Ansou était troublé, il ne dit rien lorsque son père l'interrogea sur sa décision finale.

Arrivé au village, il remit son moteur en marche, dès que son père eut posé le pied sur le wharf. Alors qu'on le croyait parti pour l'Espagne, Ansou s'était simplement réfugié chez un ami d'une île voisine. Là-bas il avait pleuré, vidé toute sa colère, puis, pendant deux jours, il s'était enfermé dans la réflexion. Le matin de la célébration de l'union de Daba et Lamine, il avait pris sa pirogue et rallié le village. Arrivé chez lui, il fit de son père le plus heureux des hommes en lui disant :

— Papa, j'ai compris qu'après ce qu'il lui a pardonné, Daba ne quittera jamais Lamine. Alors, même si c'est dur, j'accepte mon frère, et ma fille... Euh... La petite sera ma nièce et toi tu pourras enfin... disons que cela réunira au moins la famille. Je pense que nous devons aller au mariage.

Chez Arame, les cuisinières, escortées par Bougna, servirent à la famille réunie des plats gargantuesques et des cruches de jus. Il fallait trop de tout pour maintenir les cœurs à leur place. Il fallait des litres de boisson sucrée pour faire passer les restes d'amertume. Lamine, Daba et Ansou, les anciens camarades de classe se découvraient en hommes et femme qui venaient de réussir leur première grande traversée de l'âge adulte. Arame et son futur mari se lançaient des œillades, comme des entraîneurs évaluant leur petite équipe. On se regardait avec tendresse et respect, mais on avait encore de petites peurs secrètes, telles des chéloïdes qui avaient besoin des caresses du temps pour s'aplanir.

Épilogue

Dans ce village, quand on n'est pas marin, on est descendant de marin et tout le monde sait que, même si la vie tangue à donner des migraines, c'est quand on croit le naufrage inévitable que la barque reprend son sillage de plus belle. Fortes de cette certitude, Arame, Bougna, Coumba, Daba, comme toutes leurs semblables, poursuivaient leur navigation.

Lorsque les tam-tams retentirent, tous les convives formèrent un cercle autour des mariés. Après la folie endiablée des jeunes, ce fut le tour des mamans de faire leur entrée. Les mères des mariés devaient d'abord faire un discours, chacune, si elles le désiraient. Compte tenu des casseroles de sa fille qui tintaient encore, la maman de Daba se contenta de remercier tout le monde et se répandit en prières. Émue, Arame préféra entonner un chant de Rémi Dioh qui disait pour elle ce qu'elle avait dans le cœur : « *I mbouh ndighil, yassolâtène mana rôg sôm a sobé… Orimtèle doyou khâthièle a né moya…* » Cette chanson évoque la force de l'amour et la puissance des liens du sang. Arame se réjouissait, ainsi, de sa famille enfin réunie, rendait hommage à son futur mari, encourageait Lamine et Ansou à développer des rapports fraternels. Après chaque stance d'Arame, toutes les femmes reprenaient en chœur. Bougna et Coumba, elles, ne savaient pas quand reviendrait Issa.

Parmi les femmes endimanchées, maquillées, parfumées, qui rayonnaient, happaient des quartiers de soleil à chaque couplet, beaucoup attendaient un fils ou un mari émigré. Depuis des années, des épouses à la force de l'âge s'endormaient dans les bras de la solitude. Pudiques, rien ne les distinguait pendant les cérémonies villageoises. Elles se faisaient aussi belles qu'elles le pouvaient et participaient aux réjouissances collectives, car aucune d'elles ne souhaitait faire entendre la fausse note dans la symphonie sociale. Les raisons de ne pas chanter, d'esquiver la danse et même d'économiser leurs sourires ne leur manquaient pas, mais elles chantaient, dansaient et riaient exagérément, comme rient ceux qui se retiennent de pleurer. Lorsque ce fut le tour de la classe d'âge d'Arame de défiler et de déclamer leurs plus belles chansons, Bougna, postée devant les batteurs de tam-tams, regarda Coumba et commença par un air que tout le monde connaissait, une berceuse qui, en réalité, semblait inventée pour consoler toutes les femmes esseulées.

« *Ayo, ayo, Lamine Yandé ! Nanyo ké ndidné laya no makholé mbiné ! Thiora Mbaye thiora diéga ké lolona ! Yalanam oyalo mbélane, Famara Diamé ! Doudou mame, gati mbiné eh ! Kôr né néwa !* » Ce qui veut dire : « Ayo, ayo, Lamine Yandé ! Écoutez l'oiseau chanter à l'entrée de la maison ! Thiora Mbaye, Thiora, tu as des raisons de pleurer ! Chante-moi une belle berceuse, Famara Diamé. Doudou Mame revient à la maison ! Un homme, ce n'est jamais insignifiant dans une demeure ! »

Les femmes reprenaient, chorale harmonieuse saisie dans une même transe, mais elles savaient que la brise ne porterait pas leurs polyphonies jusqu'aux oreilles de ceux qui leur faisaient défaut dans ce grand moment de liesse collective. C'est mues par un sentiment naturel d'élégance qu'elles répétaient à l'unisson qu'*un homme n'est jamais insignifiant dans une demeure*, car c'étaient bien elles qui portaient les demeures en question sur leurs épaules.

Les hommes partaient, revenaient ou non et ceux qui revenaient laissaient souvent derrière eux celui qu'on attendait. Rivales d'Europe restées fidèles à leur chambre vide, les femmes ne se contentaient pas de patienter, elles remplissaient la gamelle des petits de leur courage, tissaient les joies et les peines pour jeter un pont vers l'avenir, qu'elles souhaitaient radieux pour leurs enfants. Elles n'en voulaient même plus à leurs hommes, ensorcelés par le chant des sirènes, sachant bien qu'elles devaient leurs nuits froides et leur nostalgie au mot espoir inscrit sur l'horizon. Filles de marin elles aussi, elles ne pouvaient que ramer sur l'océan de la vie. Et même privées de barque, une écorce de noix de coco leur suffisait pour braver les courants du destin. Au village, celles qui restent à quai avancent, chacune au rythme de sa quête. On les croit sédentaires, mais les nuits blanches se font voiliers pour les transporter à travers le monde, dans le sillage de leur aimé. Parce qu'elles savent tout de l'attente, elles connaissent le prix de l'amour ; mais seuls leurs soupirs avouent *ceux qui nous font languir nous assassinent*[1]

Table

Cet ouvrage a été imprimé
en juin 2010 par

FIRMIN-DIDOT

27650 Mesnil-sur-l'Estrée
N° d'édition : L.01ELJN000342.N001
N° d'impression : 100355
Dépôt légal : août 2010

Mise en page par Méta-systems
Roubaix (59100)

Imprimé en France